## <u>ACCESO GRATIS</u> a la Lectura en la Nube

Para visualizar el libro electrónico en la nube de lectura envíe junto a su nombre y apellidos una fotografía del código de barras situado en la contraportada del libro y otra del ticket de compra a la dirección:

ebooktirant@tirant.com

En un máximo de 72 horas laborables le enviaremos el código de acceso con sus instrucciones.

# TEODORA Y EL FEMINISMO JURÍDICO EN BIZANCIO

# TEODORA Y EL FEMINISMO JURÍDICO EN BIZANCIO

MARÍA JOSÉ BRAVO BOSCH

**tirant lo blanch**

Valencia, 2022

Copyright ® 2022

© María José Bravo Bosch

© TIRANT LO BLANCH
EDITA: TIRANT LO BLANCH
C/ Artes Gráficas, 14 - 46010 - Valencia
TELFS.: 96/361 00 48 - 50
FAX: 96/369 41 51
Email:tlb@tirant.com
www.tirant.com
Librería virtual: www.tirant.es
DEPÓSITO LEGAL: V-3843-2021
ISBN: 978-84-1397-971-7
MAQUETA: Disset Ediciones

Si tiene alguna queja o sugerencia, envíenos un mail a: *atencioncliente@tirant.com*. En caso de no ser atendida su sugerencia, por favor, lea en *www.tirant.net/index.php/empresa/politicas-de-empresa* nuestro procedimiento de quejas.

Responsabilidad Social Corporativa: http://www.tirant.net/Docs/RSCTirant.pdf

EDUARDO,
*OPTIMO VIRO, IN AETERNUM D. D.*

# Índice

## 3. TEODORA Y LA LEGISLACIÓN FEMENINA DEL *CORPUS IURIS CIVILIS*.

# GRATIARUM ACTIO

El agradecimiento es la memoria virtuosa del corazón, la gratitud necesaria y humilde que en este caso concreto reconoce la inestimable ayuda de personas e instituciones que nos facilitaron la consecución de nuestra investigación.

Por eso hemos considerado necesario plasmar en estas líneas el acompañamiento sentido en la culminación de esta obra, el ánimo constante percibido en nuestro itinerario con la insigne Teodora.

En primer lugar, este libro ha sido posible gracias al extraordinario apoyo del Profesor Oliviero Diliberto, Catedrático de Derecho Romano de la Universidad La Sapienza de Roma, exministro de Justicia de Italia, actual Decano de la Facoltà di Giurisprudenza de la Universidad La Sapienza de Roma y Director de la Scuola di Alta Formazione in Diritto Romano, reconocida como centro de excelencia global de formación en derecho romano. Su irremplazable magisterio, grandeza intelectual y reconocible prestigio, la asistencia facilitadora para acceder a todos los recursos bibliográficos durante nuestra estancia de investigación de tres meses en La Sapienza, en 2020, bajo su conspicua dirección, su cálida recepción y atención dispensada ante cualquier duda científica, fueron fundamentales para concluir nuestro estudio interdisciplinar.

En segundo lugar, una investigación que requiere una exégesis multilingüe resulta más sencilla cuando sientes la cercanía científica del Profesor Francesco Musumeci, Catedrático de Derecho Romano de la Universidad de Catania, siempre dispuesto a compartir la ciencia romanística y su saber, al que agradecemos sus magníficas apreciaciones objetivas.

También queremos destacar y agradecer la presencia maravillosa de Antonella Di Mauro, Profesora Titular de la Universidad degli Studi 'Magna Graecia' de Catanzaro, amiga insustituible, consejera, experta en la antigüedad tardía, cuya compañía en nuestro arduo trabajo cotidiano supuso un renovado espacio de debate académico singular.

A mayor abundamiento, la cercanía de Gema Vallejo Pérez, Profesora de Derecho Romano de la Universidad de León, durante nuestra estancia en Roma, supuso un apoyo personal imprescindible, y esta investigación es fruto de la serenidad y el equilibrio compartido.

En esta ocasión queremos tener un reconocimiento especial para Fernanda Domínguez Nieto, perfecta y mejor amiga, ejemplo de vida femenina que tantas veces nos ha servido de inspiración.

Por último, queremos dar las gracias a Eduardo López Pereira, Catedrático de Filología Latina de la Universidad de la Coruña, a quién está dedicado este libro, por su paciencia infinita, su perfección latinista ilusionante, su ánimo indefectible, y por habernos transmitido la pasión por el trabajo y el esfuerzo ilimitado, mejor estímulo y gratificación científica.

# ABREVIATURAS

| | |
|---|---|
| *BAB* | *Bulletin de l'Académie royale de Belgique* |
| *BMGS* | *Byzantine and Modern Greek Studies* |
| *BIDR* | *Bullettino dell'Istituto di Diritto Romano "Vittorio Scialoja"*, Roma. |
| D | *Digesta Iustiniani Augusti.* Th. Mommsen-P. Krüger (eds.), Hildesheim. |
| *Hist. Ecl.* | *Historia Eclesiástica.* |
| *GRBS* | *Greek, Roman, and Byzantine Studies.* |
| *JÖB* | *Jahrbuch der Österreichischen Byzantinistik.* |
| *JRS* | *The Journal of Roman Studies*, Londres. |
| *LCM* | *Liverpool Classical Monthly.* |
| *NNDI* | *Novissimo Digesto Italiano*, Turín. |
| *PWRE* | *Paulys Realencyclopädie der klassischen Altertumwissenschaft*, Stuttgart, Múnich. |
| *RHDF* | *Revue Historique de Droit Française.* |
| *RIDA* | *Revue Internationale des Droits de l'Antiquité*, Bruselas. |
| *RIDROM* | *Revista Internacional de Derecho Romano. Castilla- La Mancha.* |
| *SDHI* | *Studia et Documenta Historiae et Iuris*, Roma. |

# PRÓLOGO

Entriamo in silenzio, con rispetto e circospezione, nella Basilica di San Vitale, a Ravenna.

Due cortei si fronteggiano, si guardano. Anzi, viene subito da pensare: quei cortei *ci guardano*.

Guardano noi contemporanei e ci interrogano, nella loro ieraticità.

Volti immortalati nella fissità bizantina. Solenni. Immutabili.

Sono i mosaici di San Vitale: da una parte, Giustiniano con i suoi dignitari. Dinnanzi a lui, Teodora, l'imperatrice, accompagnata dalla moglie e dalla figlia del generale Belisario.

Immagini celebri, giustamente. Sin dai tempi di Dante Alighieri, hanno ispirato pagine struggenti della letteratura, composizioni di musica, delle arti figurative. Un esempio per tutti, forse il più straordinario: Klimt, ispirandosi alla figura di Teodora, ha consegnato alla storia il *Ritratto di Adele Bloch-Bauer*.

Teodora. Nessuna figura femminile dell'antichità – forse solo Cleopatra – ha ispirato sentimenti così forti e contrastanti.

Di certo, sappiamo che era bellissima e di intelligenza scintillante.

Per alcuni fu attrice, prostituta, arrampicatrice sociale, crudele, anzi efferata. Per altri, fu moglie e madre esemplare, sapiente consigliera di Giustiniano, ispiratrice di buone leggi, colta e religiosissima.

Contraddizioni che si rincorrono sin dalla documentazione più antica: Procopio, nemico implacabile della coppia imperiale, ha lasciato di Teodora – come ben noto – un ritratto a tinte così fosche, da apparire persino grottesco. Ma, contemporaneamente, la Chiesa cristiana ortodossa la ha elevata al rango di santa.

Eros e santità: niente di più fascinoso.

Una donna straordinaria, in una cornice altrettanto straordinaria: una città – Costantinopoli, Bisanzio, Seconda Roma – cosmopolita, ricca, colta, ma anche lussuriosa, pericolosissima, dedita alle corse dei cavalli e ai relativi tumulti (la celebre rivolta di Nika, che rischiò di rovesciare l'imperatore e fu sgominata nel sangue). Mercanti, artigiani,

giocolieri, prostitute, cantastorie, soldati di ventura, contadini, mona-
ci, santoni e guaritori.

E poi, la corte, quella di Giustiniano. Intrighi e congiure si svolge-
vano mentre i sapienti del diritto erigevano il "monumento" giuridico
per eccellenza, il *Corpus Iuris Civilis*, che segnerà di sé tutta la storia
dell'Occidente, sino ai giorni nostri.

Teodora, insomma, vive e si muove come in un set cinematografi-
co, quasi coltivando la propria leggenda: ed in effetti, su di lei un film
fu effettivamente girato, *Teodora impetratrice di Bisanzio*, del 1954,
diretto da Riccardo Freda. Meritava molto meglio.

Riesaminare, dunque, oggi la personalità di Teodora, dopo milioni
di pagine di studiosi, di romanzieri, di pittori, di costruttori di leggen-
de, è impresa difficile, ambiziosa, metodologicamente impegnativa.
Quando, infatti, il personaggio di cui si ricostruisce la biografia (personale, intellettuale e politica) è controverso sin dalle fonti antiche, è
arduo per lo storico distinguere tra realtà e pettegolezzo, tra storia e
leggenda.

Se poi si tratta di una donna, per giunta bellissima, intelligente
ed indipendente, le difficoltà aumentano, soprattutto per via di una
documentazione – quella antica, coeva al personaggio studiato – che
è sempre, inevitabilmente, direi inesorabilmente, di parte: perché sono
testi, quelli antichi, scritti *sempre da uomini* che parlano di donne.

Maria José Bravo Bosch ha, dunque, scelto di cimentarsi in
un'indagine storica e giuridica complessa, ma anche incredibilmente
ricca di fascinazione: occuparsi di Teodora di Bisanzio rappresenta,
infatti, ai miei occhi, un vertiginoso gioco intellettuale.

Il risultato della ricerca della Bravo Bosch è all'altezza del compito
che si era prefisso.

L'autrice, infatti, prende per mano il lettore e lo guida abilmen-
te attraverso le molteplici articolazioni della personalità di Teodora, con un'analisi attenta, precisa e completa della documentazione
antica e della letteratura moderna: la biografia, la determinazione
dell'imperatrice nei momenti più difficili di Costantinopoli, il ruolo
da lei svolto nella legislazione giustinianea, ispirata al "feminismo
jurídico".

L'affidabilità della documentazione antica è vagliata con cura ed equilibrio storiografico. Le soluzioni proposte appaiono convincenti e sono sempre adeguatamente supportate dall'analisi dei testi (ad esempio le costituzioni imperiali).

La figura dell'imperatrice viene così ricondotta ad una sorta di "protofemminismo": il che, per un ambiente tutto al maschile, ossessionato dalla religione e dalle dispute teologiche, politicamente infido, è un complimento che Teodora sicuramente si è meritato.

Termino queste brevi note – complimentandomi sinceramente con l'autrice – con una suggestione finale. Il 2 giugno di questo 2021, proprio nella basilica di San Vitale a Ravenna, è stata rappresentata l'ultima opera lirica dedicata all'imperatrice: *Teodora*, appunto, di Mauro Montalbetti, compositore italiano di grande talento, con cui si è aperto il *Ravenna Festival della musica*.

Il musicista – evidentemente grande ammiratore dell'imperatrice – associa la figura di Teodora a quella di Sylvia Plath (1932 - 1963), delicata poetessa, donna colta, raffinata, libera ed indipendente, vissuta e morta tragicamente.

Due donne – Teodora e Sylvia – lontanissime nel tempo e nella latitudine, diverse per rango sociale, per biografia e fortuna, accomunate, però, da un elemento comune: quello di aver affermato con intelligenza e fierezza la propria femminilità, in un mondo maschile, mai da gregarie.

Sempre protagoniste.

OLIVIERO DILIBERTO

# INTRODUCCIÓN

La difamación en femenino ha tenido históricamente pocas consecuencias para el autor del delito, pero un efecto devastador y perenne para la víctima del libelo. En el caso concreto de Teodora, actriz,
emperatriz y finalmente santa de la iglesia ortodoxa, las invectivas
cobardes, punzantes y denigrantes dedicadas por el historiador Procopio[1], cuando la augusta consorte de Justiniano ya había fallecido,
consiguieron en un primer momento el efecto deseado, el rechazo casi
unánime de la sociedad bizantina de la insigne figura imperial.

Con todo, el tiempo ayudó a demostrar que aunque la inocencia
no fuera la mayor virtud de la emperatriz, sí lo eran su inteligencia
innata[2], su coraje, su determinación, y su eterna e inquebrantable lealtad hacia su esposo, el emperador Justiniano, a quién brindó su apoyo
incondicional en todo momento, después de una profunda transformación física y espiritual que la condujeron al trono como consorte
imperial.

No es nuestro propósito realizar la hagiografía de Teodora, por su
santidad reconocida en la confesión cristiana ortodoxa, puesto que
dicho reconocimiento no constituye el eje central de nuestro estudio,
sino analizar la biografía terrenal, discutida e incierta, así como la publicitada vis jurídica de la emperatriz. Descubrir su influencia real en
las transformaciones jurídicas de la sociedad protobizantina, a través
de la legislación justinianea, e indagar en la pretendida feminización
del *ius* justinianeo por mediación de Teodora, será el objetivo principal de nuestra exégesis multidisciplinar, sin procurar el revisionismo

---

[1]    J. B. BURY, *A History of the Later Roman Empire. From Arcadius to Irene
(395 A.D. to 800 A.D.)*, vol. II, Londres, 1889, p. 61, en referencia a Procopio:
"...Ascribed to Theodora in the indecent pages of an audacious and libellous
pamphlet".

[2]    C. DIEHL, *Byzantine Portraits*, trad. ingl., Nueva York, 1927, p. 53: "She was
intelligent, witty, and amusing: she had Bohemian high spirits which were often
exerted at the expense of her fellow-actresses, and a pleasing and comic way
with her that kept even the most volatile adorers firmly attached".

histórico de tan excelsa figura[3], a veces presente en la historiografía, pero en absoluto ejemplar.

De acuerdo con CASTRESANA, en ocasiones la historia parece enmudecer ante determinados protagonistas, como sucede con el caso de las mujeres, historia caracterizada por sus largos silencios, constantemente sometida al dictado de los hombres y "extraordinariamente fecunda en su desprecio a ese otro aspecto de la creación que es mujer y llamamos sexo femenino"[4], resultando ser la antigüedad clásica un gran ejemplo de este singular quehacer histórico.

En ese guión jurídico-histórico[5], claramente masculino, no resulta tarea fácil poder encontrar la huella de Teodora, máxime cuando su

---

[3]   Nos referimos claramente a la reivindicación del feminismo activo y representado en la normativa justinianea como propio de Teodora. No entendemos como buena parte de la doctrina la describe como una feminista, en el sentido actual de la acepción, porque sus actuaciones no se corresponden con este necesario calificativo en la actualidad vigente. Las referencias feministas acerca de Teodora, entendidas como un halago, resultan en este contexto histórico-jurídico incomprensibles, y más aún en un patriarcado excluyente como el vigente en la Constantinopla coetánea a la emperatriz. Si bien no caemos en la trampa procopiana del libelo denigrante y justiciero con respecto a Teodora, así considerado unánimemente por la doctrina, no resulta acreditado que la legislación justinianea dirigida al colectivo femenino sea fruto de la conciencia feminista de la emperatriz, ni que ella ejerciese como tal en una corte estrictamente patriarcal, como pondremos de manifiesto a lo largo de nuestro trabajo de investigación.

[4]   A. CASTRESANA, *Catálogo de virtudes femeninas. De la debilidad histórica de ser mujer versus la dignidad de ser esposa y madre*, Madrid, 1993, p. 11, añadiendo en pp. 13-14: "Es bien cierto que el mundo femenino adquiere protagonismo histórico en la medida en que incide en la esfera de acción masculina; sólo entonces los varones deciden relatar, informar, explicar o incluso justificar algunos detalles de la vida de las mujeres"; la conclusión en p. 15 nos recuerda como la mujer solo conquista su dignidad cuando cumple con su destino y se convierte en madre: "De pronto la imbecilidad del carácter femenino y la odiosa debilidad de su espíritu se transforman, por una suerte de magia masculina, social y jurídicamente autorizada, en sabiduría y coraje", recordando además, muy acertadamente, como existen pocos contrastes en materia de diferenciación sexual, entre los pensadores de la antigüedad y algunos de la ilustración, lo que da cuenta de la triste historia de las mujeres.

[5]   O. DILIBERTO, *Fra Storia e Diritto*, en *Nel mondo del Diritto Romano, Convegno ARISTEC Roma 10-11 ottobre 2014*, Letizia Vacca (ed.), Nápoles, 2017, p.75: "Storia e diritto, infatti, sono -come ovvio- due poli di una dialettica che, nello studio del diritto romano, oscillano tra loro e si rincorrono da secoli, tanto da rendere praticamente impossibile una disamina di sintesi, ancorché per

primer itinerario vital está muy lejos de contentar al imaginario colectivo que adulaba un ideal femenino reprimido y sometido al varón como modelo de mujer. Un escenario parcial, protagonizado por la supuesta superioridad natural de los hombres, y la inferioridad física e intelectual de las mujeres, cuya *levitas animi* deben reconocer desde su más tierna infancia para obedecer sin rechistar, de acuerdo con los *mores maiorum* y la legislación establecida, que subordinaba *in aeternum* el universo femenino a un esquema patriarcal absoluto e ilimitado.

A mayor abundamiento, la recreación femenina hacia la posteridad implicaba el reconocimiento de esa superioridad masculina, letal para la historia de las mujeres, en cuanto se remodelaba el pensamiento político de la historiografía real. De este modo, la condición femenina se encontraba en la afirmación masculina, y solo a través del reconocimiento de la insigne personalidad del hombre se podía definir la feminidad, siempre en cierto modo ausente, casi nunca brillante, y con escasas virtudes fuera del modelo adscrito al hogar.

Aun con todo, la historia de Teodora merece el análisis de las tensiones y conflictos entre ambos sexos, el estudio de su marcada personalidad y la objetiva exégesis de su vida, sus hechos, sus actos jurídicos, su presencia y participación directa e indirecta en la corte bizantina, así como la influencia, publicitada excesivamente, ejercida en el emperador Justiniano y su traducción explícita e implícita en la legislación justinianea.

Para poder hablar de tan insigne personaje, debemos realizar un breve *excursus* geográfico para poder delimitar su ámbito espacial vital. Y la verdad ensoñadora es que su vida transcurre en una de las urbes más famosas, vividas, monumentales, exóticas, e inolvidables de todo el mundo: Constantinopla.

Esta sobresaliente ciudad nace en el siglo IV, año 324[6], fundada por Constantino, como la segunda capital del Imperio, 'La Nueva

---

sommi capi", incidiendo en la íntima relación entre la historia y el derecho, como polos de una dialéctica en el estudio del derecho romano, que ha funcionado durante siglos.

[6]   E. BARKER, *Social and political thought in Byzantium. From Justinian I to the last Palaeologus*, Oxford, reimpr. 1961, p. 27, en la que concreta esta fecha como la correcta en cuanto a la datación de la fundación del imperio bizantino: "The

María José Bravo Bosch

Roma', cuya realidad se superpondrá superando a la antigua capital del imperio romano, como consecuencia de la ruina definitiva de la parte occidental imperial. Aun más, alcanzará su relevancia por méritos propios, convirtiéndose en el centro visible y magistral del imperio romano de Oriente, el bizantino[7], con un emplazamiento estratégico inigualable que la convertirá en una ruta comercial y migratoria incomparable.

La colosal ciudad, de infinitas oportunidades, tantas como para tentar a una constante migración procedente de la provincia con destino a la capital[8], en busca de una transformación positiva vital, escondía sin embargo entre sus genes la convivencia de dos mundos absolutamente desiguales: por un lado, los ricos mercaderes, los

---

argument in favor of that early date is cogent, and indeed conclusive. It is conclusive not only because the foundation of Constantinople provided the centre and brain which was to inspire the Empire in the East for over a thousand years, but also (and this is a greater reason) because the foundation of Constantinople was synchronous with the acceptance of Christianity as the basis and core of empire, and because the essence and heart of the Byzantine Empire, from first to last, was the Christian faith which invested the emperor with his 'God-founded' power and determined the nature of the community over which he ruled".

[7]   La bibliografía sobre Bizancio resulta ingente, pero podemos destacar alguna por su relevante consideración: L. BRÉHIER, *Le monde byzantin. I. vie et mort de Byzance. II. Les institutions de l'empire byzantin. III. La civilisation byzantine*, París, 1947, 1949, 1950; E. STEIN, *Histoire du Bas- Empire. Tome II: de la disparition de l'empire d'Occident à la mort de Justinien (476-565)*, París, 1949; C. DIEHL, *Justinien et la civilisation byzantine au VIe siècle*, París 1901, 2 vol.; *Grandeza y servidumbre de Bizancio*, trad. esp., Madrid, 1963; W. E. KAEGI, *Byzantium and the Decline of Rome*, Princeton, 1968; A. GUILLOU, *La civilisation byzantine*, París, 1975; E. GIBBON, *Historia de la decadencia y ruina del imperio romano*, Madrid, 1984, 8 vol.; J. HERRIN, *Byzantium: The Surprising Life of a Medieval Empire*, Princeton-Londres, 2009; P. BROWN, *El mundo de la Antigüedad Tardía*, trad. esp. Madrid, 2012; D. LEE, *From Rome to Byzantium AD 363 to 565. The Transformation of ancient Rome*, Edinburgo, 2013.

[8]   G. DAGRON, *Naissance d'une capitale. Constantinople et ses institutions de 330 à 451 (Bibliothèque byzantine)*, París, 1974, pp. 515-519; D. FEISSEL, *Aspects de l'immigration à Constantinople d'après les épitaphes protobyzantines*, en *Constantinople and its Hinterland*, C. Mango, G. Dagron (eds.), Oxford, 1993, pp. 367-377; J. DURLIAT, *De la ville Antique à la ville byzantine. Le problème des subsistances*, Roma, 1990, pp. 266-267 y n. 221; A. LANIADO, *Recherches sur les notables municipaux dans l'Empire protobyzantin*, París, 2002, p. 143: "La migration dans le monde protobyzantin est un phénomène qui concerne toutes les couches de la société".

funcionarios imperiales, las élites sociales y los advenedizos astutamente enriquecidos en el lado de la economía floreciente, y por el otro, los desheredados de la tierra, la población marginada que sometida a indignas condiciones de pobreza y miseria optaba por actividades delictivas varias que le permitiesen la supervivencia, entre las que destacaba, para el espectro femenino, la prostitución.

Dual en la sociedad[9], y tripartitamente dividida en la propia organización, griega en su lenguaje como medio de comunicación, romana en su sistema jurídico esencial, además de cristiana en su religión[10], resultaba un amalgama enriquecedor a la par que ciertamente inquietante, puesto que cualquier cambio mínimo en dicha estructura dúplice podría tener consecuencias nefastas, al reivindicar los perjudicados en una situación de desequilibrio social la revolución igualitaria, de seguro con un resultado letal.

En esta época protobizantina, de continuos cambios, de ajustes con respecto a la calificación de romano o la elección de bizantino, con disensiones religiosas entre dos doctrinas teológicas, el monofisismo y la ortodoxia, con la invasión de los bárbaros en la parte occidental, manteniéndose incólume la *pars orientalis* del imperio romano, reflejando el abismo cada vez mayor entre Oriente y Occidente cuyo distanciamiento resulta cada vez más obvio, vivirá nuestra protagonista Teodora una primera parte de su existencia predefinida desfavorablemente por su origen, así como una segunda etapa vital sumamente próspera, propiciada por su unión matrimonial con Justiniano.

El inolvidable emperador Justiniano, convencido conquistador territorial y memorable legislador universal, se caracterizará durante su reinado por un intento de retrotraer la realidad romana de la *pars occidentalis*, para conseguir la unidad política añorada pero perdida, emprendiendo sucesivas campañas de reconquista del territorio antaño perteneciente al Imperio romano de Occidente. Pero su esfuerzo bélico no se verá justamente recompensado, teniendo consecuencias nefastas, sumiendo a la estable y pudiente economía bizantina en una

---

9    E. BARKER, *Social and political thought in Byzantium. From Justinian I to the last Palaeologus*, cit., pp. 5 ss., describe las tensiones sociales existentes en Bizancio, las diferencias entre clases, el germen del feudalismo bizantino, y los problemas propios de una sociedad con flujos continuos de población.

10    O. CLEMENT, *Byzance et le Christianisme*, París, 1964, *passim*.

crisis total, provocando el descontento social de la población y del ejército[11], y agravando las diferencias doctrinales, convirtiendo el futuro mediato en un espacio de incertezas e infortunio.

Con todo, la grandeza eterna de la labor compilatoria y legislativa del reconocido emperador será el aspecto más relevante para nuestro propósito, por la presunta influencia de Teodora en el ámbito legislativo justinianeo, si bien hemos estimado conveniente un breve apunte sobre la convulsión frenética de la sociedad protobizantina en la que Teodora se vio inmersa por su *excursus* vital.

La figura de Teodora, después de su muerte, será idealizada y engrandecida como leyenda con el transcurso del tiempo[12], la tradición oral suplantará las carencias bibliográficas, y su imagen como refugio de las mujeres desamparadas y protectora de sus derechos, su persecución de los proxenetas, su firme defensa del monofisismo enfrentado a la doctrina ortodoxa oficial, su comportamiento intachable durante su matrimonio real, y sobre todo su propia historia encadenada a los suburbios pero transformada en un sueño imperial, la convertirá en un icono modélico a imitar, hasta llegar a su reconocimiento ejemplar en la historia moderna y contemporánea, en una biografía idealizada y feminista que preconiza la efigie y la erige en símbolo universal.

---

[11]   G. RAVEGNANI, *Soldati di Bisanzio in età Giustinianea*, Roma, 1988, p. 33; con todo, es de justicia recordar que la espartana y ejemplar vida castrense había dejado de ser un modelo de comportamiento hacía mucho tiempo, contaminada por los placeres de la vida, como recuerda E. GIBBON, *Historia de la decadencia y caída del Imperio romano*, ed. abrev., trad. esp., 3ª ed., Barcelona, 2001, al describir la época de Diocleciano, p. 266: "Los soldados fueron olvidando imperceptiblemente las virtudes de su profesión y, en contacto con la vida civil, sólo adquirieron sus vicios. O se degradaron con las tareas manuales o se ablandaron con el lujo de los baños y los teatros pronto descuidaron los ejercicios marciales, más interesados por su alimento y su atavío, y mientras inspiraban terror a los súbditos del Imperio, temblaban ante el avance hostil de los bárbaros".

[12]   C. DIEHL, *Byzantine Portraits*, cit., p. 49: "After her death the legend grew to still greater dimensions; Orientals and Occidentals, Syrians, Byzantines, and Slavs, added more and more touches to the romantic incidents of her romantic story; and because of this rowdy fame Theodora, alone out of so many Princesses who sat upon the throne of Byzantium, has been well known down to our own times, and almost popular".

Teodora se convertirá, de este modo, en la inspiración de las artes y las letras[13], como sucedió con el teatro[14], pudiendo destacar en este ámbito al dramaturgo francés Victorien Sardou[15], y su obra *Théodora*, representada en 1884[16], ambientada en Constantinopla durante el episodio de la revuelta de Nikà y los enfrentamientos entre las distintas facciones del Hipódromo. Con una trama poco fiel a la realidad histórica[17], salpicada de intrigas y amores, concluye con la muerte de Teodora a manos de un Justiniano celoso, en donde se destaca a

---

[13]  T. PRATSCH, *Theodora von Bysanz. Kurtisane und Kaiserin*, Stuttgart, 2011, dedica el último capítulo de su libro a la recepción posterior artística y literaria de la emperatriz, en pp. 132 ss.

[14]  Primero de forma indirecta, como sucedió con la obra de teatro Belisario, de Carlo Goldoni, en 1734, en donde Teodora, enamorada de Belisario pero no correspondida por éste, lo denuncia ante Justiniano con la acusación de haber abusado de su virtud, y el emperador lo condena a ser cegado. Posteriormente, se descubre la intriga infundada, Teodora es primero condenada a muerte, pero más tarde exiliada en Antioquía. .

[15]  Vid. con respecto a la traducción al español de las obras de Sardou, R. M. CALVET LORA, *Las traducciones al castellano de Victorien Sardou*, en *Teatro y Traducción*, Francisco Lafarga Maduell, Roberto Dengler Gassin (coord.), 1995, p. 167: "La mayoría de las traducciones mantiene el título original traducido, a excepción de algunas de ellas. Es bastante frecuente en el teatro de Sardou que los títulos coincidan con el nombre de la protagonista femenina: *Andrea, Fernande, Georgette, Fedora, La Tosca, Odette, Dora, Théodora*. El propio autor se consideraba un buen pintor de los caracteres femeninos y que estimaba a estos personajes a excepción de las mujeres americanas que aparecen en sus obras, hacia las que despliega toda su vena satírica", añadiendo que las versiones españolas del teatro del autor francés acortan los diálogos y las escenas, algo que sin duda complicaría la comprensión de la nada fácil historia de Teodora.

[16]  G. RAVEGNANI, *Teodora. La cortigiana che regnò sul trono di Bisanzio*, Roma, 2017, p. 186: "Il 26 dicembre del 1884 venne rappresentato a Parigi al teatro della Porte St. Martin un dramma storico in cinque atti e sette quadri intitolato *Théodora*", resalta que Sardou, autor de la obra teatral, había tomado como inspiración la traducción francesa de la *Historia Secreta* de Procopio y un libro de Augustin Marras, *La vie byzantine au VIe siècle*, fallecido en 1881, añadiendo que el drama teatral provocó en la doctrina un amplio debate a favor y en contra de la consideración negativa de Teodora en el imaginario colectivo global.

[17]  Considerada como una obra mediocre, que consagraba personajes estereotipados, como señala J. STEINER, *Theodora*, Lausana, 1970, p. 211. "Es war nicht das veste Werk Sardous, den es enthielt alle Schwächen eines Boulevardstückes, schwülstige Dialoge, hochdramatische Szenen und stereotype Charaktere".

Teodora como 'femme fatale'[18], representada por la famosa actriz del momento y fulgurante estrella Sarah Bernhardt, como mujer bella, sensual y cruel hasta el infinito.

La obra *Théodora* obtuvo un gran éxito, convirtiéndose algunos años más tarde en la consiguiente ópera *Théodora*, libreto escrito por el propio Sardou en colaboración con Paul Ferrier, y con música del compositor Xavier -H.N. Leroux, representada en 1907 en el Casino de Montecarlo y en 1909 en la Scala de Milán.

A mediados de los años 60, F. Dürrenmatt se dedicó al proyecto de una comedia histórica sobre el emperador Justiniano, *Eunuch und Kaiser*[19], de la que compuso un solo acto, proyecto inacabado que surgió después del éxito que había obtenido el autor con otra comedia ambientada en el año 476, la infausta fecha de la caída del imperio romano de Occidente.

La representación teatral del mito enigmático, denostado y admirado por igual, continuó en el año 1975 con una nueva obra de teatro, *Teodora*, versión reducida de la obra procopiana, presentada en el teatro Tordinona de Roma, en la que la protagonista era representada por Federica Giulietti[20]. Más recientemente, tenemos constancia de otra composición teatral titulada *Teodora imperatrice sanguinaria e innamorata*, representación más alejada del rigor histórico, como libre interpretación del drama de Sardou puesta en escena en el teatro

---

[18]   S. RONCHEY, *Teodora femme fatale*, en *La decadenza*, Palermo, 2002, p. 19, rememora entre los espectadores de la exitosa representación teatral la célebre figura de Sigmund Freud, como parte del público que asistió a una de las representaciones de *Théodora*, el 8 de noviembre el año 1885, rendido admirador -a partir de ese día- de la protagonista Sarah Bernhardt, como señala en p. 20: "A colpirlo in maniera indimenticabile, sollecitando il suo talento di psicologo, fu invece la protagonista... Per anni una fotografía di Sarah Bernhardt accolse i pazienti che entravano nello studio di Freud a Vienna"; sin embargo, la obra teatral sobre Teodora no le gustó, pareciéndole vacua y fastuosa, con espléndidos palacios y ropajes bizantinos, pero absolutamente vacía, sin alma, fría, como se puede comprobar en S. FREUD, *Epistolari. Lettere alla fidanzata e ad altri corrispondenti, 1873-1939*, trad. it., Milán, 1990, pp. 153-154.

[19]   F. CARLÀ, "*Eunuch und Kaiser: Dürrenmatt, Giustiniano, Teodora, Bisanzio e lo Stato totale*", en *Anabases* 13, 2011, pp. 27- 52.

[20]   P. CESARETTI, *Teodora. Ascesa di una imperatrice*, Milán, 2001, p. 322.

Oscar de Milán el 22 de marzo de 2013, que sublima el impacto escénico frente a la investigación veraz histórica de nuestra celebridad.

Del mismo modo, fue notable la repercusión de Teodora en uno de los géneros literarios de mayor éxito, la novela histórica, en donde debemos destacar la célebre obra de BRADSHAW[21], en la que presenta a Teodora como la madre afectuosa y protectora que su hijo ambiciona, a pesar del secreto de filiación ilegítima que deberán guardar[22],

---

[21]   G. BRADSHAW, *Teodora. Emperatriz de Bizancio*, trad. esp. Barcelona, 1996. En la p. 17 la autora pone en boca de Teodora un guiño ambiguo al oficio jurídico al comentar: "¡Cómo podía mentir, aun diciendo la verdad! Pero para eso están los jurisconsultos"; la misma emperatriz, cuando conversa con su hijo Juan, recuerda las humillaciones sufridas, en p. 20: "—¡Pobre hijo mío! Así que tú también sabes lo que es ser despreciado. No importa. —Sus ojos se iluminaron—. Ahora podremos repararlo"; en el epílogo, p. 239, la autora se refiere a Procopio de esta manera: "Procopio de Cesarea, el gran cronista del reinado de Justiniano, cuenta la historia de la emperatriz Teodora y de su hijo ilegítimo, al que, según él, habría asesinado. Es lo que dice Procopio en su Historia Secreta o Inédita, pero como todo el resto de esta pintoresca compilación, la historia está rodeada de detalles absurdos, imposibles y simples mentiras. No se puede saber la verdad de cuanto dice, si es que hay algo de verdad en ello, por eso un historiador responsable se ve obligado a valerse de la Historia Secreta sólo con extrema cautela. Afortunadamente para mí, un autor de novelas históricas no se siente empujado a semejante obligación… Mi novela es pura ficción. El grueso de la historia, no obstante, es cierto".

[22]   *Ibid. Id.*, pp. 21-22, con un diálogo de Teodora en el que se presentan los rumores que hubo históricamente sobre su maternidad repetida: "¡Ah, pobre niño mío! Por ahora no gozas de ninguna posición aquí. Y si llegara a saberse que eres hijo mío, jamás la tendrías. Nadie podría matarte; al menos, yo no creo que nadie quisiera hacerlo. Pero yo tuve una hija, una hermanastra tuya. La mantuve como bastarda reconocida. Claro, es mucho más fácil con una niña, porque se espera que una niña respetable se quede en su casa. Pero no sólo tuve que mantenerla fuera de la vista de todos para evitar ofender los delicados sentimientos de los senadores, que creen que las putas deben estar en los burdeles, sino que la tuve que casar joven con un muchacho de un rango inferior de lo que yo hubiera deseado. Para que no nos pusiera en aprietos, ¿comprendes? Pero era realmente demasiado joven y murió al dar a luz. Si yo te reconociera públicamente… —Dio un paso hacia él. Juan advirtió entonces que era una mujer menuda—. Te enviarían a alguna finca en el campo y estarías escondido allí en medio de un lujo oscuro, y sería lo último que se sabría de ti. Y eso porque no está bien que un emperador tenga los bastardos de su esposa en palacio, sobre todo teniendo en cuenta que no tiene hijos propios. No nos busques problemas, te lo advierto —la voz volvió a endurecerse", añadiendo en el diálogo de su hijo Juan con un eunuco el hecho de que la emperatriz utilizase el latín como lengua, para complacer

al que demuestra tiernamente su afección maternal[23], hasta su regio
fallecimiento, y siempre al margen de los rencores que guarda de su
vida anterior y la actitud regia imperial que se reivindica a lo largo
del relato, novela de indudable éxito mundial que demuestra el vívido
interés que despierta la figura de la emperatriz[24].

---

al emperador, así como el acto de la prosternación en p. 26, gesto ritual de doblar la rodilla para tumbarse a tierra en señal de adoración, sumisión o respeto,
de obligado cumplimiento ante la emperatriz como veremos cumplidamente al
hablar de Teodora emperatriz. Estamos ante un relato de ficción, pero parece
oportuno recordar que el propio Justiniano se entera de la maternidad de Teodora y la existencia de su hijo Juan, y también nos ha parecido un reclamo curioso
el hecho de que se llame Eufemia, como la esposa del emperador Justino que
estaba en contra del matrimonio entre Justiniano y Teodora, la mujer de la que
se enamora Juan, el hijo novelado de la emperatriz.

[23] El libro de C. M. FRANZERO, *Teodora*, trad. esp. Barcelona, 1963, se distingue
del anterior en el final de Juan. En la obra de Bradshaw que acabamos de ver
Juan sobrevive al deceso de la emperatriz e incluso pide en matrimonio a Eufemia. Sin embargo, en esta, Juan es ajusticiado, después de sufrir una penosísima
tortura, por orden del emperador Justiniano, a quién han contado falsamente
que es el amante de su egregia mujer. Cuando Teodora se entera y le cuenta la
verdad a su esposo el emperador, intentan arreglar el malentendido pero llegan
tarde, como podemos ver en p. 277: "Finalmente, el emperador y la emperatriz
se pararon a la puerta de la cámara de las ejecuciones. El ejecutor de la justicia
se inclinó profundamente ante los imperiales visitantes, apoyándose en el puño
de su ensangrentada espada. Llegaban demasiado tarde. La ejecución había sido
llevada a cabo".

[24] En la obra de C. CANTÙ, *Per l'amore di Teodora*, Rávena, 2018, escrita con
una prosa ligera y sencilla con respecto a la figura de Teodora, se trata con cierto
detalle, en p. 115, la conversión espiritual de la futura emperatriz, así como su
monofisismo, cuestión religiosa que analizaremos a su debido momento: "Teodora accoglieva ogni parola del patriarca con attenzione e devozione, cercando
di farla propria e di metterla da parte per un uso futuro. Possibilmente anche di
comprenderla oltre la dimensione teologica… Il monofisismo, nato in Siria, la ri-
portava alle sue origini: in quella terra sua madre era nata e l'aveva partorita, per
portarla subito via, al seguito di un uomo modesto in cerca di un lavoro modesto. Prima a Cipro, dove aveva appena fatto in tempo ad imparare a camminare,
per poi puntare sulla capitale del mondo, Costantinopoli. Il vertice e l'abisso di
tutto". El autor apuesta por el nacimiento de Teodora en Siria, dato que nosotros
desechamos al hablar de la primera juventud de nuestra protagonista; M. A.
GALATEA VAGLIO, *Teodora. La figlia del circo*, Venecia, 2018, p. 13 ss., fabula
sobre un primer encuentro entre Teodora niña y Justiniano en el hipódromo,
justo momentos antes de la súplica de la madre (viuda), hermanas y la propia
Teodora a la facción de los verdes para que proporcionasen un puesto de trabajo
al segundo marido de la viuda, y la joven ya le comenta a sus hermanas que

Otro ejemplo cautivador lo encontramos en el libro de H. LAMB[25], con un relato refinado sobre Teodora, en el que conjuga una reconstrucción histórico-jurídica correcta con diálogos ficticios, consiguiendo atrapar al lector en el recorrido nada ortodoxo de la vida de la emperatriz, en un ejercicio de confianza y fidelidad con el lector y el personaje elegido.

En paralelo con la narrativa literaria histórica más sobria, por supuesto siempre entre la realidad y la imaginación, otros autores apuestan por una ficción histórica más acusada, sin mantener el debido equilibrio entre información y narración, con la intención de procurar el favoritismo de los lectores, aprovechando el *limes* incierto de este prosaico y mestizo género literario. Así, mientras unos representan a Teodora como un icono sexual[26], secretamente preferido,

---

piensa casarse cuando sea mayor con Justiniano, con el que mantuvo una breve conversación y que por lo visto ya la había fascinado, encuentro premonitorio del maravilloso futuro que le deparaba el destino.

[25] H. LAMB, *Teodora y el Emperador. El drama de Justiniano*, trad. esp. 2º ed., México, 1959, p. 54, trae a colación la condición jurídica de Teodora, que como exactriz no podía contraer matrimonio con Justiniano, por la desigual condición social, y establece un diálogo entre ellos en el que Justiniano le promete el rango de patricia y posterior matrimonio, así como la modificación legislativa necesaria para poder superar el impedimento legal de su unión matrimonial: "Esa ley -contestó Justiniano- será cambiada. -Pero tú no podrás hacerlo -le increpaba ella.-No, yo no puedo, pero Justino sí puede", añadiendo que el temor no abandonó a nuestra protagonista hasta que fue oficialmente patricia en el registro de la corte bizantina, conoció al emperador Justino y percibió una relación cordial, así como la insistencia de Justiniano para conseguir su objetivo matrimonial, como describe en p. 55: "El positivista Justiniano señaló la antigua ley que prohibía contraer matrimonio a las cantantes, danzarinas y actrices… ordenó un decreto preparado para la firma, con el cual derogaba la injusta ley contra el matrimonio de las actrices". En el capítulo 2.3.1 y 2.3.2 de nuestro trabajo de investigación realizamos la exégesis de la legislación matrimonial restrictiva y la sucesiva permisión legal que posibilitó el matrimonio de Justiniano y Teodora.

[26] J. M. GONZÁLEZ CREMONA, *Teodora de Bizancio. El poder del sexo*, Barcelona, 1993, en donde ya el inicio del índice resulta revelador: "1. El nacimiento de la lujuria.2. La lujuria desbordada. 3. La lujuria controlada"; además, a lo largo del relato, incide descriptivamente en su vis sexual, como en p. 48: "Teodora era incomparable contando chistes, tomando el pelo a los espectadores y, cuando llegaba el momento, excitándolos hasta límites que ellos eran los primeros sorprendidos por haber podido alcanzar"; p. 56: "Amamantar a la niña siempre ponía nerviosa a Teodora. Vagamente temía que la succión arruinara sus pequeños pero firmes y bien formados senos"; p. 63: "Ejercía la prostitución

otros plantean el mito sin pretensiones intelectuales[27], popularizando el objetivo de informar y formar históricamente al lector, pero siempre vistos con recelo por parte de la élite intelectual.

El mundo cinematográfico tampoco se mantuvo ajeno a la celebridad de la inolvidable emperatriz[28], comenzando con el cortometraje producido en 1909 por Ernesto Maria Pasquali titulado *Teodora imperatrice di Bisanzio*, continuando con la película *Justinian and*

---

porque era su único medio de vida, porque le gustaba y porque le permitiría, así al menos lo esperaba, conseguir sus ambiciosos fines"; p. 66: "A Teodora seguían gustándole los hombres; su contacto, su dinero y el poder, que, gracias al sexo, ejercía sobre ellos"; p. 85: "Justiniano, con la violencia que ella pretendía, la arrojó sobre el lecho y, tras desnudarla a manotazos, la poseyó... Ridículo hubiera sido mostrarse pudorosa y reticente, estando en un burdel y siendo sus antecedentes tan conocidos... Todo hombre, ella lo sabía muy bien, quiere siempre ser el primero. De acuerdo, pero pretender que Justiniano llegara a sentirse el primero tratándose del cuerpo de la más conocida prostituta de Constantinopla, aun para Teodora, era un imposible"; a mayor abundamiento, aunque no forme parte de nuestra exégesis relevante doctrinal, no compartimos la afirmación de que Teodora ejercía sobre Justiniano un completo dominio, en p. 91, llegando a conformarse un "gobierno auténticamente bicéfalo que reinaría sobre Bizancio durante dos décadas".

[27]   P. WELLMAN, *The Female*, Nueva York, 1953, narra el ascenso de Teodora desde la prostitución hasta ser emperatriz; C. CAGLIATTI, *Teodora. Emperatriz de Bizancio*, Madrid, 1957; P. DIXON, *The Glittering Horn: Secret Memoirs of the Court of Justinian*, Londres, 1958, novela sobre la corte de Justiniano en la que Teodora desempeña un papel principal; T. FURSTENBERG, *Teodora de Bizancio*, trad. esp., Madrid, 1959; L. A. DE CUENCA, *El héroe y sus máscaras*, Barcelona, 1991, le dedica un capítulo: "Teodora antes de la púrpura", pp. 145 ss.; G. GAVRIEL KAY, *The Sarantine Mosaic*, Nueva York, 1998, 2000, duología ambientada en el imperio bizantino y la historia de Teodora y Justiniano, convertida en bestseller en lengua inglesa; S. DUFFY, *Theodora: Actress, Empress, Whore*, Londres, 2010; A. VALLVEY ARÉVALO, *Amantes poderosas de la Historia*, Madrid, 2016, donde, entre otras, narra las vivencias de Teodora; MELISSA RANK, MICHAEL RANK, *Las mujeres más poderosas de la Edad Media: reinas, santas y asesinas. De Teodora a Isabel Tudor*, trad. esp., ed. digital, 2016, destaca que la popularidad de Teodora se debe a su ascenso desde sus humildes orígenes hasta llegar a ocupar el segundo puesto más alto de la jerarquía del Imperio.

[28]   J. SOLOMON, *The Ancient World in the Cinema*, New Haven-Londres, 2001, p. 329; F. CARLÀ, *Prostitute, Saint, Pin-Up, Revolutionary: The Reception of Theodora in Twentieth-Century Italy*, en *Seduction and Power. Antiquity in the visual and performing Art*, (S. Knippschild, M. García Morillo eds.), Londres-Nueva York, 2013, pp. 243 ss.

*Theodora*[29], basada en el libro del popular escritor Bulwer Lytton[30], dirigida por Otis Turner, perteneciente a la filmografía muda del año 1910, y protagonizada por Betty Harte y Bebe Daniels. El reto del acercamiento del cine hacia la antigüedad bizantina prosiguió con otras películas mudas, como *Théodora*, de Henri Pouctral, de 1912, *Teodora*, del año 1914, dirigida por el cineasta Roberto Roberti, y la más importante de todas estas producciones cinematográficas, *Teodora*, la princesa esclava, del año 1922, dirigida por Leopoldo Carlucci[31], con una notable profusión de medios[32], protagonizada por la entonces conocida actriz Rita Jolivet. El argumento insiste en la vis cruel y oscura de la emperatriz Teodora, que contrae matrimonio con Justiniano sólo para acceder al poder pero sin renunciar a su vida de

---

[29] La sinopsis de esta película resulta un tanto decepcionante, puesto que la ficción casi total es el resumen del argumento. No refiere la realidad procopiana en cuanto al matrimonio de Justiniano y Teodora, sino la veleidad de un príncipe que pretende el trono bizantino, así como la mano de la bella Teodora, mientras Justiniano está prisionero de los godos, y un gladiador ayuda a Teodora a cumplir su sueño con Justiniano, y no con el príncipe arribista que no consigue su objetivo, terminando con la coronación de Justiniano por parte de su tío Justino, el emperador.

[30] E. G. BULWER LYTTON, también autor del famoso libro: "Los últimos días de Pompeya", con el que alcanzó altas cotas de popularidad, su estilo literario se refleja en *The Encyclopaedia Britannica*, Vol. 17, 11ed., Cambridge, 1911, p.186: "Bulwer-Lytton's attitude towards life was theatrical, the language of his sentiments was artificial and over-decorated, and the tone of his work was often so flamboyant as to give an impression of false taste and judgment. Nevertheless, he built up each of his stories upon a deliberate and careful framework: he was assiduous according to his lights in historical research; and conscientious in the details of workmanship. As the fashion of his day has become obsolete the immediate appeal of his work has diminished. It will always, however, retain its interest, not only for the merits of certain individual novels, but as a mirror of the prevailing intellectual movement of the first half of the eigth century".

[31] M. MUSUMECI, *Un film è un film. Teoria e pratica del restauro. Il caso di Teodora*, en *Cabiria e il suo tempo*, P. Bertetto - G. Rondolino (eds.), Milán, 1998, pp. 317-33, resalta que deriva directamente del drama de Sardou.

[32] A. VALVERDE GARCÍA, *Bizancio en la pantalla*, en *Fortvnatae*, 31, 1, 2020, p. 232, destaca esta película como la versión más espectacular sobre Teodora, a lo que añade: "Tras un rodaje que abarcaría dos años, la película obtuvo un éxito rotundo, siendo distribuida por toda Europa. Destacan sin duda la filmación de las escenas de multitud y el uso de la luz, que consigue transmitir al público el exotismo y la grandiosidad de la antigua Constantinopla".

pecadora con un amante, drama plagado de traiciones que termina con la condena a muerte dictada por Justiniano.

Con un cine más evolucionado, otro título cinematográfico de 1954, *Teodora, Imperatrice di Bisanzio*, dirigida por Riccardo Fredda[33], completa la evolución de la mirada del cine hacia el pasado como fuente de inspiración. Con muchas licencias históricas, consigue el favor del público en la época deprimida de la posguerra mundial, necesitada de monumentalismo cinematográfico y producciones históricas que realcen los valores cristianos y el protagonismo femenino, con escenas espectaculares como la de la carrera de cuadrigas en el Hipódromo de Constantinopla[34].

Por último[35], se habla incluso de un proyecto frustrado del famoso cineasta George Cukor, que consistía en el rodaje de una nueva versión sobre la vida de Teodora, que tendría como protagonista a la célebre Ava Gardner, pero que no llegó a fructificar[36], parece que por falta de entusiasmo de la actriz con el guión cinematográfico.

De este modo, resulta claro como la influencia de la emperatriz no se vio ensombrecida por su pasado, sino que será reconocida para la posteridad como una de las mujeres con más poder de la antigüedad tardía, y admirada como modelo por otras insignes representantes femeninas que también accedieron a la púrpura imperial[37].

---

[33] Reconocido director de cine italiano, con una clara preferencia por la filmografía épica; vid. al respecto: R. FREDA, *Divoratori di celluloide*, Milán,1981, *passim*.
[34] F. LILLO REDONET, *Enseñar la civilización bizantina a través del cine*, en *Methodos. Revista de didàctica dels estudis clàssics*, 0, 2011, pp. 3 ss.
[35] En relación con las obras cinematográficas dignas de mención, ya que la película *La invasión de los bárbaros* de 1968 reproduce tópicos históricos en una super-producción que deja mucho que desear, por mucho que Orson Welles encarnase en la pantalla al emperador Justiniano.
[36] P. MARCINIAK, *And the Oscar goes to... the Emperor! Byzantium in the cinema*, en *Wanted: Byzantium. The Desire for a Lost Empire*, I. Nilsson, P. Stephenson (eds.), en *Studia Byzantina Upsaliensia* 15, 2014, p. 250; M. CORTÉS ARRESE, *Vidas de cine: Bizancio ante la cámara*, Madrid, 2019, pp. 16 ss.
[37] J. HERRIN, *Bizancio. El imperio que hizo posible la Europa moderna*, trad. esp. F. J. Ramos Mena, Barcelona, 2009, p. 97: "Teodora no sería la primera, aunque sí una de las más notables, de entre toda una serie de mujeres enérgicas que ejercerían un gran poder en Bizancio... Aun en el caso de que los detalles exactos de la versión de Procopio sean inventados, es probable que las historias sobre la intervención de Teodora circularan tanto en palacio como entre los habitantes de

Su misterio atrae realmente, aunque de su retrato[38], en una de las paredes laterales del ábside de la Basílica de San Vital[39], en Rávena[40], en un maravilloso mosaico bizantino de autoría ignota[41], no

---

la ciudad. Su ejemplo se cita como un modelo que otras mujeres querrían seguir. Es evidente que emperatrices como Irene (780-790, 797-802), Teodora (842-856), Zoé (914-919) y Teofanía (963-969), aunque estuvieron siempre tuteladas por hombres y documentadas solo por escritores masculinos, configuraron y dirigieron el poder imperial".

[38]   P. TOESCA, *San Vital de Ravenna. Les mosaiques*, París, 1952, p. 27, cree, por la profusión de objetos conectados entre sí que aparecen en la representación de Teodora, además de por otras apreciaciones estilísticas, y el hecho de parecer un espacio más real, que los mosaicos de Teodora y Justiniano son obra de autores distintos.

[39]   Vid. sobre la construcción de la Basílica ideada por el obispo Eclesio, J. HERRIN, *Ravenna: Capital of Empire, Crucible of Europe*, Princeton, 2020, pp. 160 ss., destacando el método de trabajo de los autores de los mosaicos de Teodora y Justiniano en p. 163: "Once the dome was constructed, the mosaicists began their work at the highest point and worked down. They had to work quickly while the plaster was still the right consistency for the scene to be sketched and the important figures picked out in tesserae inserted at specific angles so as to be viewed from the ground. Master craftsmen completed the features of each individual in smaller stones, while the background might have been filled in by less skilled workers. How much of the mosaic decoration was installed before the death of Ecclesius is unclear".

[40]   En la pared situada justo enfrente al mosaico que representa a Teodora se encuentra el celebérrimo retrato de Justiniano, titular de una categoría moral superior, y su corte; ambas obras se realizaron para conmemorar la construcción del templo de San Vital de Rávena, representan la presunta ceremonia de consagración de la iglesia de San Vital, pero nunca tuvo lugar de esta forma, puesto que los emperadores tenían una edad avanzada cuando se terminó el templo (evidentemente mucho más Justiniano), y no viajaron a Rávena, al margen de que el óbito de Teodora se produjo precisamente en ese año; vid. sin ánimo exhaustivo, con respecto a la bibliografía sobre la Basílica: C. RICCI, *Monumenti tavole storiche dei mosaici di Ravenna*, Roma, 1930, 1937; O. DEMUS, *Byzantine mosaic decoration*, Londres, 1948; A. RANDI, *Il tempio di San Vitale*, Rávena, 1949; G. PINI, *Ravenna Mosaic*, Nueva York, 1956; G. BOVINI, *San Vital de Ravenna*, Milán, 1957; G. BUSTACCHINI, *Ravenna capitale del mosaico*, Rávena, 1988; P. ANGIOLINI MARTINELLI, *La Basilica di San Vitale a Ravenna*, Módena, 1997; S. PASI, *Ravenna, San Vitale. Il corteo di Giustiniano e Teodora*, Módena, 2006.

[41]   P. CESARETTI, *Teodora. Emperatriz de Bizancio*, trad. esp., Barcelona, 2008, p. 7: "No se conoce el nombre del artista que la representó en los mosaicos de San Vital de Rávena, aunque fue uno de los más brillantes del primer milenio cristiano. El reclamo, que se repite todos los años para cientos de miles de personas,

podamos colegir más que el estilo de la corte imperial. Resplande-
ciente, con mosaicos dorados, podemos ver a Teodora en el esplendor
de su majestad. Sus ropajes son de una magnificencia incomparable,
vestida con un largo manto violeta-púrpura con la representación de
los Reyes Magos[42], con una amplia franja de bordado dorado que
fluye en relucientes pliegues, llevando en su cabeza aureolada una alta
diadema de oro y piedras preciosas. En su cabello hay hebras entrela-
zadas de gemas y perlas, mientras que otras joyas caen brillantemente
elegantes sobre sus hombros, mientras lleva un cáliz en las manos[43].

Así aparece en este retrato oficial para la posteridad[44], y así quiso
aparecer en vida ante sus contemporáneos. Aún siendo una advenediza, se percibe su comodidad con las exigencias de su majestad recién
adquirida, a la que rápidamente se acostumbró. Del mismo modo, el
orgullo que otorga el ejercicio del poder supremo se aprecia en su representación soberana[45], ocupando regiamente el centro, con nimbo y

---

sólo procede del nombre de ellas, la emperatriz Teodora, con esa imagen suya de
pompa y poder femenino tan singular en el arte universal".

[42]   A. GRABAR, *La peinture byzantine*, Ginebra, 1979, p. 68, describe la presencia
de los Reyes Magos con sus presentes.

[43]   M. J. SANZ, *El ornamento en los mosaicos de Justiniano y Teodora en San Vital
de Rávena*, en *Erytheia* 11-12, 1990-91, p. 189: "Este cáliz presenta una tipolo-
gía semejante a las numerosas piezas bizantinas conservadas que consiste en una
gruesa copa de más de media esfera, con base pequeña de menor diámetro que
el de la copa, y con nudo y vástago prácticamente inexistentes. En realidad esta
última parte no se aprecia en la imagen ya que se halla tapada por las manos de
la emperatriz, pero el espacio dedicado a ella es mínimo. La pieza parece ser una
verdadera joya de oro, adornada con las mismas piedras y perlas como el resto
de las joyas de la emperatriz".

[44]   Existe también un fondo pictórico relativo a la emperatriz, pudiendo citar como
más relevante el óleo sobre tela realizado por Benjamin Constant, pintor orien-
talista (1845-1902), con el título: *L'Impératrice Théodora*, en el que prevalece
el naturalismo como estilo, así como la pintura *L'imperatrice Theodora Au Co-
lisée*; posteriormente, en 1945, Milo Manara refleja en *Teodora de Bizancio* la
sensualidad atribuida tradicionalmente a la emperatriz como el atributo principal, de acuerdo con su representación pictórica.

[45]   P. CESARETTI, *Teodora. Emperatriz de Bizancio*, cit. p. 7: "Teodora expresa
autoridad y seducción a la vez, perdura en los ojos y la memoria, y sin embargo
ni siquiera sus admiradores consiguen relacionarla fácilmente con algún episodio
concreto o situarla adecuadamente en la gran trama del espacio y el tiempo. En
esto se diferencia de las otras mujeres antiguas famosas de la tradición clásica y
judeocristiana".

ataviada lujosamente, con la compañía de su séquito, colocada en una posición vertical más elevada que el resto de las figuras, lo que denota un mayor estatus social.

Las perlas que decoran su imagen, y la posición de los presentes en el retrato, precedida por dos dignatarios de la corte y seguida por Antonia, esposa del general Belisario y su hija Juana, cerrando el cortejo las doncellas de la emperatriz, nos proyectan el estatus privilegiado otorgado por Justiniano a su regia consorte[46]. La imagen resulta exquisitamente femenina, pero los rasgos estilísticos no otorgan a la emperatriz ninguna posición equiparable a la del insigne emperador[47], aunque la simetría de la composición parezca otorgar una posición equivalente de la pareja imperial, elevados en sus respectivas escenas por encima del resto de los personajes que componen su séquito.

Los mosaicos dedicados a representar a Teodora y Justiniano constituyen piezas clave para el conocimiento de la cultura bizantina. Su presencial real se proyecta para sus súbditos, con un lujo y majestuosidad en correspondencia con el ánimo de impresionar a los súbditos de Rávena que nunca han visto[48], simbolizando la paradoja territorial del reino de Justiniano[49]. Esa intención temporal se convierte con el tiempo en regia perpetuidad, como una muestra fastuosa de arte

---

[46] El contorno de las figuras se realizó utilizando el método *Opus Vermiculatum* (realizado con teselas de un tamaño de 4 milímetros), mientras que para el resto de los elementos se empleó el método *Opus Tessellatum* (realizado con teselas mayores de 4 milímetros).

[47] M. J. SANZ, *El ornamento en los mosaicos de Justiniano y Teodora en San Vital de Rávena*, cit., p. 189: "El grupo de Teodora tiene un menor protagonismo en la ceremonia que el de Justiniano pues lógicamente así le correspondía en aquella sociedad a las mujeres. Ninguno de los personajes que la acompañan -ni las siete mujeres ni los dos jóvenes- llevan en sus manos objetos sagrados, por lo que evidentemente su papel era claramente secundario".

[48] S. RUNCIMAN, *Bizancio estilo y civilización*, Bilbao, 1988, p. 61.

[49] F. FÈVRE, *Teodora. Emperatriz de Bizancio*, trad. esp., Madrid, 1989, p. 205, refiere la contradicción de los mosaicos presentes en Rávena y la realidad de la circunscripción bizantina, muy alejada del deseo unificador de Justiniano con respecto al imperio romano de Occidente, ya desaparecido, y el de Oriente, en continua expansión: "En Italia, la hermosa Teodora de los mosaicos de Rávena puede todavía mirar a sus súbditos, mientras un nuevo pueblo, los lombardos, perpetúa la eterna tragedia de la decadencia romana… Constantinopla no será nunca la nueva Roma, y esa quimera corre el riesgo de matar al Imperio bizantino cuando todavía está en gestación".

bizantino que muestra a los personajes con la consiguiente característica de frontalidad, hieratismo, isocefalia, sin perspectiva ni profundidad, y sin movimiento, aunque el mosaico de Teodora resulte un poco más colorido que el de su cónyuge, y algunos quieran ver la determinación de la emperatriz en su orgullosa e impasible mirada.

La jerarquía, muy rígida, representa a Justiniano como el máximo protagonista, como titular de la iglesia y el Estado, situado en el centro y revestido de púrpura y nimbo, como sucede con los santos, simbolizando que está consagrado por el poder de Dios, llevando además como ofrenda una patena de oro para depositar el pan que será consagrado en la Eucaristía. Su séquito, totalmente conformado por figuras masculinas, muestra en un lugar destacado al general Belisario y el arzobispo Maximiano[50], como ejemplo de la autoridad justinianea tanto terrena como espiritual[51].

---

[50]   Entre Justiniano y Maximiano aparece en un segundo plano un personaje identificado como Julián Argentario, posible director de la construcción eclesial pero que por su apellido también podría ser el platero imperial. Vid. al respecto, P. TOESCA, *San Vital de Ravenna. Les mosaiques*, cit., p. 26; R. TREBBI DEL TREVIGIANO, *Julianus Argentarius en el panorama artístico del siglo VI en Ravenna*, en *Bizantion Nea Hellás*, 3-4, 1972, p. 169, desecha la tesis de *Julianus Argentarius* como arquitecto, y apuesta por la siguiente profesión: "Parece más efectiva la proposición de interpretarlo como representante diplomático del Imperio, administrador de las obras y, con mucha probabilidad, director y mecenas de un gusto áulico que, mediante la terminación de S. Vitale, las realizaciones de los mosaicos en la misma, las transformaciones decorativas en S. Apolinar Nuevo y, finalmente, la construcción y especialmente la decoración en mosaicos de S. Apolinar en Classe, acentuó una situación estética excepcional que por el largo lapso de tres décadas transformó a Ravenna en el centro artístico más importante del Imperio"; vid. sobre el arzobispo Maximiano, J. HERRIN, *Ravenna: Capital of Empire, Crucible of Europe*, cit., pp. 184 ss.

[51]   Normalmente la doctrina dedica sus mejores esfuerzos a destacar el mosaico de Justiniano, así como la explicación de los objetos simbólicos que se representan con el emperador. Nosotros, sin embargo, hemos optado por la presentación del mosaico de Teodora, en coherencia con el motivo principal del presente estudio. Con todo, hemos considerado conveniente  traer a colación la aclaración con respecto al objeto simbólico sostenido por el emperador entre sus manos, propuesta por M. J. SANZ, *El ornamento en los mosaicos de Justiniano y Teodora en San Vital de Rávena*, cit., p. 180: "Muy interesante y sugerente es el gran recipiente que sostiene Justiniano, muy abierto, sin pie y seguramente de oro por su color amarillo que, a nuestro entender, hace las funciones de lo que hoy día llamamos copón, es decir el recipiente dedicado a contener y repartir la comunión

Con todo, nuestra admiración por la figura de la insigne emperatriz no viene dada por su supuesta paridad jurídica y social con respecto a Justiniano, que, como acabamos de ver, ni siquiera se sostiene
en la representación bizantina de la pareja imperial, ni por su poder,
magnificado hasta límites insospechados, en un afán quimérico de en-
grandecer a Teodora como una heroína intangible, incorpórea, mística, que no se corresponde en absoluto con la realidad, ya que se trata
de una invención distorsionadora de la terrenalidad sorpresivamente
maravillosa de nuestra protagonista. Nuestra sororidad con Teodora
viene dada concretamente por su misteriosa personalidad, por su primigenia debilidad social y su resiliencia vital, por su resolución victoriosa en momentos delicados, y su determinación femenina para ayudar a la causa de las mujeres en situación de extrema vulnerabilidad.

En este libro sobre el itinerario vital, social, jurídico e histórico
de la emperatriz Teodora hemos procurado no dejarnos llevar por la
simpatía innata que nos despierta un personaje agraviado sobre todo
por su feminidad, su relación afectiva honesta y leal con un emperador tan poderoso como fue Justiniano, de imperdurable recuerdo
para los que somos juristas por su inconmensurable obra jurídica de
eterno entusiasmo. Por ello, queremos poner de manifiesto nuestra
intención de llevar a cabo una exégesis lo más objetiva posible, des-
deñando la adulación sometida, la crítica infundada, la adjetivación
sexual continuada como si su primera juventud fuese el núcleo central
de toda su vida, e incluso desechando la posibilidad, siquiera remota,
de que Teodora fuera la legisladora principal de la cuestiones jurídicas concernientes al colectivo femenino contenido en el *Corpus Iuris
Civilis*.

---

del pan. No obstante lo que en realidad representa es una patena que era lo que
entonces se utilizaba para dar la comunión. Las patenas bizantinas conservadas
son numerosas y se hallan realizadas en plata o plata dorada y nielada con oro,
y las poseen los museos especializados mencionados anteriormente, siendo el de
Dumbarton Oaks, el de Nueva York y el de Baltimore los que poseen los ejem-
plares más interesantes. Todas ellas son de gran diámetro entre unos 30 y 60 cm.
aproximadamente y llevan en su interior símbolos, escenas o inscripciones alu-
sivas a la Eucaristía, su diferencia con la de Justiniano estriba en la profundidad
de esta última. Hoy día en la Iglesia Ortodoxa sigue todavía repartiéndose el pan
es este tipo de recipiente".

No es que queramos desilusionar al lector con este avance de nuestro propósito investigador, ya que la imagen de Teodora refulge por sí misma, con sus luces y sus sombras, con su influencia secundaria pero importante en materia femenina, pero Bizancio y su corte no hubieran permitido jamás el impacto directo de una mujer en la legislación bizantina, ni siquiera en el caso de la cónyuge del emperador. Y de las fuentes que tenemos a nuestra disposición no se desprende la legitimación activa de Teodora en materia femenina en el Digesto, ni en el Código, ni en las Novelas, ni en las Instituciones que conforman la magna obra justinianea.

Tampoco hemos considerado necesario destacar su faceta de cuidadora de Justiniano, cuando las circunstancias la obligaron a ello, parece que ejerciendo incluso -excepcionalmente- el cargo de regente durante el período de convalecencia y recuperación del emperador cuando éste contrajo la peste, pero al margen de las escasas fuentes a ese respecto, ya hemos realizado un trabajo de investigación sobre este tema[52], que entendemos suficiente para dar cumplida cuenta de la mortal epidemia que asoló Constantinopla.

Por otro lado, desvirtuaremos las crónicas y biografías que otorgan a Teodora fundamentalmente el poder del sexo, ya que minusvalorar su quehacer vital, su labor explicitada, por ejemplo, en el campo religioso, con su defensa de la cuestión monofisita, imponiendo una *capitis deminutio* de su influencia a través de sus artes sexuales, nos parece una cuestionable estrategia publicitaria que no se corresponde con la trayectoria real de la venerada bizantina.

La causa de Teodora es un motivo por el que debemos felicitarnos, un anacronismo vital y poderoso que, independientemente de su ambiguo quehacer jurídico, escandalizó a una sociedad abiertamente machista que no pudo contrarrestar la innegable capacidad de la emperatriz para ejercer el poder imperial. Y en ese rechazo a su potestad y mando, acogieron en un primer momento el libelo de Procopio como un alegato liberador de la férrea autoridad impuesta por Teodora durante su gobierno, lo celebraron, y disfrutaron del relato descarnado en su ácida obra.

---

52   M. J. BRAVO BOSCH, *La peste en Constantinopla*, en *GLOSSAE. European Journal of Legal History* 17, 2020, pp. 518-549.

Con todo, pronto rechazaron la bilis literaria vertida por el historiador, invalidando la utilización ideológica del lector, y la propia sociedad, ya más evolucionada, reconoció la labor humanitaria, social y jurídica de Teodora hacia el colectivo femenino, de forma especial, con respecto a las mujeres más vulnerables de la sociedad bizantina, las dedicadas a ejercer la prostitución, que fueron objeto de su contrastada preocupación.

En esta misma dirección, debemos aclarar que la virulencia procopiana no la hemos rechazado por mimetismo con la emperatriz Teodora, sino por el clamor casi unánime de la doctrina reconociendo el sesgo envilecido del autor. Aún con todo, las fuentes a nuestra disposición no nos han permitido consagrar un modelo femenino inesperado, triunfador, en una época bizantina en la que el reparto histórico de papeles minusvaloraba claramente a la mujer, priorizando mediante la construcción jurídica la diferenciación sexual masculina. La conveniencia virtuosa femenina era recordada constantemente y profusamente, y el desvío de algunas mujeres las condenaba jurídica y socialmente de manera irreversible y eterna.

La excepción de Teodora, nuestra protagonista, demuestra su especial determinación y personalidad, y por eso la hemos elegido como objeto de nuestro estudio, por haber sido capaz, en un camino no exento de extremas dificultades, de transformar la organización patriarcal de Constantinopla en su favor, incluso póstumamente, para poder perpetuarse como icono bizantino, femenino y universal.

# 1. LA PRIMERA VIDA DE TEODORA.

## 1.1. INTRODUCCIÓN.

La historia nunca ha sido imparcial con la figura de Teodora, ni antes de ser emperatriz, ni tampoco posteriormente, después de convertirse en la consorte del Emperador Justiniano. Es más, la querencia tradicional indisimuladamente negativa mostrada con respecto a ella, demuestra la clara intención de imbuir, a quién quiera acercarse a la heurística bizantina referida a Teodora, sentimientos de rechazo frente a la némesis femenina supuestamente despreciable frente a un magnífico emperador.

El simplicismo de la historiografía tradicional ha optado por una descripción moralista y tendenciosa de Teodora[53], tomando por estrictamente ciertas casi todas las afirmaciones de Procopio[54], que como

---

[53] Debemos resaltar, sin embargo, el magnífico estudio realizado por C. DIEHL, *Justinien et la Civilisation Byzantine au VI siècle*, cit., p. 36, en donde, al margen de sus dudas con respecto a que realmente hubiera sido cortesana Teodora, propias de una admiración que desdeña cualquier rasgo negativo en Teodora por parte del autor, cuestiona hábilmente varias de las consideraciones realizadas por Procopio con respecto a la emperatriz. Además, a nuestro entender, merece todavía más un mayor reconocimiento el autor francés, ya que en su obra, de principios del siglo XX, ya mostraba una actitud muy diferente a la de otros colegas, describiendo a Teodora como "une grande souveraine, qui tint aux côtés de Justinien une place considerable et joua souvent dans le gouvernement un rôle décisif"; a continuación, añadía que la historia legendaria de Teodora se debería leer de forma crítica, para poder discutir el grado de probabilidad de la misma, reconociendo en la emperatriz una personalidad "singulièrement originale et puissant, un caractère énergique et fort, despotique et hautain, d'une rare intelligence, d'une complexité souvent déconcertante, d'un profond intérêt psychologique", concluyendo que ese era el personaje del que quería hablar, sin falsa prudencia, como otros trabajos de investigación complacientes que lo que hacían era regodearse en los detalles pintorescos de la historia de Teodora.

[54] R. BROWNING, *Justinian and Theodora*, Londres, 1971, p. 67: "We need not take Procopius too literally. His source was mainly malicious tittle-tattle, and the grave historian hated and feared Theodora", incidiendo en que Procopio

veremos están hechas desde el odio más profundo y la subjetividad más artificialmente elaborada, en una versión y visión totalmente distorsionada de la emperatriz.

Bien es cierto que el histrionismo exacerbado de Procopio, lleno de contradicciones, provoca el efecto contrario si el investigador actual pretende un estudio puramente ortodoxo con respecto a la biografía real de Teodora, pero en la época del crítico historiador sus invectivas exageradas consiguieron eficazmente su propósito, presentando como un ser ignominioso a Teodora de Bizancio, cuando en realidad era la víctima perfecta para su propósito demoledor de la figura del emperador[55].

A mayor abundamiento, debemos reconocer como el mismo Procopio adjetiva duramente a Justiniano, llegando a límites insospechados, pero como no, la violencia verbal dedicada a Teodora deja muy claro que el patriarcado bizantino regía la sociedad de forma absoluta en todos los ámbitos, provocando un juicio moral absolutamente negativo con respecto a la irreverente vida anterior de la emperatriz y a los actos posteriores que resultaban denigrados por su amoralidad jamás perdonada.

---

tomaba como fidedignas fuentes dudosas que en realidad eran más bien cuentos maliciosos totalmente interesados y desprovistos de visos de veracidad.

[55] La doctrina se ha preguntado siempre acerca de la oscura motivación que llevó a Procopio a escribir un libelo de esta magnitud, al menos en los gruesos adjetivos dirigidos a los monarcas bizantinos Teodora y Justiniano, y uno de los móviles más solventes se encontraría en el voraz apetito fiscal de Justiniano, con graves consecuencias para la economía bizantina, como la razón más importante del desprecio y la marga invectiva de Procopio hacia el emperador, y por ende, a su esposa Teodora, al margen de nuestra propia posición al respecto al tratar la semblanza de Procopio; vid. al respecto, P. SARRIS, *Economy and Society in the Age of Justinian*, Cambridge, 2006, p. 5: "Similar motifs emerge from the bitter invective against Justinian and his wife, the indomitable Empress Theodora, written by Procopius of Caesarea in his *Secret History*, once again probably composed during the emperor's lifetime. In addition to dwelling on the subject of the empress' cruelty and sexual excess, and the emperor's tyrannous and over-centralising zeal. Procopius emphasises the deleterious consequences for the empire at large of Justinian's all-consuming fiscal apetite".

Nuestro propósito es poner en evidencia las cualidades de una mujer única, irrepetible, protagonista indiscutible de su propia vida[56], demasiado publicitada en ocasiones, misteriosa en determinadas épocas, que evocan a una personalidad enigmática, llena de secretos y pasiones, de miserias y grandezas, con unas vivencias difíciles de gestionar, pero que supo transformarse en la pareja perfecta del emperador, acompañándole en gran parte de sus éxitos, militares, civiles, jurídicos, religiosos, y vitales.

Por otro lado, no podremos obviar, al referirnos a Teodora, la importancia fundamental que para todo jurista posee Justiniano, al que sin duda dedicaremos las referencias oportunas y necesarias[57], pero debemos dejar clara nuestra intención de otorgar, en este caso con-

---

[56]  A. BRIDGE, *Theodora. Portrait in a Byzantine Landscape*, Chicago, 1993, p. 94, después de traer a colación la innegable personalidad de Teodora, afirma: "She was a feminist". No compartimos esta definición en el sentido estricto de la palabra, ni con respecto a ella o al movimiento que surgió evidentemente varios siglos más tarde, ni el símil que creemos intenta hacer el autor. La emperatriz no era feminista, ni nada que se le pareciera, como intentaremos demostrar con distintas evidencias y fuentes al respecto. Resulta un elogio fuera de contexto espacial y temporal, que no se identifica con la obra ni la vida de Teodora.

[57]  Siempre con respecto a su relación con Teodora, independientemente de la ingente y perenne obra del emperador legislador, para poder centrar el objetivo de esta investigación. No se trata de minusvalorar la colosal obra jurídica legada por el emperador Justiniano, porque eso jamás entraría en nuestro propósito, sino de analizar la figura imperial con respecto a su cónyuge, Teodora, y la relación entre ambos que pueda contribuir a esclarecer la misteriosa presencia de la Emperatriz. Vid. al respecto, C. DIEHL, *Justinien et la Civilisation Byzantine au VI siècle*, cit. pp. 8- 9, en donde afirma que pocos personajes históricos son tan difíciles de juzgar como Justiniano, destacando que la prolija documentación acerca del emperador no ayuda a poder discernir las buenas o malas acciones imperiales, además de la descomunal producción propia: "Justinien a beaucoup écrit et fait écrire encore davantage; ses monuments lègislatifs sont précédes de longues préfaces, de verbeuses ordonnances, où se reflètent la pensée et les idées de gouvernement du prince: et encore qu'il y eût quelque naïvete à prendre cette littérature de chancellerie pour l'expression exacte de la vérité, pourtant il est imposible de n'en point tenir compte. Les écrivains contemporains d'autre part ont raconté en grand détail les événements du règne, et il semble que de leurs récits se puisse dégager une Vivante figure de l'empereur. Mais considérez de plus près l'un de ces historiens, et le plus illustre, Procope", en referencia a Procopio, y la imagen contradictoria que muestra en sus distintas obras sobre Justiniano, que claramente no ayuda a discernir la ilustre figura imperial, llegando a distinguirlo como 'príncipe de los demonios' en alguna ocasión, desmedida y desmesurada

creto, la interpretación principal y la exégesis continua a la insigne celebridad de Teodora.

No se trata de revertir la posición principal y majestuosa del emperador sobre la emperatriz[58], porque sería un testimonio falso e in-

---

descripción del insigne emperador; vid. al respecto, B. RUBIN, *Der Fürst der Dämonen*, en *Byzantinische Zeitschrift* 44, 1951, pp. 469-481.

[58]  J. A. EVANS, *The Empress Theodora. Partner of Justinian*, Texas, 2002, p. 27, en donde destaca en primer lugar el hecho de que Teodora no aparezca en las monedas de Justiniano, como sí sucedió con la mujer del sucesor de Justiniano, Justino II, que permitió que la efigie de su esposa Sofía, sobrina de Teodora, apareciese en las monedas imperiales, lo que lleva al autor a declarar: "Theodora never attained the power of these women. Her image never appeared on Justinian's coinage"; de este modo, la emperatriz Teodora tendría cierta ascendencia en Justiniano, pero no la autoridad predominante que pretende otorgarle parte de la doctrina, engrandeciendo la realidad: "Her power was secondhand. If she was influential, it was because Justinian respected her. It was not merely that he was deeply in love, though that was true. Rather he realized early thtat Theodora was a shrewd ally, and her experience allowed her to understand the forces that drove public opinion in the Eastern part of the empire, which we must balance against her failure to comprehend the mind-set of the West. Justinian never doubted her loyalty, even when she might act with a degree of independence that is surprising. She was bound to him both by affection and by self-interest. Moreover, Justinian realized, one suspects, that it was an advantage for an autocrat to have a secondary power center in the state so long as it was firmly in the hands of a loyal wife. Theodora served as His Majesty's loyal opposition"; esta opinión, que compartimos plenamente, muestra a un Justiniano estratega y conocedor de las intrigas de palacio, que eligió claramente tener a su mujer, la mejor aliada a su favor, leal aunque independiente, como la autoridad secundaria, para evitar que cualquier funcionario o cortesano de palacio ocupase ese puesto y tramase una conjura contra él; vid. con respecto a Justino II y su esposa Sofía, regente durante los episodios de demencia de su cónyuge, B. PAYNE SMITH, *The third part of the Ecclesiastical history of John Bishop of Ephesus*, traducción y comentarios, Oxford, 1860, quién destaca en p. VI: "The second part must have contained many interesting particulars of the later emperors, and especially of Justinian, but the extracts from it preserved in the Chronicle of the Jacobite Patriarch, Dionysius, are principally concerned with a record of earthquakes and pestilences"; de acuerdo con esta traducción inglesa, Juan de Éfeso, Historia Eclesiástica, 2.10, nos señala en p.105: "From this history of her pursebearer, our historian proceeds to give a sketch of the empress Sophia, who, he says, during the lifetime of her aunt, the late queen Theodora, from her youth up to within three years before she ascended the throne, used to take the communion with the orthodox, and entirely rejected the communion of the synodites, that is, of those who held that there were two natures in our Lord"; L. EVANS, *Byzantine empresses: women and power in Byzantium, AD 527-1204*, Londres, 1999, p. 40:

útil, ni pretendemos recuperar un protagonismo esencial en el ámbito legislativo para Teodora, aunque referiremos posteriormente el matiz femenino que se muestra en la regulación sobre la prostitución y en temas jurídicamente relacionados la mujer.

Nuestro propósito real y sincero busca la verdad sin ambages, el impacto real de la emperatriz en el devenir cotidiano del imperio, la influencia en la corte de Bizancio, y sin duda también escudriñará la inspiración femenina teodoriana en el propio Justiniano, cuyo consejo pudo haber tenido consecuencias de distinta índole e impacto en el gobierno del imperio.

Dicho de otro modo, si bien es cierto que Teodora es reconocida por la posteridad con motivo de su condición de esposa de Justiniano, y en ningún caso podemos hablar de igualdad en la situación jurídica, social, protocolaria e imperial entre ambos, tampoco podemos obviar el papel otorgado por el propio Justiniano a su real cónyuge.

De hecho, en el propio *Corpus Iuris Civilis*[59], Justiniano cita expresamente a su esposa Teodora, reconociéndola como consejera, sin que ello suponga una paridad bizantina de ningún modo. Teodora gozó de unas prerrogativas impensables para ella por mor de su origen, pero nunca tuvo la capacidad jurídica de Justiniano, por mucho que románticamente se intente monumentalizar la posición de la emperatriz Teodora en la corte justinianea.

Sirvió de inspiración para la regulación por parte de su excelso marido de colectivos que permanecían en su memoria, y seguramente influyó en algunas cuestiones que parecen redactadas por mano de Teodora, aunque sean fruto de la evolución natural de algunas instituciones obsoletas y necesitadas de revisión legal.

---

"Justin II and Sophia succeded Justinian on 14 November 565; Justin was the son of Justinian's sister Vigilantia, though not the only candidate for the throne", destacando el hecho de haber alcanzado mayores cotas de poder que su pariente la emperatriz Teodora, habiendo sido presumiblemente "daughter of Theodora's Elder sister Komito and the general Siitas, a marriage which Justinian (by which we may asume Theodora) arranged on his accesion".

[59] Novela 8, Capítulo I, cuya exégesis haremos al analizar el nombramiento de los jueces sin sufragio alguno, en donde Justiniano reconoce la capacidad de consejera de su reverendísima cónyuge, algo totalmente inusual en la corte bizantina.

La compilación más importante de derecho romano, la magna obra llevada a cabo por Justiniano para reordenar el sistema jurídico del imperio bizantino, conjuntamente con sus propias constituciones, resulta ser una empresa normativa de carácter colosal, ambiciosa, espléndida en sus objetivos y eterna en su resultado, y si bien los temas relativos a intereses vividos por la emperatriz pudieron ser tenidos en cuenta por Justiniano, seguramente entraban dentro del propósito inicial compilador. No podemos atribuir únicamente al deseo de Teodora la regulación prohibitiva de la prostitución, como un rasgo identificador de la influencia jurídica sobre el emperador legislador, o de otros asuntos contenidos en su obstinación femenina, y obviar el inconmensurable contenido jurídico del resto del *Corpus Iuris Civilis*, de incalculable valor, que probablemente hubiera regulado la condición de las mujeres en situación de extrema vulnerabilidad, sin la intervención explícita de Teodora.

Con todo, la mejora sustancial dirigida al ignominioso e infame colectivo sí parece constituir un objetivo claro y decidido por parte de la emperatriz, y tampoco podemos recusar a priori su intervención legal, siquiera mínima, en materias de derecho sustantivo, e incluso su influencia en el derecho adjetivo bizantino. Vayamos por partes, revisando la actuación de la emperatriz en cada caso, para poder otorgar a Teodora el reconocimiento explícito que le corresponde por haber ocupado el trono de forma dinámica, sin desmerecer para nada el honor de su cargo imperial, así como por haber influido en la mejora jurídica de las mujeres desheredadas de la tierra y del derecho, las dedicadas en mayor o menor medida a la prostitución, y en las normas procedimentales para procurar su atención legal.

## 1.2. LA JUVENTUD DE TEODORA.

La historia de nuestra protagonista comienza en torno al año 500[60], en Constantinopla. La célebre ciudad que la vio nacer[61], en la

---

[60]   A. DEBIDOUR, *L'impératrice Théodora. Etude critique*, París, 1885, reimp. p. 45: "Théodora naquit sous le règne de l'empereur Anastase, à la fin du cinquième ou tout au commencement du sixi`me siècle"; G. GAUTHIER, *Justinien. Le rève impérial*, París, 1998, p. 69: "Théodora était née vers l'an 500 d'un père nommé Akakios et qui était peut-être d'origine chipriote"; hemos tomado como referencia para concretar la fecha de nacimiento de Teodora el cambio de siglo, pero existen otras opciones, entre las que destacan, W. SCHUBART, *Justinian und Theodora*, Munich, 1943, p. 50: "Geboren etwa 497, wohl in Konstantinopel"; G. TATE, *Giustiniano. Il tentativo di rifondazione dell'impero*, trad. it. Cristiano Felice, Roma, 2006, p. 109: "Teodora nasce a Constantinopoli verso il 490, all'interno della clase disprezzata del mondo dello spettacolo".

[61]   Procopio, *Historia Secreta*, trad. J. Signes Codoñer, Madrid, 2000, 9, p. 200; otras teorías postulan el nacimiento de Teodora en Chipre, como *Hist. Ecl.* XVI 37 (*Patrologia Graeca* CXLVII, col. 199), en palabras de Nicéforo Calisto Xantópulo, J. W. VANDERCOOK, *Empress of the dusk. A life of Theodora of Byzantium*, Nueva York, 1940, p. 2: "The Empress Theodora was born on the island of Cyprus, at the eastern end of the Mediterranean Sea", añadiendo que se trataba de un sitio poco deseable, alejado del mundo, concretando todavía más el lugar de nacimiento al decir: "The little port of Paphos, where Theodora was born, lay at the western end of Cyprus. It was an ancient, crowded town of whitewashed, red-roofed houses"; otros apuestan por su nacimiento en Paflagonia, como recoge el *Anónimo de Banduri, Antiquitatum Constantinopolitanprum libri octo*, 3, p. 42 en A. BANDURI, *Imperium Orientale*, Venecia, 1729, 1, 3; sin embargo, H-G. BECK, *Lo storico e la sua vittima. Teodora e Procopio*, trad. it. N. Antonacci, Bari, 1988, p. 97, niega la posibilidad del origen de Teodora relacionado con Paflagonia, por parte de quienes confunden a la mujer del emperador Teófilo, del siglo IX, con 'nuestra' Teodora, añadiendo en p. 98: "A questa omonimia con l'imperatrice originaria della Paflagonia si deve anche un altro errore storiografico sulla nostra Teodora, riguardante appunto la sua terra di nascita -che non é la Paflagonia, ma la Siria, e precisamente la città di Mabbug. Sempre secondo questa errata identificazione, Giustiniano sarebbe capitato in quella regione durante una campagna contro i Persiani (cosa impossibile per due motivi: primo perchè Giustiniano non prese mai parte di persona a nessuna spedizione contro i Persiani, secondo perché non ci fu nessuna guerra contro questi ultimi prima del suo matrimonio) e qui avrebbe conosciuto Teodora, figlia di un sacerdote monofisita, e chiesto la sua mano", permiso concedido por el padre bajo la condición de que Justiniano no hiciese abjurar a su hija del monofisismo para abrazar la ortodoxia, todo fruto de una leyenda pragmática que resolvía de este modo la condición religiosa de la emperatriz relacionándola con su propio origen; J. SIGNES CODOÑER, en la traducción realizada a la obra de Procopio,

que su padre, Acacio[62], ejercía la profesión de cuidador de las fieras del circo, como encargado de los osos de la facción Verde[63], no le brindó una infancia fácil, ni la pertenencia a una clase acomodada, puesto que como hija de un trabajador al servicio de las diversiones públicas, oficio vilmente considerado en la escala social, su status social ya estaba denigrado desde el mismo instante de su nacimiento.

Su padre tenía un trabajo que estaba subordinado al del maestro de baile de cada facción, pero su remuneración no era misérrima, sino que seguramente en el siglo VI[64], con el auge de las carreras del hipódromo, y la rivalidad violenta y masiva de la población -influenciada y alentada por motivos políticos y religiosos-, el padre de Teodora, como *ursarius*, disfrutaría de un status moderadamente privilegiado[65].

El hipódromo de Constantinopla era el espacio propicio para la expansión deportiva de estas agrupaciones[66], de estos clubes social-

---

*Historia Secreta,* apenas citada, p. 201, cree que lo más prudente es dar crédito a la noticia de Procopio con respecto al nacimiento de Teodora en Constantinopla, tesis que consideramos la más acertada.

[62]   *PWRE,* 2 ser., 5, 1934, *s.v. Theodora,* col. 1776: "Leben: Als Vater T.' wird der Tierwärter Akakios des Hippodroms von Konstantinopel gennant. Er stand im Dienste der Partei der Grünen (Prasinoi)".

[63]   D. POTTER, *Theodora: Actress, Empress, Saint,* Oxford, 2015, p. 14: "Theodora's father was one of only two chief bear trainers employed with a major faction. This tell us something about the way Theodora grew up, and woud have some impact on her life as a whole".

[64]   No tenemos fuentes a nuestra disposición que refieran los emolumentos de los cuidadores de osos en un circo, aunque conocemos la obra de compilación de Constantino VII, del siglo X, que recoge otras retribuciones, *De Caerimoniis,* 2.55, que si ponemos en relación con el trabajo de *ursarius,* podría estar en una posición parecida a la del poeta de una facción, remuneración medianamente aceptable. Seguramente tal profesión ya no aparezca por las empobrecidas condiciones de las carreras en aquel tiempo; vid. al respecto, M. HENDY, *Studies in the Byzantine Monetary Economy, c.300-1450,* Cambridge, 1985, pp. 503-506.

[65]   D. POTTER, *Theodora: Actress, Empress, Saint,* cit., p. 15: "Theodora's father thus enjoyed a position of moderate privilege, and form this we can infer what she may have had available to her. Her clothers probably comprised hand-me-downs from Comito, and possibly a new tunic from time to time, though likely to have been homemade", en referencia a la tradicional 'herencia' de vestimentas de los hermanos mayores por parte de los de menor edad.

[66]   G. DAGRON, *L'hippodrome de Constantinople: jeux, peuple et politique,* París, 2011, *passim,* magnífico testimonio sobre la realidad del recinto, facciones (p. 207), intereses y en general sobre la importancia del citado hipódromo; no

mente apoyados por el pueblo, siendo la facción Verde una de las dos más relevantes conjuntamente con la Azul[67], relacionada sin embargo con la élite senatorial[68].

---

olvida una referencia al antecedente y modelo del hipódromo, el *Circus Maximus* de Roma, y sus 150.000 asientos, en p. 30 ss., así como también recuerda con frecuencia una de las ideas principales del libro, la fácil adaptación y la rápida transposición de las carreras de Roma a Constantinopla, que se explicaría por el carácter superficial de las tradiciones locales de la nueva capital; vid. recensión a este libro, S. DESTEPHEN, en *AnTard* 21, 2013, p. 430: "Ce livre constitue un modèle d'analyse à imiter par la convergence de perspectives et de méthodes mises au service d'un objet historique disparu. La sociologie et l'anthropologie, mais aussi la philologie et l'iconologie sont convoquées pour appréhender et étudier l'hippodrome de Constantinople dans ses expressions matérielles et intellectuelles, pratiques et symboliques, populaires et impériales. L'ensemble propose ainsi une interprétation savante et brillante de cet espace ludico-politique millénaire".

[67] ALAN CAMERON, *Circus Factions: Blues and Greens at Rome and Byzantium*, Oxford, 1976, pp. 61-68, en donde sugiere que las otras dos facciones, la blanca y la roja, funcionaban en las ciudades más importantes como subsidiarias o adjuntas, respectivamente, la blanca de la verde y la roja de la azul, presumiblemente para crear una mayor rivalidad entre equipos y una mayor incertidumbre sobre el resultado de las carreras, aunque con el tiempo fueron absorbidas las dos facciones más débiles por las más relevantes; M. McCORMICK, *Eternal Victory. Triumphal Rulership in Late Antiquity, Byzantium and the Early Medieval West*, París, Cambridge, 1986 pp. 92 ss., en donde da cuenta de la recurrente victoria del emperador en las carreras, triunfo articulado como una auténtica teología política.

[68] A. MARICQ, *Factions du cirque et partis populaires*, BAB 36, 1950, pp. 396-421, explica como estas agrupaciones de aficionados trasladaron su rivalidad deportiva al plano social, dando lugar a las *partes populi*, fuente de conflicto continuo entre las partes, que no hay que confundir con las facciones propiamente dichas, empresas privadas encargadas de ofrecer lo necesario en los *ludi* circenses; A. CAMERON, *Circus Factions: Blues and Greens at Rome and Byzantium*, cit., pp. 271-296, asegura en p. 311 que, en contra de lo que se podría pensar, las facciones no representaban por sí mismas grupos de poder con ambiciones políticas; contra, desafiando la posición de A. Cameron, M. WHITBY, argumenta que las facciones eran frentes diseñados para proteger a los aristócratas de élite que los subsidiaron: así, éstas funcionaban de manera similar a los sindicatos del crimen organizado que se dedicaban a actividades ilegales clandestinas bajo el amparo de las élites que los patrocinaban, gozando de una cierta y ventajosa inmunidad; Av. CAMERON, *Sports fans of Rome and Byzantium*, en *LCM* 9, 4, 1984, pp. 50-55; J.H.W.G. LIEBESCHUETZ, *The Decline and Fall of the Roman City*, Oxford, 2001, pp. 251 ss., propone que las facciones operaban como grupos de presión en el ámbito político público, ya que el gobierno imperial había

El fallecimiento prematuro de su padre, hizo que las tres hijas, Comito, Teodora y Anastasia, quedasen desamparadas, por lo que su madre se unió a otro hombre[69], para que le ayudase a atender las tareas propias del trabajo adjudicado, pero un soborno en el momento adecuado provocó que el director de los Verdes, un hombre llamado *Asterius*[70], prescindiese de sus servicios dejando a la familia en una situación de máxima vulnerabilidad económica y social.

La madre[71], en una situación límite –incrementada por la numerosa descendencia femenina, lo que suponía un agravante en la es-

---

centralizado la burocracia, limitando el acceso a los diferentes niveles de poder; J. A. JIMÉNEZ SÁNCHEZ, *Símbolos del poder en el hipódromo de Constantinopla*, en *POLIS. Revista de ideas y formas políticas de la Antigüedad Clásica* 16, 2004, p. 114, n. 18: "El hipódromo era el lugar donde se manifestaba de forma más evidente el conflicto social"; K. TOEPFER, *Pantomime: The History and Metamorphosis of a Theatrical,* San Francisco, 2019, p. 334: "It is not clear what sort of illegal activities necessitated over many decades the sponsorship of publically flamboyant hippodrome clubs as disguises for corruption or why elites would "tolerate" the rioting of factions as a way to intimidate emperors in relation to a policy or action over which they otherwise had no "influence" or why it was necessary to have at least two factions, so often hostile to each other, to achieve this goal", pone en evidencia las dudas que se le presentan, por un lado, con respecto al tipo de actividades ilegales llevadas a cabo por las facciones de los hipódromos, y por el otro, en la necesidad de enfrentar a unos bandos contra otros, tan hostiles entre ellos, como método eficaz para lograr el objetivo de intimidar a los emperadores.

69   Esta unión no podemos asegurar que fuera un matrimonio legítimo, de acuerdo con A. BRIDGE, *Theodora. Portrait in a Byzantine Landscape,* cit., p. 14: "Whether she married him is not known, but she started to live with him in the hope that she would be able to secure her late husband's job for him"; sin embargo, la doctrina suele referirse a esta segunda unión de la madre de Teodora como un nuevo matrimonio, tratando el tema en ocasiones con cierta ironía, como G. GAUTHIER, *Justinien. Le rêve impérial,* cit., p. 70: "Leur mère, la veuve inconsolable, se console très vite en épousant en secondes noces un homme dont on ne sait strictement rien si ce n'est que sa femme espérait qu'il héritât des fonctions du si peu regretté Akakios".

70   A. BRIDGE, *Theodora. Portrait in a Byzantine Landscape,* cit., p. 14: "In order to do so, the manager of the Greens, Asterius, had to be persuaded to appoint him, and unfortunately for the widow, he had already accepted a bribe from someone else who wanted the job".

71   C. DAUPHIN, *Brothels, Baths and Babes Prostitution in the Byzantine Holy Land,* en *Classics Ireland,* 3, 1996, pp. 54-55: "The *scenicae* were involved in a craft aimed primarily at theatre-goers. It has been described as a 'closed craft', since daughters took over from their mothers. The classic example is that of the

tratificación social bizantina–, no se arredró ante tal circunstancia, y colocando a sus hijas coronas en la cabeza y en las manos, de acuerdo con el testimonio de Procopio[72], suplicó a los Verdes la restitución del trabajo. Ante la negativa de éstos ante su ruego, los Azules accedieron a concederle el cargo de cuidador de fieras, puesto que acababa de morirse el que ocupaba dicho puesto y por lo tanto dicho trabajo estaba libre en aquel momento.

De este modo, se puede entender como nuestra protagonista nunca vio con buenos ojos a la facción de los Verdes, y en los disturbios de Niká que se produjeron posteriormente[73], en los que la emperatriz Teodora demostró una capacidad inigualable de gestionar situaciones de alto riesgo -en este caso para conservar la púrpura imperial de Justiniano[74]- manifestó con claridad su preferencia por los Azules[75], que habían rescatado a su familia de una penuria económica seguramente irreversible y definitiva. Por otro lado, la humillación pública infligida a ella y a su familia por parte de los Verdes provocó una clara hostilidad dirigida por Teodora hacia ellos de por vida[76], resentimiento que

---

mother of the future Empress Theodora who put her three young daughters to work on the stage of licentious plays".

[72] Procopio, *Historia Secreta*, cit., 9. 6-7, p. 201.

[73] Como veremos en el capítulo correspondiente, 3.2., de forma más explícita y concreta, el conflicto de Niká concedió un inigualable protagonismo a Teodora, reconocido por las fuentes de modo unánime en la consolidación del Imperio por parte de la emperatriz.

[74] E. MOLE, *Teodora legislatrice*, Roma, 1949, p. 11: "Cosí nel 532, fu stroncata nel sangue la rivolta della *Nica*, e Teodora conservó a Giustiniano la corona ch'egli le aveva donato, riconsacrandosi imperatrice, non piú per il capriccio del talamo ma per la grandeza dell'animo pari alle tremende responsabilità della storia. Senza quel gesto virile, Giustiniano non avrebbe compiuto i 38 anni del suo splendido regno".

[75] J. A. EVANS, *The Empress Theodora. Partner of Justinian*, cit., p. 14, en donde destaca la desesperación familiar por obtener el puesto de cuidador de fieras anteriormente desempeñado por el padre de Teodora, y que gracias a los Azules es otorgado de nuevo al padrastro de ésta, motivo por el que "Theodora did not forget the kindness of the Blues".

[76] C. DIEHL, *Byzantine Portraits*, cit., p. 52: "Theodora never forgot the scornful indifference with which the Greens had received her entreaties; and form that moment began in the child the tendency towards long-cherished rancour, and the implacable desire for vengeance, which became so strong in the woman".

jamás la abandonaría y le haría tomar partido siempre en contra de las decisiones de dicha facción.

Inmediatamente después, el relato procopiano insiste en la calamidad familiar de Teodora, y en la desestructuración familiar, resaltando el papel indigno e injustificable de la madre al convertir a las hijas, llegada la edad apropiada para ello, en heteras, actrices dedicadas a la escena con un fondo sexual innegable, que actuaban en los descansos entre carreras en el hipódromo, para entretener a los espectadores de una forma vulgar y ordinaria, ocupando en la jerarquía civil el último puesto de la pirámide social de la época[77].

Es por todos conocido el escalafón de las distintas profesiones en el mundo romano, que juzgaba impropio de las élites las actividades escénicas[78], por lo que éstas quedaban reservadas a mujeres y hombres de baja condición, todo ello acompañado de la nota de infamia[79],

---

[77] G. TATE, *Giustiniano. Il tentativo di rifondazione dell'impero,* cit. p. 110: "Teodora trascorre l'infanzia e l'adolescenza fra gli impiegati dell'ippodromo e con gli attori, i danzatori ed i mimi, i quali si esibiscono nell'intervallo delle corse e sui palcoscenici dei teatri, in un ambiente che allora veniva considerato la feccia della società".

[78] J. BEAUCAMP, *Le Statut de la Femme à Byzance (4e-7e siècle). II. Les pratiques sociales,* París, 1992, p. 344: "Une première constante du droit romain, de la période classique au Bas-Empire, est que les devoirs moraux spécifiques aux femmes ont plus ou moins d'importance selon le statut social: les obligations relatives à la morale sexuelle concernent particulièrement les *matres familiarum,* les , c'est-à-dire les femmes de condition honorable, celles que n'avilissent ni une naissance servile, ni un métier dégradant, ni même une trop grande pauvreté. La même conviction, á l'évidence, inspire l'ensemble de la société protobyzantine".

[79] A. H. J. GREENIDGE, *Infamia. Its place in Roman Public and Private Law,* Londres, 1894, p. 38, explica que la infamia implica siempre la idea de responsabilidad personal y, por tanto, desde un punto de vista moral, se eleva muy por encima de la mera concepción de estatus. La ley, es cierto, hace escasa distinción entre los grados de responsabilidad individual; como en la concepción de la justicia distributiva de Aristóteles, el fin que se persigue es demasiado grande como para permitir un escrutinio acerca de las pretensiones morales del individuo. El Estado priva de su voto al que opta por seguir siendo actor, excluye al subastador y al enterrador de las magistraturas municipales; a veces puede omitir imponer descalificaciones tan severas a un hombre culpable de un delito o quebrantamiento de la fe. Pero, aunque los grados de censura moral no son perfectos, y de hecho no pueden serlo, cuando se trata de los intereses del Estado la idea de responsabilidad es evidente en todas partes. Por otro lado, y no es una cuestión menor, la infamia censora de la República no afectaba para nada a

que implicaba la muerte civil a efectos jurídicos de progreso cívico. Tal exigua valoración de su condición laboral se mantuvo en el imperio romano de Oriente, considerando el baile y el teatro actividades propias del colectivo de desheredados, jurídica y socialmente, de cualquier estamento honorable de Bizancio, quedando prohibida la unión conyugal con los miembros de la élite bizantina[80].

---

las mujeres, puesto que por su propia condición las mujeres no podían optar a honores cívicos, reservados a los hombres, pero de acuerdo con la teoría mayormente seguida por la doctrina, e iniciada por Savigny, a partir de la *Lex Iulia*, las mujeres quedaron equiparadas a los hombres en la desdicha de la infamia. Sin embargo, Greenidge, en el libro que acabamos de citar, p. 173, apuesta por una infamia femenina pretoria anterior a la de la legislación augustea.

[80] D. 23.2.44, *Paulus libro I ad legem Iuliam et Papiam*: pr. *Lege Iulia ita cavetur*, cuya exégesis llevaremos a cabo a referirnos a las trabas legales con respecto al matrimonio de Teodora y Justiniano, deja patente la prohibición rigurosa y estricta que afecta al matrimonio entre senadores y una libertina o mujer que se hubiera dedicado a las actividades escénicas, o aquella cuyo padre o madre hubiera realizado representaciones en diversiones públicas, sin distinguir si el padre tiene o no a la hija en potestad, y sin importar que el padre sea natural o adoptivo. Las restricciones son amplias, intentando que la contaminación de la mujer arrabalera e indigna que actuó para otros en público no pueda llegar a formar parte de la clase senatorial a través de un matrimonio que se reputa desigual, impropio y sobre todo, ilegal; D. DAUBE, *Greek and Roman Reflections on Impossible Laws*, en *Natural Law Forum*, 125, 1965, p. 74, entiende que tal etiquetación y paralelismo entre prostitución y escenario existe pero no de forma absoluta: "This permanency of the label, however, while applying wherever social status is in question, is not absolute. I shall not go into this complicated business, except to give an illustration relating to prostitutes. To them, too, the label once acquired stuck for Good (e.g., DIGEST 22.5.3.5, Callistratus IV de cognitionibus, 23.2.43.4, Ulpian I ad legem Iuliam et Papiam; compare Tabula Heraclensis 122f.), but again only in matters having to do with social status, not, say, for the purpose of the tax on the profession".

De acuerdo con la edad de las hijas de Acacio, Comito se convirtió en actriz al llegar a la adolescencia[81], acompañada por Teodora[82], que por ser menor debía conformarse en asistir a la hermana mayor[83], vestida como una joven esclava. Pero a pesar de su corta edad, Procopio[84], como única fuente al respecto, ya la presenta en una actitud lasciva con los hombres, independientemente de que no pudiera convertirse en actriz, y ridiculiza hasta el extremo su especialización en mimo escénico[85], tildando dichas representaciones de 'ridículas gro-

---

[81]   D. POTTER, *Theodora: Actress, Empress, Saint*, cit., p. 12, señala que Teodora era la hija del medio, pocos años más joven que su hermana Comito, y uno o dos años mayor que su otra hermana Anastasia, "who seems to have died young. This was the fate of a great many infants in Theodora's time: nearly half of all children perished before they reached the age of five, victims of poor nutrition and negligible health care"; a continuación añade que las ciudades antiguas eran lugares sucios y peligrosos, por lo que el conocimiento tradicional de las parteras y otras mujeres que ayudaban a traer a niños al mundo solo podía llegar hasta cierto punto para mantenerlos a salvo, por lo que la tasa de mortalidad infantil era muy elevada.

[82]   C. DIEHL, *Justinien et la Civilisation Byzantine au VI siècle*, cit., p. 37: "Tout enfant, elle accompagna cette grande soeur sur les planches, jouant auprès d'elle des rôles de petite femme de chambre".

[83]   PWRE, cit., *s.v. Theodora*, col. 1776: "Schon als Kind begleitete sie ihre Schwester Kometo auf die Bühne, spielte kleine Zofenrollen und wuchs so in die Theaterlaufbahn und in das damit verbundene Hetärentum hinein. Ihre zarte, anmutige Erscheinung machte sie zu einer beliebten Darstellerin in lebenden Bildern, in den Pantomimen kamen ihre witzigen Einfälle und ihre Ansgelassenheit zur Geltung", destacando su apariencia delicada y elegante, así como un revelador ingenio que la convirtió en una actriz popular en las pantomimas.

[84]   Procopio, *Historia Secreta*, cit., 9. 10-12, p. 201: "Por aquel entonces Teodora, que no estaba todavía desarrollada, no podía acostarse con ningún hombre y era absolutamente incapaz de tener relaciones como mujer, pero ella se unía lascivamente como los hombres con ciertos miserables y esto incluso con cuantos esclavos seguían a sus dueños al teatro para cometer este acto nefando aprovechando la oportunidad que se les presentaba. Permanecía así durante mucho tiempo en el prostíbulo entregada a este comercio contra natura de su cuerpo. Pero tan pronto como llegó a la adolescencia y estuvo ya desarrollada, se bajó ella misma a la escena con las mujeres y se convirtió enseguida en una hetera de esas que los antiguos llamaban de 'infantería', pues no era flautista ni harpista ni había siquiera estudiado los pasos de la danza, sino que sólo entregaba su juvenil belleza a todo el que llegaba, dejándole que se sirviera de todas las partes de su cuerpo".

[85]   Sobre los mimos en Bizancio: V. COTTAS, *Le théâtre à Byzance*, 1931, pp. 35-55; K. TOEPFER, *Pantomime: The History and Metamorphosis of a Theatrical,*

serías', comentarios que no se corresponden con el tiempo que debía dedicar quien quisiera ser un experto en mimo[86].

Bien es cierto que el desdén legal hacia el oficio de mimo se recogía ya con anterioridad en el Código Teodosiano[87], y que dicha actividad equivalía en cierto modo en aquella época a ejercer la prostitución[88],

---

San Francisco, 2019, pp. 33 ss.; como curiosidad reseñable, traemos a colación el trabajo de A. de JORIO, *La mimica degli antichi investigata nel gestire napoletano*, Nápoles, 1832, conocido como el primer etnógrafo de la mímica, que destaca que los gestos propios de la mímica antigua se aprecian claramente en la gesticulación tradicional napolitana, pp. 359 ss.

[86]    Vid. al respecto, H-G. BECK, *Lo storico e la sua vittima. Teodora e Procopio*, cit. p. 69 ss. en donde destaca como un buen pantomimo debía entrenarse duramente para poder dominar cualquier movimiento de su cuerpo y poder ofrecer un buen espectáculo, que se pudiese comprender sin problema alguno, añadiendo en p. 70: "Molto in generale si può dire che il passo dal pantomimo al mimo fosse brevissimo, consistendo in sostanza nel passaggio dall'attore solista alla compagnia allargata. Fu proprio con il mimo che l'elemento femminile fece il proprio ingresso prepotente sulla scena, riscuotendo la più grande attenzione. Le attrici comparivano di fronte al pubblico, con grande indignazione dei custodi della moralità, a capo scoperto, senza cioè il fazzoletto che tutte le donne indossavano quando uscivano per strada", destacando el maquillaje excesivo y vistoso, que permitía una mejor visualización de la actividad gestual y que acompañaban con escasos ropajes para contentar a un público con inclinaciones vouyerísticas.

[87]    *C.Th.15.7.0, De scaenicis*, refiere la esquelética condición jurídica de los que se dedican a las artes escénicas mucho antes de la dedicación de Teodora, como por ejemplo en *C.Th.15.7.1: Imppp. valentinianus, valens et gratianus aaa. ad viventium praefectum urbi. scaenici et scaenicae, qui in ultimo vitae ac necessitate cogente interitus inminentis ad dei summi sacramenta properarunt, si fortassis evaserint, nulla posthac in theatralis spectaculi conventione revocentur. ante omnia tamen diligenti observari ac tueri sanctione iubemus, ut vere et in extremo periculo constituti id pro salute poscentes, si tamen antistites probant, beneficii consequantur. quod ut fideliter fiat, statim eorum ad iudices, si in praesenti sunt, vel curatores urbium singularum desiderium perferatur, quod ut inspectoribus missis sedula exploratione quaeratur, an indulgeri his necessitas poscat extrema suffragia. dat. iii id. feb. treviris gratiano a. ii et probo v. c. conss. (371 [367] febr. 11);* además, en *C.Th. 15.7.9*, se vincula a las actrices con su profesión, prohibiendo un posible cambio de oficio: *Quaecumque ex huiusmodi faece progenitae scaenica officia declinarint, ludicris ministeriis deputentur, quas necdum tamen sanctissimae religionis et in perenne servandae christianae legis secretorum reverentia suae fidei vindicarit. Illas etiam feminas liberatas contubernio scaenici praeiudicii durare praecipimus, quae mansuetudinis nostrae beneficio expertes muneris turpioris esse meruerunt.*

[88]    J. A. EVANS, *The Empress Theodora. Partner of Justinian*, cit. p. 15, identifica el debut de Teodora como actriz en el teatro con el ejercicio de la prostitución; R.

aunque no podamos caer en la generalización, puesto que podía haber mimos que no se dedicasen a tal innoble oficio[89], pero el desdén de Procopio quería incidir negativamente en todo lo relacionado con Teodora, titulando incluso el capítulo de la siguiente forma: "Teodora, la prostituta". De este modo, aunque resulte exagerado a todas luces el despojar de cualquier adjetivo positivo incluso la propia especialidad teatral[90], el autor resentido con su suerte no favorece mínimamente a la incipiente actriz[91], haciéndola víctima de sus hirientes calificativos.

---

WEBB, *Demons and dancers: performance in late antiquity*, Cambridge, 2008, p. 51, pone de relieve uno de los aspectos más llamativos y más destacados del teatro romano, como era la disparidad entre la enorme popularidad de los artistas y su estatus social: "In Rome itself, where a high proportion of performers were slaves or freedmen, actors and actresses had suffered a range of restrictions on their civic rights and on their ability to contract legally binding marriages. In this, these performers were classed alongside pimps, prostitutes, wild beast fighters, gladiatorial trainers, and criminals (though there were distinctions in the treatment of different categories). These people could not serve in the army, hold magistracies, or bring prosecutions. Some restrictions continued to affect performers even after they had left the profession and some applied to their children too: neither they nor their children could marry into senatorial families. This last exclusion illustrates the desire to keep performers well outside the bounds of the Roman nobility and highlights the anomalous position of actors and actresses as people who potentially had free access to the very top of the social pyramid", destacando que prevaleció esta concepción durante varios siglos, hasta llegar a la época de Justiniano, cuyo matrimonio con Teodora es considerado por la autora una suerte de justicia poética, una pesadilla convertida en realidad para las élites romanas.

[89]  B. RUBIN, *Das Zeitalter Justinians*, 1, Berlín, 1960, p. 101, en donde afirma que hay testimonios de que los mimos no sólo se dedicaron a actuaciones rudas y primitivas: "Es gibt aber Zeugnisse genug, das sich der Mimos nicht auf solche primitiven Zweideutigkeiten beschänkte".

[90]  El ejercer como actor ya no significaba la pertenencia en origen a un sector infame sin contestación social alguna, puesto que existen testimonios relevantes a favor de dicha actividad incluso en el siglo IV d.C., como el realizado por Libanio, *Or.* 64, 1-2, contra Arístides, en defensa de los saltimbanquis.

[91]  R. BROWNING, *Justinian and Theodora*, cit., p. 65: "Actresses in Byzantium were not parangons of chastity", siendo vilipendiadas por la sociedad bizantina que impedía cualquier exceso contra la moralidad por parte de las mujeres.

La prostitución[92], de miles de adolescentes y mujeres en la Nueva Roma, nombre oficial por el que se conocía a Constantinopla[93], no extrañaba a los contemporáneos, a pesar de la sustancial importancia que tenía el cristianismo en la capital. Resulta sorprendente comprobar como los juicios en los tribunales imperiales y los sermones eclesiales de patriarcas y sacerdotes nos transmiten una sociedad profundamente religiosa, pero abierta a la mayor permisividad posible, con los establecimientos de prostitutas situados al lado de las iglesias, y la persecución de la pederastia en la jerarquía eclesial, un difícil equilibrio situado entre la antigua moralidad y el joven y riguroso cristianismo.

La nueva concepción de la mujer entra en pugna con la acepción anterior, que otorgaba honorabilidad a las mujeres que respetaban los *mores maiorum,* pero sin permitirles capacidad decisoria alguna y con libertad total masculina, obligando, con su nueva codificación moral, a no contravenir el único acto carnal permitido, el realizado dentro del matrimonio.

Con todo, la realidad cotidiana superaba la predicación contra la lujuria y el vicio de Constantinopla, y la salvación del alma no entusiasmaba a la superpoblación[94], con una densidad demográfica que

---

[92]  Ejercida incluso en la calle, donde se producían encuentros sexuales con *scortae erraticae* o *ambulatrices*, como poetiza Agatías, en *Antología Palatina*, 5.46, 5.101, 5.302 y 5.308, versión bilingüe inglesa, *The Greek Anthology*, trad. W.R. PATON, Londres, 1927, concretamente para los epigramas amatorios, pp. 127 ss.; vid. también, R.C MCCAIL, *The Erotic and Ascetic Poetry of Agathias Scholasticus'*, en *Byzantion* 41, 1971, p. 215.

[93]  J. B. BURY, *The History of the Later Roman Empire. From the Death of Theodosius I to the Death of Justinian,* vol. 2, Londres, 1923, p. 69, revela, a pesar del nombre, las diferencias entre la nueva y la antigua Roma: "The New Rome, as Constantinople was called, dissimilar as it was from the Old in all its topographical features, was never- theless forced to resemble it, or at least to recall it, in some superficial points. It was to be a city of seven hills and of fourteen regions. One of the hills, the Sixth, lay outside the wall of Constantine, on the Golden Horn, and had a fortification of its own. This was the Fourteenth Region. The Thirteenth Region lay on the northern side of the Horn (in Galata) and corresponded to the Region beyond the Tiber in Rome".

[94]  L. BRÉHIER, *La civilisation byzantine*, París, 1950, p. 50, en referencia a Constantinopla: "Elle aurait dépassé un million à l'époque de Justinien"; G. OSTROGORSKY, *Histoire de l'État byzantin*, Paris, 1956, p. 72 : "Au VIe siècle, plus d'un demi-million d'habitants"; M. MAYER, *Byzantion. Konstantinopolis,*

María José Bravo Bosch

empeoraba el entorno y la calidad de vida[95], a pesar de que podamos reconocer una economía sólida bizantina[96].

Si bien en la capital, ya de origen tan poblada, acrecentada además con la depauperada emigración en busca de oportunidades, se podía ascender económica y socialmente de múltiples formas, lícitas e ilícitas, una parte de la población, mayoritariamente femenina, se encontraba sometida a la miseria, el infortunio y la pobreza[97]. Por ello, la ilusión de los nuevos habitantes que llegaban en aluvión constante, no contagiaba de optimismo a las mujeres sometidas a una sociedad pa-

---

*Istanbul. Eine genetische Stadtgeographie*, Viena, 1943, pp. 146-147, estima la población en tiempos de Justiniano entre 800.000 a 900.000 personas; vid. sobre distintos coeficientes de densidad poblacional en Bizancio, D. JACOBY, *La population de Byzance à l'époque byzantine: un problème de démographie urbaine*, en *Byzantium* 31, 1961, pp. 81-109; E. MOTOS GUIRAO, *La ciudad y el comercio en Bizancio*, en *Cuadernos del CEMYR*, 9, 2001, p. 56, refiere una población para la época de Justiniano de aproximadamente 900.000 habitantes.

[95]  J. W. VANDERCOOK, *Empress of the dusk. A life of Theodora of Byzantium*, cit., p. 13, después de reconocer a Constantinopla como la ciudad más grande del mundo en aquella época, describe el feísmo urbanístico real: "The lower part of the city along the shore of the Sea of Marmora, and on either side of the inlet called the Golden Horn, had become a monster slum. The streets twisted without plan. The widest roadway allowed hardly enough room for two carts to pass, and in many of the narrower ways a man could press his palms against the walls at either side. Some roads were cobbled, others were mere tracks of dust or mud, and all were foul. A few of the tenements of the poor quarter were built of hewn beams and plaster and some were wooden, but the majority were made of brick. Since almost every house had balconies and many had outside stairs, sunlight rarely penetrated to the streets below".

[96]  A. E. LAIOU, *The economic history of Byzantium*, Washington, 2002, p. 12, donde describe una sociedad próspera en Bizancio ya desde la época de Anastasio, hasta llegar a las más altas cotas de riqueza con Justiniano: "The reign of Justinian I is unquestionably the high point of the late antique period, as a number of indicators suggest. The state was rich, through the efficient, even ruthless collection of taxes and through its own monopolies. Justinian had inherited the surplus collected by Anastasios I as well. The society also was rich, with considerable industrial production and commercial activity".

[97]  E. PATLAGEAN, *Pauvreté économique et pauvreté sociale à Byzance, 4e-7e siècles*, París, 1977, p. 137, incide en la separación de sexos en la vida cotidiana, en el cuidado necesario de la ropa y el pelo de las mujeres, realmente difícil en los segmentos más bajos de la población, su incapacidad secular y tantos inconvenientes que agudizaban la pobreza por sexos, independientemente de las clases sociales.

triarcal, que ni las ayudaba a rehabilitarse ni las perdonaba de su vida anterior[98], amén de la dudosa moralidad del sacerdocio común, sino que las obligaba al ritual repetitivo habitual de una rutina denigrante en aras de la mínima supervivencia. De ahí se comprende la continuidad *in crescendo* de la prostitución en la excelsa urbe, por lo que el destino de Teodora, o mejor dicho, su *modus vivendi*, tampoco lo podemos considerar un ejemplo singular de depravación excepcional[99].

Dentro del rosario de agravios insultantes dedicados por Procopio, destacan algunos por su especial vulgaridad y vileza, como cuando refiere de una manera soez que Teodora utilizaba "sus tres orificios"[100], y cuando parece que no cabe ya mayor insulto u ofensa, destaca su queja femenina contra la naturaleza, "a la que acusaba porque no le había abierto en sus pechos un orificio mayor del que tienen ahora las mujeres para que ella pudiera ser capaz de concebir allí otras formas de copular. Y aunque a menudo se quedaba embarazada, casi siempre

---

[98] D. DAUBE, *Greek and Roman Reflections on Impossible Laws*, cit., p.74: "Theodora had been one, and once an actress always an actress".

[99] Cfr. F. FÈVRE, *Teodora. Emperatriz de Bizancio*, cit., p. 37.

[100] La acusación del uso de los tres orificios, como ha señalado F. BORNMANN, *Su alcuni passi di Procopio*, en *Studi Italiani di Filologia Classica*, 20, 1978, pp. 27-37, la habría tomado directamente del discurso contra Neaira, tradicionalmente atribuido a Demóstenes, aunque la doctrina tienda a relacionarlo con Apolodoro, undécimo orador ático. En realidad, la cita no nos ha llegado por tradición manuscrita directa, sino a través de un tratado retórico escrito por Hermógenes, *Id.* 2.3; con respecto a la similitud entre Neera y Teodora, J. SIGNES CODOÑER, en Procopio, *Historia Secreta*, cit., p. 111: "En efecto, Neera aspiró a ser ciudadana ateniense a través de su matrimonio con el ateniense Estéfano, pese a que las leyes entonces prohibían expresamente a los extranjeros asentados en Atenas adquirir la ciudadanía, mientras que Teodora sólo pudo casarse con Justiniano después de que éste hubiese modificado las leyes para permitir que una antigua prostituta pudiese tener un matrimonio legítimo con un miembro de la clase gobernante. Partiendo de esta similitud, podemos pensar que Procopio modeló su retrato de la emperatriz con la terminología del discurso ático, sin que ello suponga en principio que se falseaba por completo la imagen de Teodora, sino simplemente que se adornaba retóricamente su descripción según antiguos modelos", concluyendo que se permite la duda de la presentación e incluso de los comentarios, pero no necesariamente de los hechos que da por ciertos Procopio; S. GRAU, O. FEBRER, *Procopius on Theodora*, en *Byzantinische Zeitschrift*, 2020, 113, 3, p. 775, insisten en que la inconveniente cita alusiva a los tres orificios se contiene en el tratado hermogeniano.

pudo provocar enseguida el aborto"[101], acusándola de ser una depravada total.

Podríamos pensar, llegados a este punto, que el juicio tan extremamente negativo equivale a una novela despiadada y falsa, a una tradición oral sin fundamento, a un intento desesperado y exagerado del autor palestino de proyectar con virulencia un retrato desfigurado de los emperadores. Pero la realidad es que otras fuentes confirman algunos de los epítetos más denigrantes, como en la obra "Biografías de santos orientales"[102], de Juan de Éfeso[103], reconocido amigo y protegido de la emperatriz[104], cuando declara, sin mayor énfasis, que Teodora "vino del burdel".

Por otro lado, es cierto que el teatro protobizantino poco o nada tenía que ver con las tragedias griegas[105], ya que la pretensión última era la de un ocio grosero dirigido al sector más popular de la población, a una multitud abigarrada pegada al proscenio que anhelaba una diversión simple, sin complicaciones y dirigida a satisfacer los

---

[101]   Procopio, *Historia Secreta*, cit., 9.18-20.

[102]   Seguimos la edición y traducción de E. W. BROOKS; *John of Ephesus, Lives of the Eastern Saints*, Patrologia Orientalis 17-19, París, 1923-5, p. 189, en donde concreta que uno de los asistentes de un obispo monofisita que llegó a Constantinopla, se encontró con Teodora, procedente de un burdel, "who came from the brothel", pero que era ya patricia, ascendida a tal condición, para después contraer matrimonio con el futuro emperador Justiniano; este testimonio resulta importante, porque aún careciendo de la característica de libelo de la obra procopiana, no esconde la realidad del ínfimo origen de la emperatriz, como afirma S. A. HARVEY, *Teodora the Believing Queen: a Study in Syriac Historiographical Tradition*, en *Journal of Syriac Studies*, 4.2, 2001, p. 216: "In the case of John of Ephesus we have a portrayal of Theodora that genuinely rivals Procopius' in length and intimacy of imperial Access, but without a trace of the Greek historian's bitter invective".

[103]   Vid. sobre la biografía de Juan de Éfeso, S. A. HARVEY, *Asceticism and Society in Crisis: John of Ephesus and 'The Lives of the Eastern Saints'*, Berkeley, 1990, University of California Press, pp. 28-42.

[104]   J. VAN GINKEL, *John of Ephesus on emperors; the perception of the byzantine empire by a monophysite*, en *Orientalia Christiana Analecta*, 247, 1994, p. 326: "John does use Justinian as a contrast to highlight Theodora".

[105]   A. BRIDGE, *Theodora. Portrait in a Byzantine Landscape*, cit. p. 16, recuerda que el teatro del siglo VI "had long ceased to resemble the Greek theatre in the days of such men as Euripides and Aristophanes, from which it was separated by nearly a thousand years of history, and indeed so had the Roman theatre before it".

instintos más bajos, pero ello no significa que automáticamente los actores que participaban en dichas insignificantes representaciones tuvieran que ser unos auténticos depravados, social y moralmente hablando.

El carácter público de las actuaciones era el elemento identificador de esta profesión con la prostitución[106], y no la situación socio jurídica de cada una de los actrices implicadas, por lo que el hecho de actuar para otros, con vocación de positivar el ocio ajeno, se convirtió en la burla descarnada e infinita del imaginario colectivo que las convertía cotidianamente en protagonistas de un escénico burdel, asimilándolas a una categoría humana ínfima por sus actos contrarios a las prescripciones morales establecidas.

Un ejemplo clarificador del desprecio visceral del historiador bizantino hacia Teodora contenido en su obra[107], entre tantos otros que producen rechazo por la actitud reaccionaria y deleznable del escritor[108], que además recurre con profusión al relato de otros sin

---

[106] J. BEAUCAMP, *Le Statut de la Femme à Byzance (4e-7e siècle). II. Les pratiques sociales*, cit., pp. 338, 353; a mayor abundamiento, S. LEONTSINI, *Die Prostitution im frühen Byzanz*. Dissertationen der Universität Wien 194, Viena, 1989, pp. 28-30, y J. HERRIN, *In Search of Byzantine Women: Three Avenues of Approach*, en *Images of Women in Antiquity*, (Av. Cameron and A. Kuhrt, eds.), Londres & Canberra 1984, p.170, también refieren la estrecha división entre las dos profesiones de actriz y bailarina, lo que conduciría sin duda alguna a la prostitución independientemente de la variedad escénica elegida.

[107] P. NEVILLE URE, *Justiniano y su época,* trad. esp. Madrid, 1963, p. 203, en donde da cuenta de que la obra: "Es un depósito suplementario de posibles hechos; pero su interés principal es subjetivo o quizá, precisando más, patológico", pero sin restarle por ello la categoría de valiosa, aunque reconoce en p. 208 que las críticas procopianas hacia Teodora -y el emperador- llegan a ser ataques puramente personales, "que demuestran un odio virulento. No es que el odio constituya hoy una pasión extinta ni mucho menos, pero por la forma como hacía presa en Procopio, difiere notablemente de las variedades modernas, por lo menos de aquellas que pueden observarse en países que disfrutan de una cierta libertad política. Para los historiadores, estas manifestaciones de odio puro constituyen una de las características más notables de los escritos de Procopio".

[108] Procopio, *Historia Secreta*, 9. 16-18, en referencia, como no, a Teodora, p. 203: "Nunca hubo nadie que estuviera tan rendido a todo tipo de placeres, puesto que muchas veces, acudiendo a una comida comunitaria con diez o más jóvenes que destacaban especialmente por su vigor corporal y hacían su trabajo de la fornicación, yacía a lo largo de la noche con todos los comensales y una vez que todos ellos renunciaban a continuar con este menester, ella iba junto a sus

comprobar su veracidad, lo podemos apreciar en la descripción de una representación mítica, la de Leda y el cisne[109].

En este relato, uno de los más sensuales de la mitología griega, en el que se refleja de forma alegórica las debilidades y pasiones humanas, se cuenta como Zeus descendió del Olimpo en forma de cisne, transformado por el deseo que sentía hacia la belleza de Leda para poder encontrarse con ella. Leda, esposa de Tindáreo[110], rey de Laconia en Esparta, iba paseando por la ribera del río Eurotas cuando vio un hermoso cisne que huía de un águila. Después de prestarle su ayuda, cayó seducida por Zeus, en forma de cisne, aunque esa misma noche también se entregó a su marido. Como resultado de dichas uniones[111], cuenta la versión popularmente más conocida, nacieron de un huevo Pólux y Helena, inmortales como hijos de Zeus, mientras

---

servidores, que tal vez eran treinta, y copulaba con cada uno de ellos, sin que su lascivia pudiera siquiera saciarse así. Un día que fue a la mansión de un noble cuando estaban bebiendo, se subió, según dicen a la vista de todos los simposiastas, al borde del lecho que está junto a los pies y, alzando su vestido sin vergüenza alguna, no le importó mostrar allí mismo su indecencia". Son acusaciones muy graves, hoy en día susceptibles de condena ante un tribunal, pero evidentemente: 1) la protagonista de ese miserable libelo ya estaba muerta; 2) El manuscrito seguramente estuvo escondido para evitar la persecución implacable del emperador; 3) La sátira más despiadada y cruel estaba dirigida a Teodora, y a Antonina, mujer de Belisario, a sabiendas de que considerar a las mujeres culpables de las decisiones de sus cónyuges sería algo aceptable por la sociedad mayoritaria de aquella época.

[109]   *Fulgentius the Mythographer*, trad. L. H. Whitbread, Ohio, 1971, p. 78, en donde refiere la fábula de Leda y el Cisne, narrando brevemente el mito para luego explicarlo de forma mística y alegórica:

[110]   Apolodoro, *Biblioteca Mitológica*, ed. esp. J. Calderón Felices, Madrid, 1987, 3.10.5, p. 95: "Tindáreo se casó con Leda, la hija de Testio".

[111]   Resulta de interés destacar aquí como existió en el siglo XIX una teoría científica, la telegonía, que aceptaba la influencia, en la progenie de una hembra y un macho, de otro macho que hubiera tenido relaciones sexuales con anterioridad con esa misma hembra. Aunque superada poco tiempo después como hipótesis veraz, sí tuvo varios seguidores en su momento, que intentaban demostrar con diversos experimentos -infructuosos todos ellos- la certeza de la tesis planteada; vid. al respecto, la obra del segundo teórico evolucionista más célebre después de Charles Darwin, A. WEISSMANN, *Essays upon heredity and Kindred Biological Problems*, Oxford, 1889, pp. 161 ss.

que de otro huevo nacieron a la mortalidad Cástor y Clitemnestra, hijos de Tindáreo[112].

La representación teatral de este mito singular por parte de Teodora rebasaba los límites de la tolerancia más permisiva, superando con vulgaridad y sordidez los cánones sociales de Constantinopla, cubriéndose mínimamente las partes pudendas. Pero, a decir de Procopio, no porque sintiera vergüenza, sino porque las normas de la época no permitían a nadie salir en público totalmente desnudo, debiéndose tapar para evitar cualquier sanción, pero con el atuendo permitido de menores dimensiones:

> "Así, pues, se tumbaba de esta guisa en el suelo y yacía boca arriba. Unos asistentes que tenían asignado precisamente este trabajo, esparcían granos de cebada por encima de sus vergüenzas para que se los comieran unos gansos especialmente entrenados para esto, cogiéndolos de allí uno a uno con sus picos[113]. Ella no es sólo que no se enrojeciese al incorporarse, sino que incluso parecía estar orgullosa por esta actuación, pues no sólo era una impúdica, sino que superaba a todos a la hora de concebir actos impúdicos"[114].

---

112  *Hygini Fabulae*, Jena, 1872, M. Schmidt (ed.), *Leda*, LXXVII, p. 80: *Iupiter Ledam Thestii filiam in cygnum conversus adflumen Eurotam compressit et ex eo peperit Pollucem et Helenam; ex Tyndareo autem Castorem et Clytemnestram*; Apolodoro, *Biblioteca Mitológica*, cit., 3.10.7, p. 95: "Habiéndose unido Zeus con Leda bajo la forma de un cisne, y también Tindáreo, durante la misma noche, nacieron Polideuces y Helena de Zeus, mientras que de Tindáreo nacieron Cástor y Clitemestra; en cambio algunos dicen que Helena fue hija de Némesis y Zeus; y que rehuyendo la unión con Zeus cambió su aspecto en oca, pero Zeus a su vez se transformó en cisne y se unió con ella; la cual puso un huevo en esta unión; luego unos pastores lo encontraron en unos bosques y llevándoselo se lo entregaron a Leda, que lo metió en una cesta bajo vigilancia; y en su momento nació Helena y la crió como si fuera su propia hija".

113  H-G. BECK, *Lo storico e la sua vittima. Teodora e Procopio*, cit., p. 95; B. RUBIN, *Das Zeitalter Justinians*, cit., p. 101, se muestra a favor de la teoría de una representación del mito griego de Leda y el cisne por parte de Teodora, en una versión realmente obscena: "Man unterzog also nicht nur das literarisch verewigte Liebesleben des Göttervaters Zeus einer pedantischen Durchsicht, sondern protestierte auch gegen solche Darstellungen auf der Bühne. Selbst wenn sie nicht so gewagt waren wie das obszöne Spiel der jungen Tänzerin Theodora, das die Legende von Leda und dem Schwan in mythologisch recht angreifbarer Weise mißbrauchte".

114  Procopio, *Historia Secreta*, cit., 9. 21-23, p. 204.

El relato de Procopio supera los límites de cualquier descripción, al traducir cualquier gesto de Teodora como al autor le conviene, para convencer al lector de la falta de un pudor mínimo por parte de nuestra protagonista. La desvergüenza es la característica que atribuye a Teodora ya desde muy joven, en un claro intento de demostrar que una mujer falta de *pudicitia*[115], y del recato exigible al colectivo femenino no puede evolucionar a un modelo en positivo, a una mujer memorable, sino a una lasciva e indecente 'impúdica' que debe por ello ser denostada *in aeternum*.

No refiere la vida anterior de la emperatriz para demostrar el magnífico y ejemplar cambio en su madurez, sino muy al contrario, para destacar su infamia desde su niñez, -objeto de tacha por parte de cualquier censor-, hasta su máxima crueldad ya como titular de la púrpura imperial, haciendo y deshaciendo a su antojo lo que considerase oportuno con las vidas ajenas de sus desventurados súbditos.

Con el paso del tiempo, el teatro dejó de resultar un aliciente para Teodora, encontrándolo desmotivador y zafio, y, dándose cuenta del oficio despreciable que desempeñaba, empezó a pensar en la posibilidad de abandonar el proscenio y revertir su desventajosa posición en la vida, injusta a todas luces para ella por su gran ingenio y su reconocida perspicacia[116].

Ambiciosa y con ganas de mejorar su status personal y jurídico, abandonó las artes escénicas, alrededor del año 518[117], con el afán de ascender en la jerarquía social, apostando por una relación más

---

[115]   El pudor, siempre exigible al colectivo femenino, era un símbolo de identidad en la antigua Roma, que, si bien fue evolucionando en su exigencia a lo largo de varios siglos, no dejó de constituir el sello de honestidad identificativo para las matronas honorables, vid. al respecto, M. J. BRAVO BOSCH, *Algunas consideraciones sobre el Edictum de adtemptata pudicitia*, en *Dereito: Revista xuridica da Universidade de Santiago de Compostela*, 5, 2, 1996, pp. 41-53; *Mujeres y símbolos en la Roma republicana. Análisis jurídico-histórico de Lucrecia y Cornelia*, Madrid, 2017, pp. 80 ss.

[116]   A pesar del explícito desdén de Procopio hacia Teodora, en su Historia Secreta no reduce intelectualmente la figura femenina en ningún momento, más aún, la acrecienta en sus invectivas venenosas, siempre dejando claro la agudeza del personaje y la inteligencia, al margen de su  supuesta malignidad.

[117]   Cfr. G. RAVEGNANI, *Teodora. La cortigiana che regnò sul trono di Bisanzio*, cit., p. 29.

especial y duradera con un hombre llamado Hécebolo[118], tirio encargado de la administración de la Pentápolis, como *praeses* de la provincia Cirenaica, convirtiéndose en la concubina del gobernador[119].

Evidentemente, esta nueva condición afectiva, la de concubina, *uxoris loco*[120], mejoró ostensiblemente su posición económica y social, ascendiendo desde una situación ínfima en la escala social bizantina hasta un nuevo estado de ciudadanía, moderadamente susurrado en público, pero aceptado sin reservas en el espacio privado.

Podemos suponer que Teodora decidió aprovechar la oportunidad que se le presentaba, después de una vida llena de carencias,

---

[118] No tenemos mucha información sobre este personaje, reconocido como gobernador por algunos, como veremos a continuación, pero como oficial de trabajo con el gobernador para otros; H. LAMB, *Teodora y el Emperador. El drama de Justiniano*, cit., p. 23: "Hecébolo, un barbudo e importante comerciante de Tiro -su propia costa siria-, viajó con él a través del grande mar hacia Pentápolis, en África, donde Hecébolo iba a entrar al servicio del gobernador".

[119] D. POTTER, *Theodora: Actress, Empress, Saint*, cit., p. 53-54: "We know little of Theodora's lovers. We do read that she gave up the stage to become the concubine of a man named Hecebolus, a senior enough oficial to be appointed as a provincial governor. This suggests that she was then moving in relatively exalted circles", añadiendo a continuación que ella tenía claro que no podría vivir siempre como actriz, por lo que el ascenso a concubina de Hecébolo le condujo a una mejor posición, sin saber lo que le depararía poco después el destino; G. RAVEGNANI, *Teodora. La cortigiana che regnò sul trono di Bisanzio*, cit., p. 29: "Teodora divenne l'amante di un illustre cittadino di Tiro, di nome Ecebolo, che la portò con sé nella Libia Pentapoli di cui divenne governatore".

[120] E. VOLTERRA, s.v. *Concubinato* (dir. romano), en *NNDI* III, Turín, 1957, 1052 ss.; M. V. SANNA, *Dalla paelex della lex di Numa alle convivenze attuali*, en *No tan lejano. Una visión de la mujer romana a través de temas de actualidad*, M. J. Bravo Bosch, A. Valmaña Ochaíta, R. Rodríguez López, (eds.), Valencia, 2018, pp. 209: "Giustiniano ammette il concubinato anche con le donne *ingenuae* e *honestae*, possibilità che non sembra, invece, consentita dalle leggi di Augusto…", recordando en p. 211 el elenco, si bien no exhaustivo, de personas *in quas stuprum non committitur*, es decir, con las que no se cometía estupro, ya en la *lex Iulia de adulteriis*, con las que era lícito mantener relaciones sexuales sin incurrir en ningún delito, entre las cuales se encontraban las actrices como Teodora: "L'elenco, anche se probabilmente incompleto, che sarebbe possibile ricavare dalle fonti giuridiche e letterarie, comprenderebbe schiave, mezzane e attrici, condannate in giudizi pubblici e adultere, meretrici, *obscuro loco natae*, *libertae*, donne con le quali non si poteva vivere in matrimonio, ma solo in concubinato".

sinsabores, humillaciones, lascivia y depravación sexual[121], falta de reconocimiento, sin que podamos colegir el afecto con y para Hecébolo, del que nada indica Procopio, obsesionado con transmitir la idea de una mujer sin alma, codiciosa y malvada, además de impúdica y religiosamente condenable.

Del mismo modo, no resulta fácil colegir las intenciones de Hecébolo, ni el afán de rescatar a su concubina de una vida miserable, más allá de colmar una situación personal que le hiciera sentirse satisfecho, y por supuesto al margen de su función como gobernador[122]. Todavía más, parece que Hecébolo sería el padre de la hija de Teodora, paternidad reconocida en el mero hecho de ser el único amante de Teodora citado por su nombre por Procopio[123], pero no en un acto público de asunción de la paternidad, lo que unido a la falta de mención alguna en el futuro de la emperatriz nos induce a pensar en un personaje digno de preterición y en absoluto encomiable.

Con todo, el nuevo comienzo en una sociedad distinta, en una tierra diferente, en la que disfrutó de la vida en palacio como un sueño

---

[121]  N. E. KORTE, *Procopius' Portrayal of Theodora in the Secret History: "Her charity was universal"*, en *Hirundo: The McGill Journal of Classical Studies*, 3, 2005, pp. 109-130, p.113, en donde señala que, aunque la depravación sexual se describe como negativa, ello no significa que fuera un tema tabú en la sociedad de Procopio: "Just how out of place are the sexual descriptions in Procopius' SH? Although sexual depravity is described as negative, this does not mean that the subject itself was taboo in Procopius' society. Translations of the SH often fall prey to historical anachronisms with modern ideals".

[122]  Resulta curioso el puesto de Hecébalo como gobernador, puesto que la doctrina estima que las actrices y bailarinas que participaban en representaciones realizadas para el público en general, pueden haber sido mantenidas en su profesión por parte del gobernador provincial para asegurar la disponibilidad de entretenimiento popular, como así refleja J. LINDBLOM, *Women and public space Social codes and female presence in the Byzantine urban society of the 6th to the 8th centuries*, Helsinki, 2019, p.152: "Female actresses and dancers participated in performances staged for the general public, and it may have been in the interest of the provincial governor to keep them in their profession so as to secure the availability of popular entertainment".

[123]  D. POTTER, *Theodora: Actress, Empress, Saint*, cit., p. 55, deduciendo además que los hombres nunca tomaban como concubinas a mujeres con hijas, por lo que su descendencia femenina posterior a la unión con el tirio nos llevaría a pensar en la paternidad, evidentemente no responsable, reconocible en Hecébolo gobernador.

inmejorable[124], terminó bruscamente cuando el gobernador, sin conocerse la causa de su decisión[125], la expulsó de su lado[126], repudio extremo que de nuevo la arrojó a un abismo vital, obligándola a vagar en medio de la pobreza y miseria.

Como consecuencia de su precaria situación, en situación límite por una carestía total, vulnerable por el hambre y la falta de bienes básicos para la subsistencia, parece que tuvo que volver a comerciar con su cuerpo[127], circunstancia que aprovecha de nuevo Procopio para dirigir duras invectivas que suponen una hagiografía secular negativa con respecto a Teodora, algo realmente inusual en cualquier tratado hagiográfico, sin mostrar un ápice de compasión hacia una situación de máxima vulnerabilidad si pensamos en su reciente maternidad.

A pesar de la exclusión social -ahora seguramente más evidenciada- Teodora, como ejemplo memorable de resiliencia femenina,

---

[124] P. BONFANTE, *Nota sulla riforma giustinianea del concubinato*, en *Studi S. Perozzi*, Palermo 1925, ahora en *Scritti giuridici* IV, Turín, 1925, pp. 563 ss., afirma que Justiniano configura el concubinato como una unión conyugal inferior al matrimonio, pero con muchas de sus características identitarias; R. DANIELI, *Studi sul concubinato in diritto giustinianeo*, en *Studi V. Arangio-Ruiz*, Nápoles, 1953, pp. 175 ss., considera, sin embargo, que del análisis de las fuente justinianeas no resulta clara la intención de constituir el denominado, por Bonfante, 'matrimonio morganático'. Si bien no podemos situar a Teodora como destinataria de la legislación justinianea posterior, es decir, como objetivo de la regulación del concubinato por parte de su marido Justiniano, no es menos cierto que la consideración jurídica asume gran importancia ya en la época de los emperadores cristianos anteriores al emperador legislador.

[125] G. RAVEGNANI, *Teodora. La cortigiana che regnò sul trono di Bisanzio*, cit., p. 29: "Ma il legame durò poco ed Ecebolo finì per cacciarla via, non si sa perchè...".

[126] R. BROWNING, *Justinian and Theodora*, cit., p. 68: "And if all went well she could count on being pensioned off discreetly when Hecebolus tired of her. But it was not to be". Es decir, que le podría haber ido muy bien como concubina del gobernador, obteniendo una discreta pensión cuando Hecébolo se cansase de ella. Pero, añade el autor, quizás su agudo ingenio se encontró fuera de lugar en el palacio del gobernador, o tal vez su fidelidad a su aburrido amante no fue todo lo que podría haber sido. En cualquier caso, hubo una tremenda discusión, hasta el punto de que fue expulsada sin contemplaciones de palacio, con ninguna posibilidad de retorno.

[127] M. MEIER, *Justinian. Herrschaft, Reich und Religion*, Munich, 2004, p. 57: "Mühsam habe sie sich aus Nordafrika wieder nach Konstantinopel durchschlagen müssen, natürlich wiederum unter Einsatz ihres ansehnlichen Körpers".

consigue sobreponerse y dirige sus pasos hacia Alejandría[128], intentando reconducir su vida, y aunque la crítica de su indecencia es destacada como uniforme en ese trayecto, bien pudiera ser el comienzo de la conversión espiritual de nuestra protagonista, puesto que Teodora considerará a Timoteo[129], patriarca de Alejandría a mediados del siglo VI, como su padre espiritual[130], sin poder excluir también un posible bautismo realizado por él mismo[131], así como la adhesión de Teodora al credo monofisita[132].

---

[128]  A. DEBIDOUR, *L'impératrice Théodora. Etude critique*, cit. p. 53: "Qu'un certain Hécébole l'emmena dans la Cyrénaique, qu'abandonnée par ce *protecteur*, elle alla chercher aventures à Alexandrie, puis en Syrie, en Paphlagonie, et revint enfin misérable, mourant de faim, à Byzance...".

[129]  H. LAMB, *Teodora y el Emperador. El drama de Justiniano*, cit., p. 41, cuenta de forma novelada como el Patriarca de Alejandría, Timoteo, ordena a un ayudante que atienda convenientemente a Teodora, que parecía enferma, a lo que ella responde que no tiene ninguna enfermedad, y que su debilidad manifiesta proviene por falta de alimento. Con la atención prestada, Teodora se muestra agradecida con Timoteo, al que considera un hombre poderoso y educado, y al que comienza a llamar su padre espiritual, cuidando su estética de la forma más austera de la que era capaz. Y en p .43, cuando emprende de nuevo viaje después de constatar las bondades de Timoteo para con los feligreses, y la capacidad de reconfortar en las más variadas adversidades, "Teodora apareció muy pronto en sus costas de Siria. Cuando no llevaba cartas de Timoteo, su padre espiritual, daba siempre con a llave que le abría los salones de recepción de los obispos. Con ello se atrajo las murmuraciones o habladurías de las iglesias".

[130]  Juan de Nikiû, *Chronicle*, Londres, 1916, trad. inglesa, cap. 90, 84, en donde señala un momento -posterior- en el que el emperador Justiniano había cedido a las súplicas de su esposa Teodora, en nombre de Timoteo, patriarca de Alejandría, frente a los calcedonios y sus ansias de poder, episodio que da cuenta de la estrecha relación entre la emperatriz y el patriarca de Alejandría.

[131]  G. RAVEGNANI, *Teodora. La cortigiana che regnò sul trono di Bisanzio*, cit., p. 29: "Da lui, forse, fu battezzata, visto che come attrice poteva anche non esserlo stata".

[132]  Los monofisitas sostenían la doctrina según la cual Cristo posee en realidad una sola naturaleza, la divina, en contraposición a los ortodoxos, quienes sostenían las dos naturalezas, la humana y la divina; A. BRIDGE, *Theodora. Portrait in a Byzantine Landscape*, cit. p. 30, señala que cuando Teodora llegó a Alejandría, el mundo bizantino estaba en plena ebullición, como consecuencia de los cambios en la política oficial religiosa que habían tenido lugar recientemente en Constantinopla. Si bien durante años los emperadores habían tolerado e incluso favorecido a los monofisitas para tener a las provincias orientales tranquilas y contentas, con la accesión al trono del emperador Justino cambiaron las tornas, demostrando su favor hacia los oponentes ortodoxos, con instrucciones claras a

Es en este momento en el que, de acuerdo con el relato viciado de Procopio[133], Teodora se encuentra, en medio de su desesperada situación, con Macedonia, una bailarina de la facción de los Azules de Antioquía, que, gracias a las cartas que escribía a Justiniano cuando éste ejercía de administrador para el emperador Justino, había conseguido altas cotas de poder, consiguiendo sin mayor esfuerzo la ejecución de cualquier ciudadano importante de Oriente y la inscripción de sus bienes en el Fisco. Las palabras de aliento de Macedonia[134], hablándole de una mejora inminente de su fortuna influyeron en el ánimo de Teodora, y disiparon todo desasosiego: "Dicen que entonces Teodora dijo que le sobrevino aquella noche un sueño que le ordenaba que no se preocupase en absoluto por su prosperidad, ya que cuando llegara a Bizancio yacería con el Príncipe de los demonios[135], y éste se serviría

---

las autoridades de las diferentes provincias para que si sospechaban de alguien que profesase el monofisismo, le recordasen la obligación de ser ortodoxo, ya que en caso de no convertirse debía aceptar las graves consecuencias, añadiendo: "The result had been a full-scale persecution of thousand of people who refused to bow to force or to deny their most deeply held convictions; no one was esempt from inquisition; archibishops and bishops were evicted from their sees if they would not conform; monasteries were burnt to the ground and their inhabitants chased into the hills like criminals; churches were deprived of their priests and deserted by their terrified congregations; and in some places blood was shed and lives were lost when people stood up to the imperial commissioners and their agents"; a excepción de Egipto, las severas medidas adoptadas por Justino contra los monofisitas estuvieron vigentes hasta su muerte, como recuerda C. CAPIZZI, *Giustiniano I: tra politica e religione*, Messina, 1994, p. 62: "Dopo la morte di Giustino I (agosto 527), i duri provvedimenti adottati contro i monofisiti di tutte le province - eccezione dell'Egitto- rimasero per un certo tempo in vigore".

[133]  Procopio, *Historia Secreta*, cit., 12. 28-30 p. 232-233.
[134]  M. L. LANGENSCHWARZ, *Der gesetzgebende Schurke Justinian*, Leipzig, 1848, pp. 20-21; tenemos pocas noticias respecto a ella, pero G. RAVEGNANI, *Teodora. La cortigiana che regnò sul trono di Bisanzio*, cit., p. 29, le otorga el papel de delatora y espía para Justiniano, además de añadir "che debe avere svolto un ruolo nelle succesive vicende".
[135]  Procopio, *Historia Secreta*, cit., 12. 13, cuyo título es: "Justiniano, príncipe de los demonios", llegando a justificar de modo execrable dicha aberrante comparación en 12. 18-22, pp. 230-231: "De él dicen que su madre reveló a algunas de sus amistades que no era hijo de su marido Sabacio ni de hombre alguno, pues decía que cuando ella iba a concebirle la visitó un demonio que, aunque invisible, le hizo percibir que estaba junto a ella, tal como un hombre que se ayunta con una mujer, y que desapareció como en un sueño. Algunas personas que le acompañaban a altas horas de la noche y residían evidentemente en Palacio,

de toda clase de artimañas para vivir con ella como legítima esposa y convertirla en dueña de todo el dinero del mundo"[136].

Supuestamente, y siempre de acuerdo con la crónica procopiana tendenciosa e interesada en destacar la vida disoluta y licenciosa de Teodora, después de viajar y vejar su cuerpo constantemente[137], actos contradictorios con su conversión espiritual, regresó nuevamente a Bizancio[138], donde su esquiva suerte cambiaría de modo inesperado y magistral para siempre, al conocer al futuro emperador.

Independientemente de los relatos novelados sobre el encuentro de Teodora con Justiniano[139], lo cierto y verdad es que la vida de

---

gentes de espíritu sincero, creyeron ver una especie de extraña aparición demoníaca en su lugar. Uno en efecto decía que Justiniano, levantándose de repente del trono imperial, daba paseos por allí, pues no acostumbraba a estar sentado mucho tiempo y que aunque su cabeza desaparecía repentinamente, el resto de su cuerpo parecía recorrer los pasillos durante horas. Mientras tanto él permanecía allí de pie, decía, largo tiempo, entre inquieto y perplejo, como si su visión hubiese padecido un grave trastorno"; vid. Av. CAMERON, *Procopius. And the sixth century*, Berkeley-Los Ángeles, 1985, p. 56, no duda de la seriedad de la obra de Procopio frente a la sugerencia doctrinal de que pudiera ser un panfleto humorístico, basado sobre todo en la atribución a Justiniano de la condición sobrenatural de príncipe de los demonios: "But there is no reason to doubt that he meant these sections to be taken seriously. Procopius lived in an age when at any moment it was felt that men could be taken over by demons. Demons offered a ready explanation for misfortune or evil, the natural reverse of the resort to the miracolous which was integral to Procopius' historical explanation... Just as good emperors assumed supra-human characteristics, so Justinian assumed diabolical ones".

136  Procopio, *Historia Secreta*, cit., 12. 31-32, p. 233.
137  R. BROWNING, *Justinian and Theodora*, cit., p. 68: "Procopius implies that she worked his passage as a common prostitute. He may be right", realiza una afirmación realmente imprecisa, porque darle la razón de esta forma vaga, realmente no aclara el modo en el que Teodora regresó y sufragó los gastos de su viaje a Constantinopla, aunque no es menos cierto que la falta de fuentes hace que muchas veces optemos por la opción más relacionada con el itinerario conocido vital.
138  Procopio, *Historia Secreta*, cit., 9. 28, p. 205: "Luego regresó a Bizancio, pero después de haber recorrido todo el Oriente practicando en cada ciudad un oficio que, según pienso, sólo con que alguien lo nombrase perdería para siempre la benevolencia de Dios. Era como si el diablo no soportase que hubiese un país que desconociese la vida licenciosa de Teodora".
139  H. LAMB, *Teodora y el Emperador. El drama de Justiniano*, cit., p. 49: "Muchos escritores se han preguntado cómo después de eso la mujer del circo pudo

Teodora daría un vuelco realmente inusual, transformando su difícil existencia en una nueva biografía colmada de ofrendas y agasajos, con un protocolo interminable como vía de acceso a su presencia, y la sumisión total de sus súbditos bizantinos, así como el reconocimiento explícito por parte de su esposo en el plano personal y legal, en incontables ocasiones.

De vuelta en Bizancio, conforme a Procopio[140]: "Justiniano concibió un violento amor por ella[141]. Al principio la trataba como a una amante, aunque la había ascendido a la dignidad de patricia[142]. Teodora pudo así adquirir enseguida un extraordinario poder y amasar consiguientemente una enorme fortuna, pues lo que más placer

---

encontrar el hombre que aspiraba a ocupar un trono. Algunos dicen que llevaba una carta de un mutuo amigo de Asia. Pero ¿tenían ellos algún amigo mutuo? Otros dicen que Teodora estaba hilando en una rueca, en una pobre casa, y que, al pasar por allí Justiniano, reparó en su hermosura. Puede ser cierto que Teodora estuviese trabajando en la rueca". La alusión hecha a la rueca intenta conectar al lector con la transformación física y espiritual de Teodora, ahora supuestamente convertida en una mujer honorable, a imagen y semejanza del mito romano por excelencia, Lucrecia, modelo de pudor y de honor ejemplar, que hilaba en su casa sin más compañía que sus esclavos, sin acudir a fiestas como las otras mujeres del famoso relato liviano; vid. sobre la mítica Lucrecia, M.J. BRAVO BOSCH, *El mito de Lucrecia y la familia romana*, en *Mulier. Algunas historias e instituciones de derecho* romano, R. Rodríguez López, M. J. Bravo Bosch, (eds.), Madrid, 2013, pp. 19 ss.; *ID., Mujeres y símbolos en la Roma republicana: análisis jurídico-histórico de Lucrecia y Cornelia*, cit., pp. 76 ss.

[140]  Procopio, *Historia Secreta*, cit., 9. 30-32.

[141]  W. G. HOLMES, *The Age of Justinian and Theodora*, 2, Londres, 1907, p. 367: "There is no evidence that he was ever attracted sexually by any woman except Theodora"; R. BROWNING, *Justinian and Theodora*, cit., p. 68, recuerda que Justiniano en su edad madura era un hombre abstemio y contenido, pero sería extraño que no hubiera cometido locuras de juventud. Con todo: "From the day he met Theodora, however, all this was over. His worst enemies -and he had many- could not find a single act of infidelity to charge him with", conducta impoluta que parece demostrar el intenso amor de Justiniano por Teodora, convirtiéndola en su amante, "and he showered her with all the wealth of the ruler of the Roman world".

[142]  M. MEIER, *Justinian. Herrschaft, Reich und Religion*, cit., p. 57: "Dort aber kam die Wende: Justinian lernte sie kennen und machte sie zu seiner Geliebten, ja erhob sie sogar ins Patriziat. Die vornehme Oberschicht war schockiert", afirmando que la clase alta se sorprendió del ascenso a patricia de Teodora, élite que se quedaría, sin duda alguna, mucho más asombrada con el nuevo y definitivo rol de Teodora en su papel como Emperatriz.

María José Bravo Bosch

le causaba a este hombre era dar todos sus bienes y conceder todos sus favores a su amada, que es lo que les suele suceder a los que están perdidamente enamorados. Así, el Estado se convirtió en el combustible de este amor y Justiniano[143], junto con Teodora, no sólo arruinó todavía mucho más que antes al pueblo en la capital, sino por todo el imperio de los romanos".

Aunque la historia procopiana insiste en la belleza de Teodora[144], como estrategia estimulante y arrobadora que embelesaba a los hombres, con Justiniano debió demostrar su ingenio, su conocimiento y perspicacia, así como su talento innato para presentarse en público[145], fruto de su experiencia vital y de una inteligencia innata que le ayudó a superar las múltiples adversidades que se encontró en su primer itinerario vital.

De este modo, podemos apreciar como al concluir la primera fase vital de Teodora, después de diversas amargas vicisitudes, nuestra protagonista consigue el ascenso social que hasta el momento le había sido esquivo, en una promoción única para una mujer de su anterior condición, que además se verá continuamente promovida a cotas de inigualable poder.

---

[143]   J. A. S. EVANS, *Justinian and the Historian Procopius*, en *Greece & Rome*, 17, 2, 1970, p. 223, muestra la clara contradicción entre la descripción sumamente negativa de Justiniano en la *Historia Secreta* de Procopio, y la alabanza continua reflejada por el mismo autor en su obra *Los Edificios*: "In any case, the *Secret History* and the *Buildings* present diametrically opposed pictures of the emperor. In the *Buildings* Justinian is the ideal king. Inspired by God, he solved problems which baffled the architects of Haghia Sophia. He is the protector of his people. In the *Secret History* he is a tyrant and, far from being inspired by God, he is the king of the devils, who is responsible not only for high taxes and rapacious officials, but also for the natural calamities which fell on the empire. The Justinian of the *Secret History* is the Justinian of the Buildings turned backwards".

[144]   Procopio, *Historia secreta*, cit., 10.11: "Era Teodora de bellas facciones y especialmente agraciada, pero de corta estatura y blanquecina de piel, aunque no del todo, sino sólo algo pálida, con una mirada siempre enérgica y sostenida".

[145]   R. BROWNING, *Justinian and Theodora*, cit., p. 68, en donde añade que además de tener una memoria infalible, una confianza en sí misma ilimitada, y no temer a ningún hombre: "Somewhere, somehow, she had acquired a wide, it superficial, culture; later, on a memorable occasion, she quoted the orator Isocrates with electrifying effect".

# 1.3. MATRIMONIO CON JUSTINIANO.

## 1.3.1. La legislación matrimonial vigente restrictiva.

En esta nueva etapa de su vida, convencida de los lazos perdurables de su nueva relación, Teodora debió plantearse la necesidad de tener plena seguridad jurídica en su unión con Justiniano, teniendo en cuenta lo acaecido en su experiencia anterior con el -irónicamente-ínclito Hecébolo, aunque supiera de la abismal diferencia que había con respecto a esta nueva unión.

Su ascenso social a la categoría de patricia[146], por obra de Justiniano, así como su nueva residencia en el palacio de Hormisdas[147], construido en un paraje privilegiado al lado del mar y relacionado directamente con el complejo urbanístico imperial[148], era sin duda un paso trascendental, pero aun así no podía aspirar a contraer justo

---

[146] B. CROKE, *Justinian, Theodora, and the Church of Saints Sergius and Bacchus*, en *Dumbarton Oaks Papers*, 60, 2006, p. 28: "Shortly afterward Theodora, not yet Justinian's wife, was made *patricia*".

[147] R. GUILLAND, *Le Palais d'Hormisdas*, en *Byzantinoslavica*, 12, 1951, pp. 210 ss.; B. CROKE, *Justinian, Theodora, and the Church of Saints Sergius and Bacchus*, cit., p. 28, destaca que el palacio de Hormisdas fue el lugar elegido por Justiniano para vivir allí con Teodora antes de ser emperador, concretando en p. 29 la necesidad de un palacio propio cuando es nombrado previamente *caesar*: "The caesar was in effect a "second emperor" having all the trappings and apparel of an emperor but not the full crown. The tide and position did constitute, however, the unassailable guarantee of succession. Becoming caesar entailed a distinctive inaugural ritual involving the senior emperor and all the court officials.A caesar immediately created a separate court ceremonial with associated dignitaries. To express his elevated status, a caesar needed his own palace for himself and family, his own staff and resources, his own ceremonial. So in 525 the Palace of Hormisdas, where Justinian had already lived for seven years, took on new significance and possibly required modification as the palace of a reigning caesar".

[148] R. JANIN, *Constantinople byzantine. Développement urbain et répertoire topographique,* París, 1964, p. 334; A. D. MORDTMANN, *Esquisse topographique de Constantinople*, Lille, 1892, p. 95, a favor de la inclusión del palacio de Hormisdas en el complejo imperial, así como R. GUILLAND, *Études sur le Grand Palais de Constantinople: les limites du Grand Palais à l'ouest*, en *Revue des Études Grecques*, Vol. 80, 379/383, 1967, p. 413: "On admet généralement que le Grand Palais s'étendait à l'ouest jusqu'à la Porte de Fer, englobant dans son ensemble le Palais d'Hormisdas et Saint-Serge".

matrimonio, por cuanto la legislación vigente era sumamente estricta con la moral requerida en la alta sociedad bizantina, y no lo permitía en ningún caso.

La legitimación jurídica mediante la celebración de su matrimonio, en aras de la seguridad personal presente y futura de Teodora, parecía insuperable[149], más aún si pensamos en la genealogía de Justiniano, obtenida por parentesco directo como hijo de un hermano del emperador Justino, y por lo tanto sobrino, con una relación filial única que lo convertiría, mediante adopción[150], en el heredero imperial, por lo tanto destinado a un excelso futuro que no se podía deslucir con una unión que no estuviese a la altura exigida.

Bien es cierto que Justiniano tenía un origen humilde, ya que había nacido en el seno de una familia campesina[151], muy similar a la

---

[149] La legislación anterior, ya desde tiempos antiguos era muy limitativa con respecto a las uniones matrimoniales entre personas de distinta condición social, y parecía una barrera infranqueable poder superar dichas restricciones legales; vid. al respecto, J. EVANS GRUBBS, *Illegitimacy and Inheritance disputes in the late Roman Empire*, en *Inheritance, Law and Religions in the Ancient and Mediaeval Worlds*, B. Caseau, S. Huebner (eds.), París, 2014, pp. 8 ss.

[150] *The Prosopography of the Later Roman Empire*, 2, J.R. Martindale (ed.), Cambridge, 1980, *s.v. Iustinianus*, p. 7.

[151] M. MAAS, *Roman questions, Byzantine Answers. Contours of the Age of Justinian*, en *The Cambridge Companion to the Age of Justinian*, Nueva York, 2005, p. 5: "The future emperor was born Petrus Sabbatius around 483 to a peasant family in the Latin-speaking Balkan village of Tauresium in Thrace. We know nothing about his childhood, except that from an early age he benefited from the success of his uncle Justin, a stalwart soldier who had risen to command a palace regiment. The childless Justin brought Petrus Sabbatius to Constantinople, probably in his early teens, and formally adopted him, The intelligent boy received a Good education, showing a special bent for theology but evidently not a strong interest in the non-Christian 'classics' of Greek and Latin, which do not resound in his own later writings. He learned the politics of Constantinople, receiving commissions in elite palace guard units that did not require military campaigning"; la evolución del futuro emperador fue espectacular, y de su insignificante procedencia nada quedó con los sucesivos nombramientos y honores otorgados: "By 519 he had the title of Count, followed by Master of Cavalry and Infantry ar Court; his consulship came in 521, which he inaugurated with specially lavish celebrations; he gained the honorific status Patrician after 521 and Most Noble sometime before 527".

modesta estirpe de Justino[152], pero eran situaciones de partida que podían mudar a un noble linaje sin mayores problemas, opciones muy distintas a la inaceptable concupiscencia en la vida anterior de Teodora, que no podía ser rehabilitada fácilmente, tanto por su condición de mujer, claramente desigual y evidenciada con muchas más exigencias *ab initium*, como por los atentados continuamente realizados por ella contra el pudor, la castidad y el honor.

A mayor abundamiento, Eufemia[153], la mujer de Justino, no toleraba la unión matrimonial entre Teodora y Justiniano, a pesar de su

---

[152] De origen muy humilde, de una aldea de la Dacia, y seguidor del concilio de Calcedonia del 518, ascendió velozmente en el ejército, hasta llegar a ser emperador desde la condición de *comes excubitorum*, el 10 de julio del 518, imponiéndose al candidato de los monofisitas anticalcedonenses, Teócrito; A. A. VASILIEV, *Justin the First. An Introduction to the Epoch of Justinian the Great*, Cambridge, 1950, pp. 68-82, 102-108; A. CAMERON, *Chapter III: Justin I and Justinian*, en *The Cambridge Ancient History, 14: Late Antiquity: Empire and Successors*, 2008, p. 63, refiere el hecho sorprendente de que el emperador anterior a Justino, Anastasio, a pesar de tener tres sobrinos, Hipacio, Pompeyo y Probo- a los que dejar el imperio-, no había aún designado sucesor cuando falleció en el 518, recordando el ascenso a la púrpura imperial de Justino: "As *magister militum per Orientem*, Hypatius was away from Constantinople, and Justin, then the head of the excubitors (the palace guard), is said to have used cash destined for the support of another candidate to bribe his troops to support his own name; as a result, on 10 July 518 he was proclaimed by the senate, army and people and then crowned by the patriarch"; Ch. LÉCRIVAIN, *Le sénat romain depuis Dioclétien à Rome et à Constantinople*, París, 1888, p. 222, en donde se aprecia claramente la facultad del Senado para nombrar al nuevo emperador, cometido que llevaron a cabo en el caso de la sucesión de Anastasio: "A la mort d'Anastase, comme il n'y a ni impératrice, ni successeur désigné, le sénat, après de longues discussions avec les chefs des factions populaires et des milices du palais, proclame Justin, qui est accueilli favorablement par le peuple et les soldats. C'est à la demande du sénat qu'il s'associe Justinien".

[153] Fue curiosamente la que más se opuso a la unión entre Justiniano y Teodora, de tal forma que no pudieron realizar su matrimonio de forma legal hasta la muerte de Eufemia; Procopio, por no perder la costumbre, realiza una descripción ciertamente ácida de su figura, en *Historia Secreta*, cit., 9. 47-50, p. 208: "Mientras la emperatriz siguió viva Justiniano no tuvo medio alguno de hacer a Teodora su legítima esposa, pues sólo en este asunto se enfrentaba a él, aunque en lo demás no se le oponía en nada. Era en efecto una mujer completamente ajena a cualquier maldad, una simple palurda campesina de origen bárbaro, tal como he dicho. Ella, que ni siquiera llegó al palacio con su propio nombre, porque era risible, sino llamándose Eufemia, nunca llegó a tener cualidad alguna, sino que su vida transcurrió ajena a los asuntos de estado. Pero un tiempo después

innoble origen como antigua esclava[154], motivo por el cual, hasta el fallecimiento de la emperatriz, el emperador Justino no pudo proceder con la reforma legal favorable a la unión legítima entre ellos[155], a pesar de la innegable influencia de Justiniano en toda la política de gobierno y ejercicio del poder[156].

Su regencia en la sombra, su potestad y autoridad reconocida y temida por igual, sujetando las riendas del ilimitado poder bizantino, aunque pareciese que era el anciano emperador Justino, titular de un poder esclerotizado, quién disponía jurídica y socialmente en su vasto

---

sucedió que la emperatriz murió, mientras que Justino, que se había convertido en un viejo decrépito y sin entendimiento, causaba risa a sus súbditos y nadie, pues sentían un gran desprecio hacia él, le tenía en consideración, porque no se daba cuenta de lo que hacía. En cambio servían con profundo respeto a Justiniano, que no dejaba nunca de causarles espanto a todos, puesto que sus cambiantes decisiones eran causa permanente de confusión"; A. A. VASILIEV, *Justin the First. An Introduction to the Epoch of Justinian the Great*, cit. p. 91: "The most important act in Euphemia's life as empress was her stubborn opposition to the marriage of Justin's nephew Justinian to his mistress Theodora. Neither argument nor entreaty could overcome Euphemia's obstinacy. It was not till after Euphemia death that Theodora became the wife of Justinian".

[154]   Veremos a continuación la estricta legislación concerniente al matrimonio de personas pertenecientes al rango senatorial, que de ningún modo pueden contraer matrimonio con actrices, pero tampoco con libertas, esclavas manumitidas, liberadas, como es el caso de Eufemia. Evidentemente sabemos que ella consiguió superar el veto legal a su unión legal con Justino, por lo que debemos suponer que el matrimonio se llevó a cabo antes de que éste ascendiese a la clase senatorial. Con todo, su recelo femenino con respecto a Teodora no parece muy lógico, habida cuenta de que su condición era todavía peor jurídicamente hablando, sin ni siquiera pertenecer por nacimiento a la plebe bizantina, sino a la condición de esclava.

[155]   A. CAMERON, *Chapter III: Justin I and Justinian*, cit. p. 64: "The marriage was made possible only after the death of Justin's wife Euphemia, who was strongly opposed to it, and by the passage of a special law allowing retired and reformed actresses to petition the emperor for the right to marry even into the highest rank".

[156]   J. MEYENDORFF, *Imperial Unity and Christian Divisions: The Church, 450-680 AD*, Nueva York, 1989, p. 207, destaca el rol de Justiniano como asesor privilegiado del emperador Justino: "The main advisor of his uncle", quien le había concedido además un extenso curriculum de honores varios, como símbolo preparatorio de la futura sucesión.

imperio[157], le permitían tener el gobierno a su merced, con el único obstáculo de su relación con Teodora, que no podía legitimar por el veto impensable, dado su origen susceptible de *dominica potestas*, de la emperatriz consorte[158].

---

[157] Procopio, *Historia Secreta*, cit., 6.18-28, pp. 186-187, resume como título: "Gobierno criminal de Justiniano durante el reinado de Justino". Si bien el carácter en ocasiones de libelo disparatado reduce drásticamente la credibilidad de este relato, debemos hacer una referencia al mismo: "Así pues Justino no estaba en condiciones de hacer a sus súbditos nada bueno ni nada malo, pues era de una gran simplicidad, absolutamente incapaz de articular un discurso y rústico en extremo. Pero su sobrino Justiniano, que era todavía joven, se hacía cargo de toda la administración del poder y se convirtió en causa de las desgracias de los romanos, tales y tantas como nadie había oído antes en toda la historia. Sin el menor escrúpulo procedía en efecto a asesinar injustamente a las personas y a saquear los bienes ajenos... Así pues, apenas cumplidos diez días en el mando, ejecutó sin motivo alguno a Amantio, el prepósito de los eunucos de palacio, y a algunos otros, sin aducir contra este hombre cargo alguno, a no ser que había dicho algunas palabras audaces contra Juan, el arzobispo de la ciudad. Desde ese momento se convirtió en el hombre más temido de todos. Acto seguido convocó al usurpador Vitaliano, al que había dado previamente garantía por su seguridad, celebrando incluso con él los ritos de los cristianos. Poco después, sospechando que le había ofendido, se deshizo de él y de sus partidarios en Palacio sin motivo alguno y sin respetar para nada tan solemnes garantías como las que le había dado"; sin embargo, en su obra anterior, *Los edificios*, trad. M. Periago Lorente, Murcia, 2003, 1.4, p. 39, elogia la política de reconstrucción arquitectónica de Justiniano, así como la política de construcción llevada a cabo por él mientras Justino gobernaba el imperio: "Todos estos los construyó desde sus cimientos este emperador nuestro, durante el reinado de su tío Justino, y no es fácil describirlos con palabras y no es posible admirarse de ellos en su justa valía con su contemplación"; M. MAAS, *Roman questions, Byzantine Answers. Contours of the Age of Justinian*, cit., p. 5, afirma que Justiniano tenía talento para la intriga, remontándose al momento de la muerte del emperador Anastasio, atribuyendo a Justiniano las negociaciones entre bambalinas para ayudar a conseguir el trono para su tío Justino: "While we do not know the precise machinations that brought Justin to the throne, contemporaries believed that Justinian had a hand in them -and in the execution of several rivals immediately thereafter".

[158] A pesar del veto matrimonial impuesto por Eufemia, siendo ella misma liberta, Justiniano no impuso ninguna represalia jurídica revanchista (totalmente comprensible ya que sería póstuma para la emperatriz), sino que muy al contrario, favoreció -posteriormente- las condiciones jurídicas de puridad legal en el matrimonio realizado entre una liberta y un hombre ascendido más tarde a la categoría de senador, que no vería por ello disuelto su matrimonio, sino que seguiría confirmado legalmente, como se recoge en C. 5.4.28: *Imperator Justinianus. Si libertam quis uxorem habeat, deinde inter senatores scribatur dignitate*

La legislación imposibilitante, las leyes a las que hacemos referencia, se remontan a la época de Augusto y su conocida legislación matrimonial, testimoniada por Paulo en D. 23. 2. 44 (*Paulus libro primo ad legem Iuliam et Papiam*) *pr.*[159], en donde se recoge la prohibición

---

*illustratus, an solvatur matrimonium, apud Ulpianum querebatur, quia lex Papia inter senatores et libertas stare conubia non patitur. 1 . Nos igitur dei sequentes iudicium non patimur in uno eodemque conubio mariti felicitatem uxori fieri infortunium, ut, quantum vir in altum tollatur, tantum et coniux eius decrescat, immo magis penitus depereat. 2 . Absit itaque a nostro tempore huiusmodi asperitas et firmum maneat matrimonium et uxor marito concrescat et sentiat eius fulgorem stabileque maneat matrimonium ex huiusmodi superventu minime deminutum. 3 . Simili modo si privati hominis filia ad liberti veniat conubium et postea pater mulieris ad senatoris dignitatem fuerit elatus, taceat Papiae legis crudelissima sanctio et neque per hunc modum dissolvatur matrimonium inter facti senatoris filiam et libertum, ne soceri prosperitas sine genero inveniatur. 4 . Melius est enim legis papiae severitatem in utroque casu compescere, quam eam sequendo hominum matrimonia dispergere non ex vitio mulieris et mariti, sed ex prospera alterutrius partis fortuna: cum enim ex una radice vitium nascitur, consequens est, ut una lege tollatur. * IUST. A. IOHANNI PP. A 531 VEL 532;* el texto alude a la *lex Papia*, restrictiva ley matrimonial al estilo de las demás leyes matrimoniales de Augusto que perjudicaban claramente las intenciones de Justiniano de contraer justo matrimonio con Teodora, por lo que es lícito pensar que cualquier severa norma sería analizada con detenimiento por el emperador.

159 *Lege Iulia ita cavetur: Qui senator est quive filius neposve ex filio proneposve ex filio nato cuius eorum est erit, ne quis eorum sponsam uxoremve sciens dolo malo habeto libertinam aut eam, quae ipsa cuiusve pater materve artem ludicram facit fecerit. Neve senatoris filia neptisve ex filio proneptisve ex nepote filio nato nata libertino eive qui ipse cuiusve pater materve artem ludicram facit fecerit, sponsa nuptave sciens dolo malo esto neve quis eorum dolo malo sciens sponsam uxoremve eam habeto". 1. Hoc capite prohibetur senator libertinam ducere eamve, cuius pater materve artem ludicram fecerit: item libertinus senatoris filiam ducere. 2. Non obest avum et aviam artem ludicram fecisse. 3. Nec distinguitur, pater in potestate habeat filiam nec ne: tamen iustam patrem intellegendum octavenus ait, matrem etiam si volgo conceperit. 4. Item nihil refert, naturalis sit pater an adoptivus. 5. An et is noceat, qui antequam adoptaret artem ludicram fecerit? Atque si naturalis pater antequam filia nasceretur fecerit? Et si huius notae homo adoptaverit, deinde emancipaverit, an non possit duci? Ac si talis pater naturalis decessisset? Sed de hoc casu contrariam legis sententiam esse Pomponius recte putat, ut eis non connumerentur. 6. Si postea ingenuae uxoris pater materve artem ludicram facere coeperit, iniquissimum est dimittere eam debere, cum nuptiae honeste contractae sint et fortasse iam liberi procreati sint. 7. Plane si ipsa artem ludicram facere coeperit, utique dimittenda erit. 8. Eas, quas ingenui ceteri prohibentur ducere uxores, senatores non ducent.*

establecida por la ley Julia con un amplio espectro legal con respecto al matrimonio. De este modo, se prohibía terminantemente la unión matrimonial a sabiendas y con dolo malo, entre un Senador, o hijo, o nieto o descendientes, y una mujer que se hubiera dedicado a la representación en las diversiones públicas, es decir, actriz[160], o descendiente de personas dedicadas ahora o en el pasado al mundo del espectáculo, distinguiendo además previamente la cuestión trascendental y definitoria de la condición de libre o liberta en relación con la prohibición vigente, es decir, la afectación más negativa en el caso de tratarse de una mujer manumitida o liberada con respecto a la mujer libre de nacimiento, equiparando formalmente a la antigua esclava con la actriz.

La intención restrictiva no se manifiesta de modo general sin mayores concreciones, sino todo lo contrario. La prohibición se describe pormenorizadamente, tomando en consideración todos los supuestos posibles, para proceder a prohibir las uniones matrimoniales consideradas ilícitas, por cuestión de origen, entre la élite senatorial y la estigmatizada clase del vulgo dedicado al mundo de la representación. Por eso, al identificar los vetos necesarios, se contempla el género y el grado de parentesco de forma precisa, para evitar cualquier dudosa interpretación o laguna legal que pudiese ser utilizada para sortear el estricto cumplimiento de la ley.

Con esa intención, primero refiere, la prohibición dirigida a un senador, "o el que fuere su hijo, o nieto habido de un hijo, o bisnieto habido de un hijo nacido de cualquiera de ellos"[161], que tenga con dolo malo, es decir, con pleno conocimiento de la condición socio-jurídica

---

[160] D. DAUBE, *The marriage of Justinian and Theodora*, en *Catholic University Law Review*, 16, 4, 1967, p. 381: "Under the then prevailing marriage regulations which, basically, dated from the founder of the monarchy, Augustus, a member of the aristocracy could not marry an actress".

[161] *Cuerpo del Derecho Civil Romano,* trad. esp. I. L. GARCÍA DEL CORRAL, *Digesto, tomo II,* Barcelona, 1892, contiene una meritoria traducción del *Corpus Iuris Civilis* evidentemente adaptada al lenguaje propio de aquella época. En las pp. 118-119 se encuentra el doble texto de Paulo, en el cual 'biznieto' sería la traducción literal, que nosotros hemos sin embargo actualizado por la palabra 'bisnieto' propia de la actualidad. Sin restar el mérito de llevar a cabo una obra de estas características, en algunos momentos hemos preferido no presentar la traslación literal, sino una versión renovada, en aras de una mayor practicidad.

femenina de su pareja, por esposa a una liberta[162], o mujer manumitida[163], para añadir inmediatamente que dicho impedimento restrictivo también afectaría a la actriz dedicada ella misma a las diversiones públicas, como a su padre o madre si se hubieran dedicado al mundo de la representación, a las denostadas artes escénicas que buscan el entretenimiento ajeno y el esparcimiento solaz.

Idéntico veto se producía en el caso de matrimonio, con dolo malo y consciente de dicha profesión, de una hija de Senador o descendiente, con un liberto, o con un actor o hijo de actores, padre o madre, como familiar de personas del ámbito de las artes escénicas, que

---

[162]    *De libertinis*, I. 1.5 pr.1-2: *Libertini sunt qui ex iusta servitute manumissi sunt. manumissio autem est datio libertatis: nam quamdiu quis in servitute est, manui et potestati suppositus est, et manumissus liberatur potestate. quae res a iure gentium originem sumpsit, utpote cum iure naturali omnes liberi nascerentur nec esset nota manumissio, cum servitus esset incognita: sed posteaquam iure gentium servitus invasit, secutum est beneficium manumissionis. et cum uno naturali nomine homines appellaremur, iure gentium tria genera hominum esse coeperunt, liberi et his contrarium servi et tertium genus libertini, qui desierant esse servi. 1. Multis autem modis manumissio procedit: aut enim ex sacris constitutionibus in sacrosanctis ecclesiis aut vindicta aut inter amicos aut per epistulam aut per testamentum aut aliam quamlibet ultimam voluntatem. sed et aliis multis modis libertas servo competere potest, qui tam ex veteribus quam nostris constitutionibus introducti sunt. 2. Servi vero a dominis semper manumitti solent, adeo ut vel in transitu manumittantur, veluti cum praetor aut proconsul aut praeses in balneum vel in theatrum eat.* Los libertinos o libertos son los que han sido manumitidos o liberados de una justa esclavitud, explicando los distintos modos de realizar la manumisión, aclarando por último que los esclavos suelen ser manumitidos por sus dueños, de manera que hasta lo son al paso, como cuando el pretor, o presidente, o procónsul se dirige al baño o al teatro.

[163]    Ulpiano en D. 1.1.4 (*libro I. Institutionum*): *Manumissiones quoque iuris gentium sunt. Est autem manumissio de manu missio, id est datio libertatis: nam quamdiu quis in servitute est, manui et potestati suppositus est, manumissus liberatur potestate. Quae res a iure gentium originem sumpsit, utpote cum iure naturali omnes liberi nascerentur nec esset nota manumissio, cum servitus esset incognita: sed posteaquam iure gentium servitus invasit, secutum est beneficium manumissionis. Et cum uno naturali nomine homines appellaremur, iure gentium tria genera esse coeperunt: liberi et his contrarium servi et tertium genus liberti, id est hi qui desierant esse servi,* reconociendo las manumisiones como derecho de gentes, *iuris gentium*. Manumisión en su etimología deriva de *manu missio*, 'soltar la mano', es decir, conceder la libertad, ya que cuando alguien es esclavo está sometido a la *manus* y bajo potestad de otro, y manumitido significa la liberación de esa potestad.

representase o hubiera representado en el pasado en las diversiones públicas. Esta rígida, amplia y penalizante restricción da cuenta de la clara intención de condenar al ostracismo jurídico la pertenencia a una familia de artistas, independientemente del período más o menos amplio dedicado a tan innoble oficio como para ser denigrado en varios grados de parentesco.

Del mismo modo, recoge la misma disposición legal el supuesto de un manumitido o liberado, siempre infravalorado a efectos de estatus social y jurídico en el mundo romano, conjuntamente con el ejemplo de las actrices y actores, así como de su núcleo familiar, trayendo a colación la imposibilitante prohibición matrimonial que no ayuda a concebir la imagen de las personas dedicadas al mundo del espectáculo desde un punto de vista positivo, al unirlas al elenco denostado de los liberados o manumitidos, de irrelevante condición, si bien la infamia ya les acompañaba desde antiguo por el ejercicio de tan vil profesión[164].

A continuación, se explicitan los posibles supuestos de hecho para conseguir concretar el ámbito de la estricta y perenne prohibición legal. De este modo, no obsta que el abuelo o abuela hayan representado en las diversiones públicas, centrando el grado de parentesco al que se dirige el veto matrimonial. En la misma dirección, tampoco se distingue, en cuanto al padre, el hecho de tener a su hija o no bajo potestad, aunque reconoce que Octaveno[165], entiende como padre el legítimo, "y por madre aun la que hubiere concebido del vulgo", *vulgo conceperit*[166].

---

[164]   A. H. J. GREENIDGE, *Infamia. Its place in Roman Public and Private Law*, cit., p. 171, trata el origen de la nota de infamia a las mujeres, trayendo a colación de la obra *Fragmenta Vaticana. Mosaicarum et Romanorum Legum Collatio*, tít. XIII, las siguientes palabras de Ulpiano con respecto a la ley Julia: *Lege Julia prohibentur uxores ducere senatores quidem liberique eorum libertinas et quae ipsae quarumve pater materve artem ludicram fecerit...*, que reflejan claramente que los senadores y sus descendientes tienen prohibido casarse con libertas, actrices e hijas de actores o actrices.

[165]   J. G. HEINECKE, *Historia del Derecho Romano*, trad. esp., Madrid, 1845, p. 208, en donde destaca que había florecido en tiempo de los Vespasianos, y fue el autor de cuestiones jurídicas sobre la ley Julia y Papia, "a cuya ilustración se dedicaban principalmente en aquellos tiempos los jurisconsultos".

[166]   Esta expresión, 'del vulgo', se recoge en las Instituciones de Justiniano, I. 1.4 *pr.*, en donde al hablar de los ingenuos o nacidos libres, refiere lo siguiente: *Sed*

Asimismo, da igual que el padre sea natural o adoptivo, pues afecta jurídicamente por igual. Y con respecto a si sus actuaciones en diversiones públicas fueran con anterioridad a la adopción, o si hubiera sido actor el padre natural antes de nacer su hija, o en caso de adopción por parte de un hombre que se hubiera dedicado a la representación, pero después hubiera emancipado a su hija ¿Qué sucede legalmente, cómo se debe proceder o cuál es la solución más justa? En el caso de la emancipación, se cuestiona la posibilidad de tomar a la mujer como si su padre natural hubiera fallecido, pero afirma Paulo: "Con razón opina Pomponio, que en este caso es contraria la resolución de la ley, a fin de que ella no sea contada entre estas personas".

Distinta solución es la dispuesta en el caso de una mujer libre desde su nacimiento, destacando aquí la relevancia de los *ingenui*[167], status trascendente, puesto que será redimensionado positivamente por el emperador Justiniano con el conocido *favor libertatis*, que permitirá la extensión del *status libertatis* positivo, la condición jurídica de persona libre, al nacido de una madre que hubiera sido libre al tiempo en que nace, aunque hubiera concebido siendo esclava, y también en el supuesto de que hubiera concebido libre y tuviese el hijo siendo esclava. Es decir, si en algún momento del embarazo la madre había gozado de libertad, al concebido le afectará jurídicamente en un sentido inequívocamente favorecedor, puesto que a su nacimiento será libre[168].

---

et si quis ex matre libera nascatur, patre servo, ingenuus nihilo minus nascitur: quemadmodum qui ex matre libera et incerto patre natus est, quoniam vulgo conceptus est, es decir, que el que nazca de madre libre, siendo esclavo su padre, nace ingenuo; del mismo modo que el que nació de madre libre y de padre incierto, porque fue concebido del vulgo, *vulgo conceptus est.*

[167]   *De ingenuis*, I. 1.4 pr.: *Ingenuus is est, qui statim ut natus est liber est, sive ex duobus ingenuis matrimonio editus, sive ex libertinis, sive ex altero libertino, altero ingenuo,* en el sentido de afirmar que es ingenuo el que desde que nació es libre ya haya nacido en matrimonio de dos ingenuos, ya de dos libertinos o libertos, ya de un liberto y un ingenuo.

[168]   I. 1.4 pr.: *Sufficit autem liberam fuisse matrem eo tempore quo nascitur, licet ancilla conceperit. et ex contrario si libera conceperit, deinde ancilla facta pariat, placuit eum qui nascitur liberum nasci, quia non debet calamitas matris ei nocere qui in utero est.* Para reforzar este deseo acrecentador de las ventajas del *favor libertatis*, se incluye a continuación la opinión de Marcelo, con respecto al caso de una esclava embarazada posteriormente manumitida, que da a luz después de

Además, siempre de acuerdo con el texto de Paulo, si el padre o madre de una mujer libre por nacimiento, ingenua, se dedicase después como actor *artem ludicram*, en diversiones públicas, se estima realmente injusto, *iniquissimum est*, que el marido deba repudiarla, después de haberse celebrado justas nupcias y quizás ya con hijos, *cum nuptiae honeste contractae sint et fortasse iam liberi procreati sint*. Coherentemente con lo anterior, si ella misma hubiera comenzado a representar en espectáculos de diversión pública, *utique dimittenda erit*, ciertamente deberá ser repudiada.

Por último, entendido como un razonamiento cabal, se recoge la necesidad de que los senadores no tomen por esposa a las mujeres que a los demás *ingenui*, nacidos libres, se les prohíbe totalmente, imposibilitando cualquier opción de contraer justo matrimonio.

En este elenco de uniones imposibles, es cierto que se iguala la condición femenina a la masculina, pero que ello no nos lleve a engaño. La sempiterna vulnerabilidad femenina hace siempre su aparición cuando nos referimos a legislación romana, y, como no podía ser de otra manera, de acuerdo con DAUBE[169], los legisladores aplicaron estas restricciones de manera mucho más intransigente cuando se trataba de descendencia femenina y no masculina.

---

convertirse de nuevo en esclava, probando el jurista que nace libre: *et Marcellus probat, liberum nasci: sufficit enim ei qui in ventre est liberam matrem vel medio tempore habuisse: quod et verum est.*

[169] D. DAUBE, *The marriage of Justinian and Theodora*, cit., p.385, en donde da cuenta de la 'comprensible' diferencia de trato entre mujeres y hombres pertenecientes al gremio de artistas. No hemos querido caer en la susceptibilidad de entender ese 'understandable' como una adjetivación discriminatoria por parte del autor, sino relacionado con el mundo romano, patriarcal y propenso a ser más condescendiente con el hombre que con la mujer, añadiendo a continuación: "In the ordinances of Constantine and his successors we hear only of the daughter of an actress or, say, the daughter of a female tavernkeeper or a pimp, not of the son. A young man was more likely than a young woman to strike out on his own, away from his background; and once he had attained a position to attract a lady from the upper orders, it no longer made much sense to enquire into his antecedents"; con todo, concede cierta discrecionalidad en amparo de algunas mujeres, cuando declara que parece que no existen evidencias, en el caso de tratarse de la hija de una prostituta, de que haya sido puesta bajo ninguna restricción matrimonial.

A mayor abundamiento, cuando a los matices sancionados por el ordenamiento jurídico le sumamos los diferentes rangos sociales de una persona, el asunto se complica infinitamente. De este modo, a la prohibición legal deberíamos sumarle el conflicto comunitario, la jerarquía de clases, ya que si bien es cierto que la pobreza, en sí misma, no excluía legalmente a una mujer de un matrimonio desigualmente superior, en la realidad social, antes y ahora, suponía un grave impedimento.

Si bien dicha legislación augustea puede parecer muy lejana a la normativa justinianea, debemos traer a colación una constitución de los emperadores Valentiniano y Marciano, recogida en el Código de Justiniano 5. 5. 7[170], del año 454, dirigida a Paladio, prefecto del Pretorio, en la que se sigue insistiendo en la denigrante condición de las personas dedicadas a las artes escénicas, aprovechando la aclaración con respecto a las mujeres pobres, indigentes, nacidas de padres libres de nacimiento, *ingenui*, que lícitamente podrán contraer justo matrimonio con senadores y otras personalidades investidos con altas dignidades, puesto que la riqueza no supone ninguna diferencia de rango en razón de su fortuna a la hora de poder unirse legítimamente en matrimonio.

Sin embargo, con respecto a las mujeres, humildes y abyectas, *humilem vel abiectam feminam*, la exclusión legal se explicita con una clara enumeración: la esclava, hija de esclava, la mujer dedicada a la escena, así como la hija de la actriz, la tabernera, la hija del tabernero, o del alcahuete, o del atleta, o la que públicamente estuvo al frente de un comercio, están sometidas a una concreta y determinada

---

[170]   *Imperatores Valentinianus, Marcianus . Humilem vel abiectam feminam minime eam iudicamus intellegi, quae, licet pauper, ab ingenuis tamen parentibus nata sit. 1 . Unde licere statuimus senatoribus et quibuscumque amplissimis dignatibus praeditis, ex ingenuis natas quamvis pauperes in matrimonium sibi adsciscere, nullam que inter ingenuas ex divitiis et opulentiore fortuna esse distantiam. 2 . Humiles vero abiectasque personas eas tantummodo mulieres esse censemus: ancillam ancillae filiam, libertam, libertae filiam, scaenicam vel scaenicae filiam, tabernariam vel tabernarii vel lenonis aut harenarii filiam, aut eam quae mercimoniis publice praefuit: ideoque huiusmodi inhibuisse nuptias senatoribus harum feminarum, quas nunc enumeravimus. * VALENTIN. ET MARCIAN. AA. PALLADIO PP. *<A 454 D. PRID. NON. APRIL. CONSTANTINOPOLI AETIO ET STUDIO VV. CC. CONSS.>*

restricción, que legitima la clara prohibición impuesta a los senadores con respecto al matrimonio con esas mujeres, afirmando que era justo el veto a los senadores para contraer 'semejantes nupcias' con las mujeres del elenco nombrado[171].

Con estos antecedentes, y la diferencia social abismal existente entre Justiniano y Teodora, los obstáculos eran claramente conocidos por ambos, tanto social como jurídicamente. No se concebían excepciones a la norma, para evitar cualquier agresión, aunque fuese de carácter inmaterial, que atentase contra la estabilidad de clases, contra la jerárquica élite dominante, que impedía uniones desiguales y desanimaba a los amantes con trabas legales y sociales. Sin embargo, la espera no supuso ningún abandono, ni desaliento, sino un período de prueba vital en el que se preparó la adecuada legislación favorable a su indisoluble unión.

---

[171] Incluso cuando el *codex* justinianeo contempla el caso de las concubinas, unión estable considerada legalmente inferior al matrimonio, concretamente en una constitución del año 336, dirigida por el emperador Constantino a Gregorio, recogida en C. 5. 27.1, se refleja de forma rotunda la prohibición de concubinato entre senadores y actrices o hijas de éstas, al tomar en consideración el tema de los hijos naturales y sus madres, y las causas por las que se hacían legítimos: *Senatores seu perfectissimos, vel quos in civitatibus duumviralitas vel sacerdotii, id est phoenicarchiae vel syriarchiae, ornamenta condecorant, placet maculam subire infamiae et alienos a romanis legibus fieri, si ex ancilla vel ancillae filia vel liberta vel libertae filia vel scaenica vel scaenicae filia vel ex tabernaria vel ex tabernarii filia vel humili vel abiecta vel lenonis aut harenarii filia vel quae mercimoniis publicis praefuit susceptos filios in numero legitimorum habere voluerint aut proprio iudicio aut nostri praerogativa rescripti : ita ut, quidquid talibus liberis pater donaverit, sive illos legitimos seu naturales dixerit, totum retractum legitimae suboli reddatur aut fratri aut sorori aut patri aut matri*; en resumen, declara que los senadores soporten la mancha de infamia, si a los hijos habidos de una actriz, *scaenica*, o la hija de una actriz, *scaenicae filia*, los hubieran querido tener como legítimos, y fueran restituidos los bienes sujetos a cualquier donación, a la descendencia legítima, a falta de esta a los hermanos, o por último a los padres; vid. al respecto, D. DAUBE, *The marriage of Justinian and Theodora*, cit., p. 381: "It would appear, incidentally, that even an ordinary freeborn citizen was forbidden to marry an actress, though not her child: *Ulp.Reg.* 13.2, 16.2. There is some uncertainly and I shall not go into the matter".

## 1.3.2. *Modificación legislativa permisiva*

El primer testimonio jurídico del influjo de Teodora, en este caso indirecto, o mejor dicho, provocado por la intención de Justiniano de contraer matrimonio con ella, lo encontramos en el Código de Justiniano, 5.4.23, en donde el emperador Justino, sin duda claramente influenciado por Justiniano[172], expone por primera vez, que debían perdonarse los errores de las mujeres, en virtud de la debilidad de su sexo[173], *imbecillitas sexus*[174]; por lo tanto, si hubieran elegido un género de vida indigno, podrían ser rehabilitadas, es decir, que no por ello les quitaría la esperanza de una mejor condición.

De este modo, las mujeres que se hubieran dedicado a juegos escénicos, o a ser actrices como Teodora[175], pero después abandonaran tal condición huyendo de tan deshonesta profesión, se verían beneficiadas por la clemencia del emperador[176], con un proemio esclarecedor

---

[172]  D. DAUBE, *Greek and Roman Reflections on Impossible Laws*, cit., p. 75: "Justin (the hand is the uncle's, but the voice is the nephew's) in an introductory paragraph explains that these women should not be left without hope, an inducement to give up their objectionable profession. In this way, the Emperor can imitate the clemency of God, always willing to accept the penitent sinner and "lead him back to a better state," *ad meiorem statum reducere.* If the Emperor fails to act thus, he himself will not be worthy of divine forgiveness. So far the motivation concentrates on forgiveness and, with it, on the forgiven person's reinstatement *(reducere)* in his former, guiltless condition".

[173]  J. BEAUCAMP, *Le statut de la femme à Byzance (4e-7e siècle). II. Les pratiques sociales,* cit., p. 280: "Au premier abord, la référence à la faiblesse féminine impressionne par sa fréquence".

[174]  Vid. al respecto: M. J. BRAVO BOSCH, *Levitas animi,* en *Glossae,* 14, 2017, pp. 1008-1031; *Lenguaje y género. Infirmitas sexus,* en *No tan lejano: una visión de la mujer romana a través de temas de actualidad,* M. J. Bravo Bosch, A. Valmaña Ochaíta, R. Rodríguez López (eds.), Valencia, 2018, pp. 13-45.

[175]  D. DAUBE, *The marriage of Justinian and Theodora,* cit., p. 381: "Theodora had been an actress-of a rather inferior type-and possibly worse. Justinian, of course, was now a member of the aristocracy, the senatorial class. Under the then prevailing marriage regulations which, basically, dated from the founder of the monarchy, Augustus, a member of the aristocracy could not marry an actress", ya que una mujer que había sido actriz en el pasado, siempre llevaría esa mácula en su *curriculum vitae.*

[176]  C. 5.4.23. *pr.: Imperator Justinus. Imperalis benevolentiae proprium hoc esse iudicantes, ut omni tempore subiectorum commoda tam investigare quam eis mederi procuremus, lapsus quoque mulierum, per quos indignam honore*

de la motivación legislativa fundamentada en el perdón[177]. En este prólogo introductorio, Justino declara imitar la benevolencia de Dios, en cuanto es posible para su naturaleza, *quantum nostrae naturae possibile est,* así como simular la clemencia divina con el género humano, que se digna perdonar los pecados cotidianos de los hombres, aceptando el arrepentimiento y conduciéndolos a un mejor estado, ya que si el emperador no hiciera lo mismo con sus súbditos, no parecería digno de perdón alguno, *nulla venia digni ese videbimur.*

En C. 5.4.23.1, después de aludir a los esclavos y los beneficios imperiales reconociendo su libertad como de origen *ingenui* o libres por nacimiento, el emperador Justino comienza concediendo, por la

---

[177] *conversationem imbecillitate sexus elegerint, cum competenti moderatione sublevandos esse censemus minimeque eis spem melioris condicionis adimere, ut ad eam respicientes improvidam et minus honestam electionem facilius derelinquant. Nam ita credimus dei benevolentiam et circa genus humanum nimiam clementiam quantum nostrae naturae possibile est imitari, qui cottidianis hominum peccatis semper ignoscere dignatur et paenitentiam suscipere nostram et ad meliorem statum reducere: quod si circa nostro subiectos imperio nos etiam facere differamus, nulla venia digni esse videbimur.*

D. DAUBE, *The marriage of Justinian and Theodora,* cit., p. 387: "There is much here that is reminiscent of New Testament thought: the role of hope, the inducement to be held out to the erring, the emulation of the example of God-imitatio Dei-the latter's mercy to penitent sinners, the postulate that you must forgive if you want to be forgiven. Nevertheless we must not forget that remarkably similar sentiments are entertained by pagan Stoic ethics. This ethics had long been a major influence on Roman imperial ideology and categories derived from it were deeply entrenched in the legislative tradition inherited by Justin and Justinian. They must have been a far from negligible factor contributing to the result before us"; coincidimos en esta interpretación que encuentra en la declaración de Justino reminiscencias claras del Nuevo Testamento, como son la esperanza, la misericordia y el perdón, pero sin olvidar la ética estoica pagana con principios semejantes. De este modo, no parece ajeno traer a colación las palabras de Séneca, en *De Clementia,* 1.7.1: *Quoniam deorum feci mentionem, optime hoc exemplum principi constituam, ad quod formetur, ut se talem esse civibus, quales sibi deos velit. Expedit ergo habere inexorabilia peccatis atque erroribus numina, expedit usque ad ultimam infesta perniciem? Et quis regum erit tutus, cuius non membra haruspices colligant?,* en donde al referirse a los dioses, establece el estándar a partir del cual el príncipe debe modelarse a sí mismo para que sea así para sus ciudadanos como desearía que los dioses fueran para él. A la pregunta: ¿Desearía, entonces, tener deidades que no puedan ser movidas a mostrar misericordia por nuestros pecados y errores? Responde declarando que se reforma más fácilmente a los ofensores con un castigo más leve.

*praesente sanctione clementissima*, el beneficio legal a las mujeres que verdaderamente se dedicaron como actrices a las diversiones públicas pero que luego las abandonaron, pasando a mejor condición y huyendo claramente de su deshonesta profesión, para que puedan contraer legítimo matrimonio[178].

La insistencia en el abandono de la deshonesta forma anterior de vida y la transformación en una vida nueva honesta, como requisitos fundamentales para obtener el privilegio imperial parece regulado *ad hoc* con respecto a Teodora, si recordamos su licenciosa primera juventud y su conversión espiritual y física posterior, hasta su encuentro con Justiniano.

A continuación, en la misma disposición legal[179], dispone, con afán aclaratorio, que los que se hayan de unir a estas mujeres no conciban temor alguno con respecto a la licitud de su unión matrimonial, o que pueda considerarse nula de acuerdo con lo dispuesto en las leyes más antiguas. De este modo, los hombres dispuestos a tal unión podrían confiar en que semejante matrimonio permanece válido, como si se hubieran casado con mujeres sin pasado deshonroso, ya estén investidos de dignidad, en referencia a cualquier título, incluido el senatorial, o aunque de otro modo se les prohibiese contraer justo matrimonio con actrices, debiendo probarlo en todos los casos con instrumentos dotales, no sin escrituras.

---

[178]  *Itaque cum iniustum sit servos quidem libertate donatos posse per divinam indulgentiam natalibus suis restitui postque huiusmodi principale beneficium ita degere, quasi numquam deservissent, sed ingenui nati essent, mulieres autem, quae scaenicis quidem sese ludis immiscuerunt, postea vero spreta mala condicione ad meliorem migravere sententiam et inhonestam professionem effugerunt, nullam spem principalis habere beneficii, quod eas ad illum statum reduceret, in quo, si nihil peccatum esset, commorari potuerint: praesenti clementissima sanctione principale beneficium eis sub ea lege condonamus, ut, si derelicta mala et inhonesta conversatione commodiorem vitam amplexae fuerint et honestati sese dederint, liceat eis nostro supplicare numini, ut divinos adfatus sine dubio mereantur ad matrimonium eas venire permittentes legitimum.*

[179]  *His, qui eis coniungendi sunt, nullo timore tenendis, ne scitis praeteritarum legum infirmum esse videatur tale coniugium, sed ita validum huiusmodi permanere matrimonium confidentibus, quasi nulla praecedente inhonesta vita uxores eas duxerint, sive dignitate praediti sint sive alio modo scaenicas in matrimonium ducere prohibeantur, dum tamen dotalibus omnimodo instrumentis, non sine scriptis tale probetur coniugium.*

Y como demostración de una benevolencia exquisita, en C. 5.4.23.1[180], Justino concluye esta primer parte de la disposición legal[181], con una actitud aperturista y muy favorable a la abolición de las restricciones anteriores, si bien resulta meridianamente claro el ascendiente de Justiniano sobre el anciano emperador[182], disponiendo que *nam omni macula penitus direpta*, borrada toda mancha, las mujeres no tendrían diferencia alguna con las que no cometieran ningún pecado, *neque differentiam aliquam eas habere cum his, quae nihil simile peccaverunt*, decisión que por fin abría la puerta a la celebración del matrimonio sin trabas legales entre Justiniano y Teodora[183], permitiendo definitivamente la legalización de su unión.

---

[180] *Nam omni macula penitus direpta et quasi suis natalibus huiusmodi mulieribus redditis neque vocabulum inhonestum eis inhaerere de cetero volumus neque differentiam aliquam eas habere cum his, quae nihil simile peccaverunt.*

[181] El texto de la Constitución 5.4.23 resulta extenso, acorde con el objetivo de procurar el esclarecimiento de todas las posibles situaciones que se pudieran beneficiar de la clemencia y el favor legal imperial. De este modo, amplia el ámbito sucesorio en C.5.4.23.2: *Sed et liberos ex tali matrimonio procreandos suos et legitimos patri esse, licet alios ex priore matrimonio legitimos habeat, ut bona eius tam ab intestato quam ex testamento isti quoque sine ullo impedimento percipere possint*, legitimando los hijos de tal matrimonio, aunque tenga otros legítimos de un matrimonio anterior, para que estos puedan percibir sin impedimento alguno los bienes del padre, bien en sucesión abintestato o testamentaria.

[182] Procopio, *Historia Secreta*, cit., 9.51, pp. 208-209: "Entonces (Justiniano) pretendía hacer a Teodora su esposa legítima. Al ser imposible que un hombre que ha alcanzado el rango senatorial llegue a unirse a una hetera, puesto que las más antiguas leyes lo han prohibido desde siempre, obligó al emperador a abrogar las leyes con otra ley, y desde entonces vivió con Teodora como su esposa legítima, legitimando así para todos los demás el matrimonio con heteras"; las *hetairai*, identificadas en la antigua Grecia con mujeres que ejercían la prostitución pero en ambientes refinados, no identificadas con las ordinarias o *pornai*, tenían acceso a la educación y su porte no tenía nada que ver con las actrices de los arrabales bizantinos. Con todo, no se trata de ningún halago hacia Teodora, sino de la habitual persistencia de Procopio a lo largo de su relato para desmerecer y denigrar a la emperatriz.

[183] W. SCHUBART, *Justinian und Theodora*, cit., en donde después de referirse en p. 33 al nombre originario de Justiniano, *Flavius Petrus Sabbatius*, justifica en p. 34 el cambio de nombre a la vez que recuerda la ley abolida por el emperador Justino para favorecer la unión entre su sobrino y Teodora: "Als Justinian die Schauspielerin Theodora heiraten wollte, beseitigte der regierende kaiser um seinetwillen das alte Gesetz, das Männern senatorischen Ranges die Ehe mit einer Schauspielerin, Tänzerin oder einer anderen Frau leichten Rufes verbot.

A mayor abundamiento, como muestra del amplio catálogo de supuestos protegidos legalmente, en C. 5.4.23.5[184], se amplían las opciones de forma considerable, explicitando positivamente la realidad jurídica de las hijas de las mujeres rehabilitadas con respecto a su condición legal. Como consecuencia de la concepción jurídica actual de las *scenicae*, sus hijas también se verán beneficiadas, para lo cual añade el emperador que si hubieran nacido después de la purificación legal de sus madres, no les afectase ningún veto a la hora de contraer justo matrimonio, Y aún en el caso de su nacimiento anterior a la rehabilitación jurídica de sus ascendientes femeninas, sería lícita la solicitud al emperador, para obtener el rescripto al efecto que permitiese su justo matrimonio como si no fueran hijas de actrices en el pasado.

Las cuestiones jurídicas aquí redimensionadas, concebidas con amplitud de miras, que parecen planteadas como un revulsivo magnánimo en interés general, son en realidad un deseo consciente del legislador emperador en beneficio de su heredero y la trascendental respuesta legal a la necesidad perentoria de Justiniano del permiso matrimonial. El resto de la decisión evidentemente sería aprovechado por el gremio de todas las exactrices deseosas de transformar su rumbo vital, para poder comenzar en el mundo bizantino sin ningún veto legal a sus aspiraciones, ahora legítimas y legitimadas[185]. No queremos con ello deslucir la misericordia y el perdón legalmente reflejados

---

Schliesslich adoptierte er ihn und erhob ihn zum Mitregenten, um die Nachfolge des Neffen gegen jede Anfechtung zu sichern. So bestieg, denn auch nach allem, was man weis, Justinian ohne Kampf und ohne Wettbewerb den Thron".

[184] *His illud adiungimus, ut et filiae huiuscemodi mulierum, si quidem post expurgationem prioris vitae matris suae natae sint, non videantur scaenicarum esse filiae nec subiacere legibus, quae prohibuerunt filiam scaenicae certos homines in matrimonium ducere. Sin vero ante procreatae sint, liceat preces offerentibus invictissimi principi sacrum sine ullo obstaculo mereri rescriptum, per quod eis ita nubere permittatur, quasi non sint scaenicae matris filiae: nec iam prohibeantur illis copulari, quibus scaenicae filias vel dignitatis vel alterius causae gratia uxores ducere interdicitur, ut tamen omnimodo dotalia inter eos etiam instrumenta conficiantur.*

[185] L. BRÉHIER, *La civilisation byzantine*, cit., p. 103, recuerda como a pesar de la rehabilitación legal de las actrices propiciada por Justiniano, se produjo un retroceso un siglo más tarde: "En revanche, le concile Quinisexte (692) excommunia les mimes, auteurs, acteurs et actrices, et interdit ces spectacles aux clercs et aux moines".

en la disposición de Justino, pero la duda prevalece con respecto a si se hubiera procedido de igual modo si Justiniano senador hubiera deseado un matrimonio con una mujer de igual condición.

Con la autorización legalmente explicitada, y en una fecha anterior al mes de abril del 527[186], Teodora contrajo matrimonio con Justiniano, deducción lógica ya que sabemos que el 1 de abril de ese mismo año Justino nombró coemperador a Justiniano, quien, con el deceso de Justino cuatro meses más tarde, se convertiría en el legítimo titular del trono imperial[187]. El protocolo ceremonial de la coronación[188], fue seguido escrupulosamente por Teodora, respetando en todo momento del majestuoso acto la función que la tradición bizantina reservaba a las emperatrices, a las que se les otorgaba una posición totalmente subordinada a la del regio consorte[189]. La pompa, la majestuosidad de la ceremonia, y el título de *augusta* concedido a Teodora como cónyuge del soberano después de la coronación[190], con el que se oficializaba su

---

[186]  M. MAAS, *Roman questions, Byzantine Answers. Contours of the Age of Justinian*, cit., p. 5: "At some point prior to April 527 Justinian married Theodora, once a prostitute and scandalous performer in the Hippodrome"; A. CAMERON, *Chapter III: Justin I and Justinian*, cit., p. 64: "Also in the reign of his uncle, and before april 527, he married the hippodrome performer Theodora".

[187]  P. BROWN, *El mundo de la Antigüedad Tardía*, cit., p. 144: "Cuando Justiniano sucedió así a su poco educado tío, en el 527, pareció como si la «ciudad gobernante» hubiera asimilado a otro celoso recién llegado", pero mucho más formado, con un conocimiento profundo de la literatura teológica griega, recordando que la lengua materna de Justiniano era el latín, y como empezó a valorarlo en Constantinopla como lengua imperial.

[188]  Const. Porf., 2.49 (40), pp. 11-13.

[189]  G. RAVEGNANI, *Teodora. La cortigiana che regnò sul trono di Bisanzio*, cit., pp. 31-32, señala que aunque se le dispensaban todo tipo de honores, "la sovrana non condivideva infatti la vita ufficiale dell'imperatore e anche Teodora in seguito non si discostò molto nella forma esteriore dal principio generale, ma certamente non nella sostanza. Le donne a Bisanzio non godevano d'altronde di grandi libertà ed era naturale vederla comportarsi come una di queste", añadiendo que las jóvenes de buena familia vivían confinadas en el gineceo hasta que llegaban a la edad de tener marido y su educación, muy rudimentaria, se limitaba a la enseñanza de las letras y la economía doméstica. Raramente salían, y cuando lo hacían no podían ir solas, debían cubrir cuidadosamente la cabeza con un velo, y por supuesto, debían vestirse adecuadamente. La emperatriz estaba sometida a un régimen similar, al que podemos añadir que no podía participar en las ceremonias públicas

[190]  Zonaras, *epitome historiarum*,14.5.

regia posición, la transformó en la protagonista femenina del imperio bizantino, con un lujo, autoridad y poder impensable en el imaginario femenino.

Al socaire de esta nueva posición, no está de más recordar que el 13 de febrero de 528[191], tan solo seis meses después de su nombramiento como emperador, Justiniano comunicó al Senado[192], su intención de

---

[191]    C. HUMFRESS, *Law and Legal Practice in the Age of Justinian*, en *The Cambridge Companion to the Age of Justinian*, cit., pp. 162-163, en relación con esta fecha, añade lo siguiente: "This imperial adress had an important historical precedent: almost exactly a hundred years earlier, on March 26, 429, the emperor Theodosius II had announced his Project of compiling an authoritative and comprehensive legal codex in the same senate house at Constantinople. Justinian, looking out from the seat of the New Rome, may also have had an eye on his Western contemporaries. Early sixth-century Burgundian and Visigothic kings had already ordered collections of existing Roman law to be made for them, seemingly for the benefit of their Roman subjects (and their reputations). Justinian's legislation never refers to these codes, but the idea of 'barbarian' kings promulgating Roma law must have cast a long shadow over his ambitions as emperor".

[192]    Vid. sobre el Senado, Ch. LÉCRIVAIN, *Le sénat romain depuis Dioclétien à Rome et à Constantinople*, cit., p. 225, recuerda los grandes cambios que Justiniano introdujo en el Senado, la sedición del 532 que reprimió con la confiscación de todos los bienes de los senadores traidores, así como la reforma judicial, que convirtió al Senado en tribunal de apelación; J. B. BURY, *The Constitution of the Later Roman Empire*, Cambridge, 1910, p. 7: "The part which the Senate played in the appointment of an Emperor, whether by choosing him or by ratifying the choice of the army, is constitutionally important. The Senate or Synklétos of New Rome was a very different body from the old Senatus Romanus. It was a small council consisting of persons who belonged to it by virtue of administrative offices to which they were appointed by the Emperor. In fact, the old Senate had coalesced with the Consistorium or Imperial council, and in consequence the new Senate had a double aspect. So long as there was a reigning Emperor, it acted as consistorium or advisory council of the sovran, but when there was an interval between two reigns, it resumed the independent authority which had lain in abeyance and performed functions which it had inherited from the early Senate", añadiendo que no sólo gozaba de amplias prerrogativas cuando el trono estaba vacante sino también cuando actuaba como consejo de Estado del emperador; L. P. RAYBAUD, *Essai sur le Sénat de Constantinople: des origines au règne de Léon VI le Sage*, París, 1963, p. 77, donde afirma que aunque pueda parecer una paradoja, el Senado solo desempeñó un papel importante en la política imperial justo después de la muerte de la emperatriz Teodora; P. GARBARINO, *Contributo allo studio del senato in età giustinianea*, Nápoles, 1992, pp. 26 ss.; H. G. BECK, *Senat und Volk von Konstantinopel. Probleme der byzantinischen*

llevar a cabo la compilación de una nueva obra de derecho romano, lo que da cuenta del interés jurídico del nuevo gobernante, convencido de la necesidad no sólo de una compilación de constituciones imperiales, *leges*, contempladas en los Códigos Hermogeniano, Gregoriano y Teodosiano, así como constituciones posteriores, sino de una legislación lo más completa posible, la practicidad de una jurisprudencia secular correctamente compilada, además de un manual de enseñanza para los doctos, iniciados o principiantes en *ius*, y una colección de constituciones y decretos imperiales que él mismo aportará para completar una obra imperecedera e inspiradora como ninguna en el devenir jurídico universal, el *Corpus Iuris Civilis*.

Concluir que, poco después del matrimonio tanto tiempo deseado, Teodora influyese decisivamente en el comienzo de la magna obra jurídica más relevante de la historia, a través de su relación con Justiniano, es poco riguroso y exento de confirmación en las fuentes a nuestra disposición. Bien es cierto que se trata de un acto jurídicamente imposible en cuanto al reconocimiento de una mujer como parte de una obra compilatoria, por la secular situación jurídica de sometimiento patriarcal de las mujeres atribuida por el derecho romano, pero no es menos veraz colegir que evidentemente Justiniano, reconocido estudioso, trabajador infatigable, austero y casi asceta[193], debió esperar a

---

*Verfassungsgeschichte*, en *Bayerische Akademie der Wissenschaften*, 6, 1996, pp. 22 ss; A. LANIADO, *Recherches sur les notables municipaux dans l'Empire protobyzantin*, en *Travaux et Mémoires du Centre de Recherche d'histoire et Civilisation de Byzance, Collège de France*, 13, 2002, pp. 134 ss.

[193]  Al margen de que se trate de una autoafirmación posterior, en la Novela 8, Justiniano afirma en el prefacio que pasa en grandes elucubraciones y reflexiones todos los días y las noches, en continua vigilia, pensando en el bien del Estado y el cuidado de los súbditos bizantinos: *Omnes nobis dies ac noctes contingit cum omni lucubratione et cogitatione degere semper volentibus, ut aliquid utile et placens deo a nobis collatoribus praebeatur: et non in vano vigilias ducimus, sed in huiusmodi eas expendimus consilia pernoctantes et noctibus sub aequalitate dierum utentes, ut nostri subiecti sub omni quiete consistant sollicitudine liberati, nobis in nosmet ipsos pro omnibus cogitationem suscipientibus*; Procopio, *Historia Secreta*, cit., 13. 28, p. 237, dice de Justiniano: "Permanecía prácticamente en vigilia todo el tiempo, por así decirlo, y nunca se saciaba de comer o de beber, sino que se retiraba después de catar apenas con la punta del dedo", pero para destacarlo en negativo, como demuestra en 13. 32, p. 238: "pero en cambio al servirse de toda la fuerza de su naturaleza para perjudicar a los romanos, consiguió derribar toda la estructura del estado, pues las continuas vigilias, los

ser el titular del poder imperial para poder llevar a cabo su proyecto legislativo. De este modo, el matrimonio con Teodora no tendría mayor efecto que el hecho de que se produjera poco antes del ascenso al trono del emperador legislador, sin que implique aportaciones significativas por parte de la emperatriz al diseño de la imperecedera obra justinianea.

Concedida la ansiada licencia, y ya convertida en la esposa del nuevo y sumamente poderoso gobernante, Teodora debió comprender la importancia del refrendo jurídico de los actos presentes en la vida cotidiana, la necesidad de reglamentar la vida social con los instrumentos legales necesarios para poder controlar las actitudes y los hábitos, intuyendo que el protocolo más estricto le concedería la autoridad y el poder que le habían sido negados hasta ese instante.

Su título de Augusta[194], como esposa del emperador Justiniano, le conferirá una inestimable cuota del poder imperial, que Teodora ejercerá ampliamente desde el punto de vista político, pero aun así, no debemos sobreestimar su condición en la corte imperial, siempre contenida en la posición constitucional de una consorte, regiamente inferior, y manteniéndose leal al emperador, aunque en determinados documentos legislativos parezca que Justiniano le otorgó una paridad inexistente en Bizancio.

---

padecimientos, los esfuerzos a los que se entregaba, no tenían otro motivo que tramar cada día contra sus súbditos desgracias cada vez más penosas".

[194]   J. B. BURY, *The History of the Later Roman Empire. From the Death of Theo-dosius I to the Death of Justinian*, 1, cit., p. 10: "The title of Augusta was always conferred on the wife of the Emperor and the wife of the co-regent, and from the seventh century it was frequently conferred on some or all of the Emperor's daughters. The reigning Augusta might have great political power. In the sixth century, Justinian and Theodora, and Justin II and Sophia, exercised what was virtually a joint rule, but in neither case did the constitutional position of the Empress differ from that of any other consort".

# 2. RESILIENCIA, ORGULLO Y DETERMINACIÓN.

## 2.1. PRESENTACIÓN.

Vamos a ver a continuación los rasgos distintivos de la emperatriz, relacionados con los episodios más relevantes de su vida, que demuestran su firme personalidad, no amedrentada ante los acontecimientos más preocupantes, como sucedió en la revuelta popular de Nikà[195], y el instante de la posible pérdida de la púrpura imperial, su carácter ante su nueva posición como consorte imperial y el tratamiento exigido a los súbditos que intentasen presentarse ante su excelencia, así como su postura en temas religiosos, posicionada claramente a favor del monofisismo, en contraste con la ortodoxia oficial exigida por el emperador Justiniano.

De este modo, evidenciaremos en este capítulo la resiliencia innata de Teodora, capaz de sobreponerse a los sucesos más inquietantes con

---

[195] Disturbio reconocido como un momento trascendental en el reinado de Justiniano, cinco años después de su ascenso al trono imperial, analizado por la historiografía tradicional en la siguiente bibliografía: W. A. SCHMIDT, *Der Aufstand in Constantinopel unter Kaiser Justinian*, Zurich, 1854, pp. 46 ss., en donde, después de reflejar en páginas anteriores la conflictiva relación entre las facciones de los Verdes y los Azules, da cuenta de lo acaecido el 13 de enero de 532, con una descripción minuciosa, rigurosa y detallada del sangriento episodio, desarrollado a lo largo de varios días; E. GIBBON, *The decline and Fall of the Roman Empire*, Londres- Nueva York, 1910, vol. 7, pp. 391 ss., en donde a pesar de dedicar espacio y tiempo a describir la famosa revuelta, como bien afirma J.B BURY en la edición realizada por él mismo de la obra de Gibbon, *The History of the Decline and Fall of the Roman Empire*, J. B. Bury (ed.), Nueva York, 1906, vol. 7, p. 174, no distingue los días en los que se sucedieron los diversos sucesos relacionados con los disturbios de Nikà, cometiendo algunos errores en su falta de precisión: "Thus, like most other historians, he places the celebrated dialogue between Justinian and the Greens on the Ides of January, whereas it took place two days before. The extrication of the order of events from our various sources is attended with some difficulty".

una actitud sobresaliente, el orgullo relacionado con el protocolo más estricto en la administración imperial y la prosternación exigida, así como la determinación religiosa que guió su defensa de la práctica monofisita, perseguida y demonizada, defendiendo y escondiendo a los seguidores de dicho credo.

El monofisismo[196], como concepción alejada de la dogmática del cristianismo coetáneo, considera que la naturaleza de Jesucristo, pese a estar compuesta de una parte humana y otra divina, es plenamente divina y su componente humano se integra dentro de la misma, estimando como única la naturaleza divina de Jesucristo.

Por el contrario, el dogma mantenido por la Iglesia ortodoxa, ya desde el Concilio de Calcedonia de 451[197], y defendido por Justinia-

---

[196]  A. ASTON LUCE, *Monophysitism Past and Present: A Study in Christology*, Londres, 1882, p. 3: "Monophysitism was a Christological heresy of the fifth century. It was condemned by the church in the middle of that century at the council of Chalcedon. Surviving its condemnation it flourished in the East for several centuries. Its adherents formed themselves into a powerful church with orders and succession of their own. Although the monophysite church has long since lost all influence, it is still in being", recordando en p. 9 que la esencia del problema cristológico reside en la cuestión de la unión de las naturalezas en Cristo; J. MACARTHUR, *Teología sistemática. Un estudio profundo de la doctrina bíblica*, trad. esp. Michigan, 2018, p. 272, recuerda que el monofisismo como controversia religiosa es también conocido como eutiquianismo: "Así llamado por su creador, Eutiquio de Constantinopla (*ca.* 378-*ca.* 454 d.C.). Éste sostenía que la deidad y la humanidad de Cristo carecían de distinción: ambas estaban fusionadas en una tercera naturaleza que no era ni Dios ni hombre, sino algo entremedio. Dado que Jesús solo poseía una vida, una mente y una voluntad, debía poseer una sola naturaleza en una sola persona. La variación del eutiquianismo que se centraba en una voluntad única llegó a conocerse como monotelismo. El concilio de Calcedonia condenó el eutiquianismo en el 451 d.C., y el Tercer Concilio de Constantinopla condenó el monotelismo en el 680 d.C.".

[197]  *The Ecclesiastical History of Evagrius: A History of the Church from AD 431 to AD 594*, E. Walford, trad., 1846, repr. 2008; A. GRILLMEIER, *Christ in Christian Tradition: From the Apostolic Age to Chalcedon (451)*, trad. ingl., Atlanta, 1975, p. 541: "The early history of christological doctrine now reached its climax at the Council of Chalcedon, which was held in October of the year 451. It was the purpose of those who were responsable for the synod to put an end to the bitter internal disputes which had occupied the period after the Council of Ephesus", recordando que Éfeso había dejado sin cumplir una tarea que debería haber llevado a cabo, cuál era la de crear una fórmula dogmática que permitiera expresar la unidad y la distinción en Cristo en términos meridianamente claros, para poder contrarrestar de esta manera a largo plazo tanto el nestorianismo

no[198], sostiene que en Cristo existen dos naturalezas, dos esencias indiscutibles, la divina y la humana, sin posibilidad de integración alguna entre ambas, proclamando la doble naturaleza de Jesucristo como la única verdad de fe absoluta.

En realidad, no podemos simplificar esta disputa como una cuestión de índole religiosa puesto que se trataba de un conflicto también político, en relación con la supremacía de los patriarcas de Constantinopla y de Alejandría y los desequilibrios de poder consiguientes, así como la persecución de los considerados herejes y el enfrentamiento entre los seguidores de ambos credos, que algunos argumentan que dividió al imperio irremediablemente[199], haciendo inevitable la pérdida

como el monofisismo. Con todo, el Concilio de Calcedonia supuso una nueva disputa, incluso más, una división de la cristiandad, aunque bien es cierto que consiguió, más que cualquier otro sínodo de la iglesia primitiva, una intensa reflexión teológica que continúa todavía hoy. Por lo tanto, Calcedonia tiene un doble significado que debemos destacar: en primer lugar, en el contexto de la formulación de las doctrinas de la iglesia y, en segundo lugar, en la historia de la reflexión teológica más avanzada; vid. sobre el debate suscitado en el Concilio de Calcedonia: P. T. R. GRAY, *The Defense of Chalcedon in the East (451-553)*, Leiden, 1979; P. BROWN, *El mundo de la antigüedad tardía*, cit., pp.139-140: "En el Concilio de Calcedonia, en el 451, el emperador Marciano aprovechó la ventaja de un cambio de sesgo en la opinión griega y el apoyo de León, obispo de Roma, para humillar al patriarca de Alejandría y asegurarse así una posición dirigente para Constantinopla como primera ciudad cristiana del Imperio. El acuerdo al que se llegó en Calcedonia violentó algunas de las corrientes más profundas del pensamiento cristiano griego de aquel tiempo. El equilibrio de la cristiandad oriental se vio brutalmente trastocado. Durante las dos centurias siguientes los emperadores debieron enfrentarse a la tarea de restaurar ese equilibrio, unas veces paliando, otras ignorando los efectos del «maldito concilio», sin retomar durante algún tiempo la iniciativa que la «ciudad gobernante» se había asegurado en Calcedonia".

[198]   D. M. GWYNN, *The Council of Chalcedon and the Definition of Christian Tradition*, en *Chalcedon in Context: Church Councils 400–700*, R. Price, M. Whitby, (eds.), Liverpool, 2009, p. 20: "In reaction to and opposition against such miaphysite accusations emerged the position often described as 'Neo-Chalcedonianism' but better understood as 'Cyrilline Chalcedonianism', insisting on Chalcedon as fully in accordance with Cyril and upholding the Twelve Anathemas. This was the position affirmed by the emperor Justinian at the Fifth Ecumenical Council of Constantinople in 553".

[199]   W. BRANDES, *Orthodoxy and Heresy in the Seventh Century: Prosopographical Observations on Monotheletism*, Averil Cameron (ed.), *Fifty Years of*

de las provincias orientales en el siglo VII ante el Islam[200], mientras otros apuestan por la continuidad del imperio unido[201].


## 2.2. LA REVUELTA DE NIKÁ.

El hipódromo de Constantinopla[202], como complejo de ocio multidisciplinar en el que se celebraban las famosas carreras de cuadrigas, competiciones de atletismo, actividades musicales, acrobacias, mimo, representaciones teatrales, y otros espectáculos diversos, era el centro de reunión social más reconocido entre la población bizantina[203]. Allí se reunían los seguidores de las distintas facciones, siendo reconocibles las diferencias entre los Verdes y los Azules[204], no solo por

*Prosopography. The Later Roman Empire, Byzantium and Beyond*, Oxford, 2003, pp. 103-118.

[200]  G. OSTROGORSKY, *History of the Byzantine State*, Oxford, 1980, p. 60, señala que el conflicto entre la Iglesia diofisita (calcedoniana) de Constantinopla y las Iglesias monofisitas del Oriente cristiano dañaron gravemente a la administración bizantina en la parte oriental del Imperio, convirtiéndose el monofisismo en "A rallying cry of the Copts and Syrians in their opposition to Byzantine rule", actitud que favorecería la penetración del Islam; contra, R. ODETALLAH KHOUR, *Heresies in the early Byzantine Empire: Imperial policies and the Arab conquest of the Near East*, en *Collectanea Christiana Orientalia* 4, 2007, pp. 109-117, considera, sin embargo, que la conquista islámica de Oriente Medio se debió a factores militares y sociales de diversa índole.

[201]  P. BROWN, *El mundo de la antigüedad tardía*, cit., p. 141.

[202]  Vid. sobre este espectacular epicentro del ocio bizantino: J. B. BURY, *The History of the Later Roman Empire. From the Death of Theodosius I to the Death of Justinian*, cit., pp. 81-86; A. VOGT, *L'Hippodrome de Constantinople*, en *Byzantion* 10, 1935, pp. 471-488; R. GUILLAND, *Les Hippodromes de Byzance. L'Hippodrome de Severe et l'Hippodrome de Constantin le Grand*, en *Byzantinoslavica* 31, 1970, pp. 182-188.

[203]  A. N. RAMBAUD, *De bizantino hippodromo et circensibus factionibus*, París, 1870; El hipódromo era también utilizado como espacio político, como señala Cl. HEUCKE, *Circus und Hippodrom als politischer Raum. Untersuchungen zum grossen Hippodrom von Konstantinopel und zu entsprechenden Anlagen in spätantiken Kaiserresidenzen*, Hildesheim-Zurich-Nueva York, 1994, pp. 62-313.

[204]  Al margen de las consideraciones que ya hicimos al referir la juventud de Teodora, con respecto a las facciones y su respectiva relevancia, recomendamos de nuevo la lectura de ALAN CAMERON, *Circus Factions: Blues and Greens at*

cuestiones de índole deportiva, sino por las desigualdades religiosas, ya que los Verdes, de clara connotación monofisita, habían gozado en el pasado del favor del emperador Anastasio[205], en detrimento de los Azules, creyentes de la doctrina ortodoxa oficial ahora apoyados por Justiniano[206], de acuerdo con la percepción popular, aunque intentase a pesar de su preferencia mantener la paz entre las distintas facciones[207].

Por lo que respecta a las preferencias de la emperatriz Teodora, mostraba en toda ocasión su desprecio evocado hacia los Verdes, por

---

*Rome and Byzantium*, cit., pp. 5 ss. La obra de Cameron resulta imprescindible para poder conocer detalladamente la realidad jurídica y social de los Verdes y los Azules. Consta de dos partes y varios apéndices, en los que desentraña el significado de cada facción del circo, la composición social, la función militar, así como la inclinación religiosa, determinante para obtener en el momento adecuado el favor del emperador; como curiosidad, vid., F. GÓMEZ DEL VAL, *Justiniano contra Verdes y Azules*, en *Historia y Vida*, 289, 1992, p. 77: "En su origen, estas agrupaciones eran cuatro, y cada una simbolizaba un elemento: Los Verdes eran la Tierra; los Azules, el Mar; los Blancos, el Aire, y los Rojos, el Fuego. Posteriormente, los Blancos fueron absorbidos por los Verdes y los Rojos por los Azules. En las gradas ocupaban lugares designados desde antiguo, y eran fáciles de distinguir por los colores que enarbolaban. Y cuando el bizantino apostaba su dinero, aun por encima de sus posibilidades, a uno u otro bando lo hacía más por comprometerse ideológicamente que por ánimo de lucro".

[205] G. OSTROGORSKY, *Historia del Estado Bizantino*, trad. esp., Madrid, 1984, p. 81: "El emperador Anastasio I, cuya política económica favorecía el comercio y la artesanía y cuya política religiosa apoyaba abiertamente a los monofisitas, era amigo de los Verdes. Como consecuencia de ello, los Azules se levantaron contra él. Repetidas veces fueron incendiados edificios públicos, las estatuas del Emperador volcadas y arrastradas por las calles; en el hipódromo se produjeron varias veces manifestaciones hostiles contra la sagrada persona del Emperador: el anciano soberano fue insultado, e incluso le tiraron piedras".

[206] Procopio, *Historia Secreta*, cit., 7.1-2, p. 188: "Tal como dije en los libros previos, el pueblo estaba dividido desde antaño en dos facciones. Justiniano, asociándose a una de ellas, la de los Azules, de la que ya antes había resultado ser ferviente partidario, consiguió así confundir y alterarlo todo"; J. B. BURY, *The History of the Later Roman Empire. From the Death of Theodosius I to the Death of Justinian*, vol. 1, reimp. Londres, 1958, p. 85: "Like the princes of the early Empire, the autocrats of the fifth and sixth centuries generally showed marked favour towards one of the parties. Theodosius II was indulgent to the Greens, Marcian favoured the Blues, Leo and Zeno the Greens, while Justinian preferred the Blues".

[207] G. GREATREX, *The Nika Riot: A Reappraisal*, en *Journal of Hellenic Studies* 117, 1997, p. 65, n. 32.

haber denigrado públicamente a su familia anteriormente en dificultades económicas, evidenciando su clara afección hacia los partidarios de la facción Azul, priorizando la posición de la facción ortodoxa a pesar de su preferencia monofisita, como consecuencia del rencor rememorado de una infancia infame y miserable.

De este modo, reducir la rebelión de Nikà a un enfrentamiento religioso no tendría sentido alguno puesto que el credo monofisita de la emperatriz no tuvo nada que ver en este episodio, debido a sus divergencias claras con los Verdes, al margen de que, como veremos a continuación, se trató de un clamor colectivo de ambas facciones, por lo que reducir el levantamiento a un enfrentamiento religioso no resulta creíble en este concreto episodio[208].

A mayor abundamiento, las facciones o masas (demoi)[209], desempeñaban un papel importante, al margen de su partidismo fanático

---

[208]  La generalidad de la doctrina considera como motivo principal de la sedición el conflicto permanente de la población -representada en sus respectivas facciones- con la administración y su autoritarismo creciente; J. B. BURY, *The History of the Later Roman Empire. From the Death of Theodosius I to the Death of Justinian*, cit., vol. 2, p. 39, indica que el conflicto de Nikà: " Was the result of widely prevailing discontent with the administration".

[209]  Vid. G. MANOJLOVIC, H. GRÉGOIRE, *Le peuple de Constantinople*, en *Byzantion* 11, 2, 1936, pp. 621-634, en donde aclara que las facciones, *demoi*, ya estaban armadas desde la revuelta de Gainas en el 400, lo que incidiría sin duda en el aumento de la violencia en los sucesivos disturbios; R. GUILLAND, *Etudes sur l'Hippodrome de Byzance. Les spectacles de l'Hippodrome. VIII. Les Factions à l'Hippodrome*, en *Byzantinoslavica* 29, 1968, pp. 24-33.

deportivo[210], con actividades públicas en la administración[211], y como complemento necesario de las funciones realizadas por el Emperador. Así, lo aclamaban cuando presidía e inauguraba los juegos, carreras y espectáculos, independientemente de si estaban o no organizados por ellas. Bajo la dirección del prefecto de la ciudad, aseguraban la protección del soberano fuera del palacio, acompañándolo en su tránsito por la ciudad con aclamaciones rituales. También dirigían

---

[210] Vid. con respecto al sectarismo partidista de las facciones, Procopio, *Historia de las Guerras, Libros I-II. Guerra persa*, introducción, traducción y notas de F. A. García Romero, Madrid, 2000, 1.24.2-7, pp. 139-142: "La población de cada ciudad, desde muy antiguo, estaba dividida entre «azules» y «verdes», pero no hace ya mucho tiempo que, por estos colores y por las gradas en que están sentados para contemplar el espectáculo, gastan su dinero, exponen sus cuerpos a los más amargos tormentos y no renuncian a morir de la muerte más vergonzosa. Se pelean con sus rivales, sin saber por qué corren ese peligro, pero dándose plena cuenta de que, aun cuando superaran a los enemigos en la pelea, lo que les espera es que los lleven de inmediato a la cárcel y al final los hagan perecer torturados de la peor manera. Lo cierto es que el odio que les brota hacia personas muy próximas no tiene justificación, y permanece irreductible durante toda su vida, sin ceder ni siquiera ante vínculos de matrimonio, ni de parentesco, ni de amistad, aunque sean hermanos o algo semejante los que defienden colores distintos. Y no hay nada humano ni divino que les importe, comparado con que venza el suyo. Aun en el caso de que alguien cometa un pecado de sacrilegio contra Dios, o la constitución y el estado sufran violencia por parte de los propios ciudadanos o de enemigos externos, o incluso si ellos mismos se ven quizá privados de cosas de primera necesidad, o su patria es víctima de las circunstancias más nefastas, ellos no hacen nada, si no le va a suponer un beneficio a su bando: que así es como llaman al conjunto de sus partidarios. En este fanatismo también se unen a ellos sus esposas, que no sólo secundan a sus maridos, sino que incluso, si tercia, se les enfrentan, aunque no vayan nunca a los espectáculos ni las induzca ningún otro motivo; de modo que a esto no puedo darle otro nombre que enfermedad del alma. Pues bien, así es como poco más o menos están las cosas en las ciudades y en cada una de las poblaciones".

[211] G. OSTROGORSKY, *Historia del Estado Bizantino*, cit., p. 80: "Los partidos populares de los Azules y Verdes, cuyos caudillos eran nombrados por el gobierno, ejercían también importantes funciones públicas prestando servicio en la milicia urbana y tomando parte en la construcción de las murallas de la ciudad. El núcleo de los 'demos' parece haber sido formado precisamente por las fracciones de la población organizada en milicia urbana. Alrededor de este núcleo se agrupaban en ambos partidos, la mayor parte de la población urbana adhiriéndose a los Azules o Verdes, defendiendo a uno de los partidos y luchando contra el otro".

las aclamaciones que saludaban al nuevo emperador[212], y los triunfos
al soberano que obtenía una victoria militar[213], calmando el griterío

---

[212]  R. GUILLAND, *Etudes sur l'Hippodrome de Byzance. Les spectacles de
l'Hippodrome. VII. Le couronnement des empereurs*, en *Byzantinoslavica* 28,
1967, pp. 262-277; Av. CAMERON, *Images of Authority: Elites and Icons in
Late Sixth-Century Byzantium*, en *Past & Present*, 84, 1979, p. 8. n. 18, en donde
señala las diferencias entre la coronación de Justiniano celebrada en el interior
del palacio imperial y otras ceremonias llevadas a cabo en el hipódromo: "Justinian was elevated during the lifetime of Justin I and would have been crowned
by him inside the palace, whereas inaugurations of "new" emperors took place
in public in the Hippodrome"; vid. con respecto al simbolismo de las ceremonias
bizantinas, Janet Nelson, *Symbols in Context*, en *Studies in Church History*, 13,
1976, pp. 98-9.

[213]  Bien es cierto que el triunfo aquí señalado lo debemos tomar como un débil reflejo del arcaico triunfo de la antigua Roma, aunque sepamos del evento triunfal
celebrado en el hipódromo a Belisario, después de su victoria frente a los Vándalos africanos, ya que la culminación del acto fue la postración del general victorioso ante Justiniano. En la época republicana, el triunfo era un reconocimiento
magistral reservado a los cónsules, generales victoriosos ante el enemigo, pero
ya desde la época del emperador Augusto se reservó tal insigne reconocimiento
sólo para los emperadores. Desde entonces, los generales fueron acreedores de
una insignia, *ornamenta triumphalia*. Ello significa que, en realidad, a diferencia
del ancestral triunfo romano, el bizantino era otorgado al emperador, y no al general que había conseguido la victoria, por lo que fue Justiniano el investido con
el manto triunfal; vid. sobre el triunfo romano, M. BEARD, *El triunfo romano.
Una historia de Roma a través de la celebración de sus victorias*, trad. esp., Barcelona, 2012; acerca del episodio *ad honorem* tributado a Belisario, Procopio,
*Historia de las Guerras. Libros III-IV. Guerra Vándala*, introducción, traducción
y notas de J. A. Flores Rubio, reimpr., Madrid, 2006, 4.9.1-4, 11-13, pp. 240-
242: "Belisario, al llegar con Gelimer y los vandalos a Bizancio, fue considerado
merecedor de las honras que en épocas anteriores se les habían dispensado a los
generales romanos que ciñeron coronas por las victorias más importantes y so-
nadas. Hacía ya mucho tiempo, alrededor de seiscientos años, que nadie recibía
tales honras, si exceptuamos a Tito, a Trajano y a todos los demás emperadores
que movilizaron su ejército contra alguna nación bárbara y vencieron. Y, en
efecto, haciendo gala del botín y de los prisioneros de guerra, Belisario condujo
por medio de la ciudad el desfile que los romanos llaman 'triunfo', pero no a
la antigua usanza, sino a pie desde su casa hasta el hipodromo, y, una vez alli,
camino de nuevo desde los arrancaderos hacia el sitio justo donde está el trono
imperial... Una vez que Gelimer estuvo ya en el hipódromo y vio al emperador
sentado en su encumbrado palco y al pueblo de pie a ambos lados y comprendió,
mirando a su alrededor, en que miserable situación se encontraba, ni se puso a
llorar ni a lamentarse, pero no dejo de repetir, conforme a la Sagrada Escritura de
los hebreos: 'Vanidad de vanidades, todo es vanidad' (*Eclesiastés*, 1.2). Cuando

ensordecedor cuando la población se extralimitaba en su reconocimiento. Incluso gozaban de la prerrogativa de ingresar a palacio para amenizar cenas y bailes, proximidad que otorgaba a las facciones una posición muy importante en las relaciones del emperador con su pueblo[214], normalmente excluido del palacio imperial, demostrando la relevancia de pertenecer a la facción elegida por el titular del trono imperial.

Por ello, los sucesivos emperadores, conocedores del inmenso poder de estas organizaciones formadas por elementos populares[215], que

---

llegó bajo el palco imperial, lo despojaron de la púrpura y lo obligaron a caer de bruces en reverencia al emperador Justiniano. Y esa reverencia también la hacía Belisario, que se había quedado acompañándolo como un suplicante del emperador"; con todo, el mismo Procopio refiere, con posterioridad, el nombramiento de Belisario como cónsul, con una celebración -según el autor palestino- acorde con la tradición romana, es decir, equiparándola al triunfo, aunque en realidad sea equivalente a la celebración del ascenso al consulado; Procopio, *Historia de las Guerras*, cit., 4.9.15-16: " Poco después, Belisario celebró también el triunfo con arreglo a la antigua costumbre. En efecto, accedió al consulado y vino a ser portado a hombros por los prisioneros y, mientras lo llevaban en la silla curul, él iba lanzándole al pueblo el propio botín de la guerra contra los vándalos. Objetos de plata, cinturones de oro y una gran cantidad del resto de las riquezas vándalas, de todo eso se apoderó el pueblo a empellones a raíz del consulado de Belisario y así pareció restablecerse algo que ya no era costumbre desde hacía tiempo. Esto fue, pues, y de este modo lo que ocurrió en Bizancio".

[214] J. HERRIN, *Byzance: le palais et la ville*, en *Byzantion* 61, 1, 1991, p. 219, otorga a las distintas facciones la posición de portavoces de la ciudadanía, como canales de transmisión del descontento o fervor popular hacia el emperador, lo que les otorgaba una posición de indudable fortaleza en la organización social bizantina, ya que podían manipular la opinión de la ciudadanía en favor o en contra del soberano: "En particulier, donne aux factions la possibilité de dénoncer, de critiquer l'empereur, ou simplement de manifester contre lui la colère des habitants de le ville. Cela se passe surtout dans l'Hippodrome, où les factions contrôlent les événements et dirigent les passions de la foule des spectateurs".

[215] No creemos que la diferencia entre Verdes y Azules viniese dada por una desigualdad social evidente entre las mismas, reconociendo de forma tajante en los Azules un partido aristocrático y en los Verdes el popular, formado por las clases inferiores, considerando acertada la reflexión de G. OSTROGORSKY, *Historia del Estado Bizantino*, cit., pp. 80-81, aunque después de tildar de error tal diferencia por estamentos sociales, declare: "En ambos partidos, la mayor parte estaba formada por las masas populares, pero en el partido de los Azules la capa dirigente parece haber estado formada principalmente por los representantes de la vieja aristocracia senatorial terrateniente grecorromana, y en el partido de los Verdes por los representantes del estamento comercial y artesanal así como por

trascendían el concepto de partido para configurarse como una inmensa masa de población[216], entusiásticamente enfervorizada que optaba por una facción *in aeternum*, utilizaron el refrendo de las mismas
para hacer y deshacer a su antojo gracias al ciego apoyo de los 'socios'
integrantes de cada facción, intentando manejar con discreción y habilidad los desencuentros continuos entre los partidarios de diferentes
facciones, condenando los abusos superlativos, pero permitiendo subrepticiamente algunos de los excesos cometidos por ambas partes[217],
siempre y cuando no superasen determinados límites de comprensión
imperial.

Esta rivalidad, en absoluto superficial ni delimitada en discrepan-
cias de tipo deportivo, sino concentrada en abismales divergencias de
tipo político y también teológico[218], se acrecentaba en varios frentes:
en primer lugar, en su origen confesional, con mensajes incendiarios
propagados por religiosos que incrementaban la tasa de violencia
de las calles de la ciudad[219], y por añadidura, en la continua exac-

---

los elementos advenedizos al servicio de la Corte y de la administración financie-
ra y que procedían en su mayoría de las regiones orientales del imperio".

216   F. WILKEN, *Über die Partheyen der Rennbahn, vornehmlich im Byzantinischen
Kaiserthum*, Berlín, 1829, pp. 26-27, en donde remarca la extraordinaria dimen-
sión de estas asociaciones en principio deportivas, a las que se les ofrecía como
divertimiento, además de las carreras previstas, la presencia de pantomimas y las
danzas relacionadas con estas representaciones mímicas.

217   Procopio, *Historia Secreta*, cit., 7.15 42, pp. 190-194, explica el *modus operandi*
de las facciones, que actuaban como bandas de delincuentes, aunque algunos
miembros no compartiesen esta forma de proceder, portando armas y despo-
jando a sus víctimas de todo objeto de valor, casi siempre con total impunidad.
En el caso concreto de Justiniano, su favoritismo hacia los Azules provocaba los
excesos cometidos por éstos, que incluso fueron promovidos a magistraturas y
otros cargos del *cursus honorum* bizantino.

218   B. BALDWIN, *A Note on the Religious Sympathies of the Circus Factions*, en
*Byzantion* 48, 1978, pp. 275-276; P. HATLIE, *Monks and Circus Factions in
Early Byzantine Political Life*, en *Monastères, images, pouvoirs et société à Byzance*, M. Kaplan (dir.), París, 2006, pp. 17 ss., explica los motivos para realizar
una comparación entre dos grupos tan diferentes, el de los monjes y las facciones
del circo, que sin embargo, estaban unidos por un objetivo común, la protesta
popular, utilizándose mutuamente para conseguir un mayor y mejor impacto en
sus reivindicaciones.

219   ALAN CAMERON, *Circus Factions, Blues and Greens at Rome and Byzantium*,
cit., p. 291: "It was the monks, not the factions, who elevated urban violence
into one of the major problems of the late Roman world... accustomed both the

ción fiscal ciudadana para hacer frente a las negociaciones en política exterior, incrementando la creciente tensión social del imperio bizantino[220].

La ubicación del Hipódromo, en las inmediaciones del palacio imperial, da cuenta de la importancia social otorgada al recinto recreativo, núcleo de esparcimiento popular, en el que la ciudadanía daba rienda suelta a sus preferencias deportivas, gozaba del apoyo colectivo de la facción a la que pertenecía y disfrutaba de las diversiones públicas[221], antes de retornar a la rutina cotidiana gravosa, además de utilizarse como espacio de propaganda política[222], aprovechando las posibilidades contenidas en el populoso, reconocido y transitado recinto.

En este monumental epicentro deportivo era donde se manifestaba de forma más evidente la dualidad conflictiva social presente en la Nueva Roma[223], así como el descontento popular con las dificultades

---

inhabitants and authorities of late Roman cities almost to expect a certain level of violence during popular disorders".

[220]  Av. CAMERON, *Images of Authority: Elites and Icons in Late Sixth-Century Byzantium*, cit., pp. 26-27: "By contrast Justinian's reign presents agonistic features of society which by the latter part of the century were resolution".

[221]  Hemos visto, al referir la primera juventud de Teodora, como procedía de una familia de artistas de ínfima consideración social, relacionados en su trabajo con el Hipódromo de Constantinopla: su padre, como cuidador de osos de la facción de los Verdes, la propia Teodora y sus hermanas como actrices de un mimo burlesco relacionado con el sexo más que con el puro o frugal divertimento. Y el Hipódromo, como pasatiempo, con sus luces y sombras, de acuerdo con las apetencias de un público deseoso de resarcirse en el recinto y su entorno de una asfixiante y mediocre cotidianeidad.

[222]  Vid. sobre el aprovechamiento político de este edificio: CL. HEUCKE, *Circus und Hippodrom als politischer Raum. Untersuchungen zum grossen Hippodrom von Konstantinopel und zu entsprechenden Anlagen in spätantiken Kaiserresidenzen*, cit., pp. 62-313.

[223]  La personificación de la Nueva y la Antigua Roma, es analizada en el hexámetro de *Paul. Sil., H. Soph.* 156-164; ALAN CAMERON, *Consular Diptychs in their Social Context: New Eastern Evidence*, en *JRA* 11, 1998, p. 396, donde enfatiza la importancia del emparejamiento: "It was Roma and Constantinopolis together who stood for the Roman empire of the East rather than just the bricks and mortar of Constantinople"; Av. CAMERON, *Old and New Rome: Roman Studies in Sixth-Century Constantinople*, en *Transformations of Late Antiquity. Essays for Peter Brown*, P. Rousseau, M. Papoutsakis (eds.), Surrey-Burlington, 2009, pp. 15 ss.

*in crescendo* que repercutían en la calidad de vida de la población bizantina, por lo que de forma paulatina, y con algún preludio esclarecedor, la resignación conocida fue desapareciendo hasta convertirse en una protesta violentamente reivindicativa, la revuelta de Nikà[224], que a punto estuvo de terminar abruptamente con el reinado de Justiniano, si no fuera por la decidida y valiente intervención de la emperatriz Teodora.

El 13 de enero del año 532 estalló la revuelta de Nikà[225]. El factor desencadenante se produjo por las condenas capitales a miembros de ambas facciones dictadas por el prefecto de la ciudad[226], conducidos

---

[224]  La insurrección de Nikà, escudriñada desde un punto de vista sociológico: C. GIZEWSKI, *Zur Normativität und Struktur der Verfassungsverhältnisse in der späteren römischen Kaiserzeit*, en *Münchener Beitrage zur Papyrus-forschung und antiken Rechtsgeschichte* 81, Munich, 1988, pp. 23 ss.

[225]  *Malalas*, 18.71, *Ioannis Malalae Chronographia,Corpus Fontium Historiae Byzantinae*, vol. 35, J. Thurn, ed., [Berlin: Walter de Gruyter, 2000], pp. 473–477, trad. ingl. E. Jeffreys, M. Jeffreys, R. Scott, *The Chronicle of John Malalas: A Translation*, en *Byzantina Australiensia*, 4, 1986, pp. 275–282; J. B. BURY, *The Nika Riot*, en *The Journal of Hellenic Studies*, 17, 1897, p. 118: "Tuesday, Jan. 13. Horse-races in the Hippodrome", fijando esta fecha como la correcta de la insurrección colectiva contra el emperador Justiniano; J. A. EVANS, *The Empress Theodora. Partner of Justinian*, cit., p. 41: "The Nika riots broke out on Tuesday, 13 January".

[226]  G. GREATREX, *The Nika Riot: A Reappraisal*, cit., p. 65: "Two key players may be singled out in the reaction of the authorities to unrest in the capital. The emperor is of course the prime figure, but the city prefect is also of great importance. The maintenance of order in Constantinople was the prefect's responsibility, and he could impose harsh measures (including the death penalty) on rioters. Ultimately, however, his position depended on the emperor: in times of riots the dismissal of a prefect was often demanded, and was an easy concession for the emperor to make. It was also just as easy to unmake, as is shown by how quickly the praetorian prefect John the Cappadocian was restored to his position after his dismissal in January 532: he was back in office before the end of the year"; G. RAVEGNANI, *Teodora. La cortigiana che regnò sul trono di Bisanzio*, cit., p. 89: "Il prefetto cittadino Eudemone, come responsabile dell'ordine pubblico, procedette all'arresto e alla condanna a morte di sette facinorosi appartenenti alle due fazioni, quattro alla decapitazione e gli altri all'impiccagione".

además en vergonzoso desfile por la ciudad[227], tres días antes[228], es decir, el 11 de enero[229], proximidad de fechas entre insurrecciones que llevaron erróneamente a parte de la historiografía a identificar ambos episodios como si fueran uno solo[230], algo que claramente no sucedió así, de acuerdo con las fuentes a nuestra disposición, y la doctrina más autorizada[231].

---

[227]   M. MEIER, *Justinian. Herrschaft, Reich und Religion*, cit., p. 48, recuerda el paseo denigrante obligado para los condenados, con la intención de recordar a la población la represión necesaria ante actos contrarios a derecho, que a la vista está que no produjeron la reacción pretendida, sino todo lo contrario: "Der Stadtpräfekt Eudaimon greift daraufhin hart durch und verurteilt sieben Aufrührer zum Tode, drei von ihnen durch Kreuzigung. Zuvor jedoch werden sie in einer Schandparade durch die Stadt geführt; die Stimmung beginnt zu kochen -war diese Entehrung wirklich nötig?".

[228]   *Malalas*, 18.71, refiere el episodio en el que un miembro de los Verdes y otro de los Azules consiguen sortear su funesta suerte gracias a una fallida ejecución y el auxilio de los monjes de un monasterio cercano, que los refugian en una iglesia urbana. El derecho de asilo no permitía acceder al recinto sagrado para perseguirlos, por lo que el prefecto tuvo que limitarse a enviar a un destacamento de soldados para que tuviesen controlado el edificio; *Theophanes, Chronographia* AM 6024, Leipzig, 1883-1885, 2 vol., 1, pp. 181–186.

[229]   Datación recogida en el documento conocido como *"Akta dia Kalapodion"*, protocolo de asambleas recogido por personal de la secretaría, preservado por completo en Teófanes, *Chronographia*, cit., y en parte en *Chronicon Paschale 284-628 A.D.*, trad. ingl., Liverpool, 1989, p. 620, con un debate recomendable llevado a cabo por los traductores Michael Whitby y Mary Whitby, en pp. 113-114.

[230]   E. GIBBON, *The decline and Fall of the Roman Empire*, cit., pp. 391 ss; T. HODGKIN, *Italy and her invaders*, Oxford, 1895, vol. 3, reimp., Nueva York, 2009, pp. 618 ss.

[231]   A. SCHMIDT, *Der Aufstand in Constantinopel unter Kaiser Justinian*, cit. p. 47: "Schon Sonntag den 11 (532) wurde nach dem herkommen eine Borverssammlung oder Mussterung der Rennparteien im Circus veransstaltet", relatando minuciosamente lo sucedido con anterioridad al día 13 como punto de partida para la revuelta posterior; J. B. BURY, *The Nika Riot*, en *The Journal of Hellenic Studies*, cit., p. 106: "The beginning of the tumult, the union of the Blues and Greens, the formal declaration of that union in the Hippodrome, took place on the 13th of January, A.D.", añadiendo a continuación que la celebración en la que los Verdes presentaron sus quejas ante Calapodius tuvo que suceder no más tarde del día 11, mostrando su disconformidad con la postura de otros historiadores que confundieron la primera escena del hipódromo, descrita por Teófanes y acaecida el día 11, como si fuera la misma que se produjo el 13 de enero del 532, descrita por Malalas. En p. 118, insiste en la cronología sucesiva de los acontecimientos de enero de 532, acaecidos en el marco temporal de 8

La sublevación colectiva, protagonizada por los miembros de las facciones anteriormente rivales, los Verdes y los Azules, ahora unidos en la misma contienda de odio y rencor hacia el emperador, comenzó en el hipódromo, en los idus de enero[232], durante la celebración de una carrera de cuadrigas. La muchedumbre presente en el recinto, después de pedir a Justiniano, presente en la tribuna imperial exclusiva, la *Kathisma*, que mostrase clemencia y otorgase su perdón a los condenados[233], y después de no obtener una respuesta satisfactoria a los intereses de los miembros de cada facción, convirtió la conflictividad perenne en una insólita alianza dirigida furibundamente contra

---

días, que comenzaron "On Sunday, January 11... Altercation of Justinian with the Greens. In the evening a number of criminals, both Blues and Greens, are executed by the Prefect of the City, clearly in consequence of the scene in the circus and with the political purpose of showing the Emperor's impartiality to both Demes. The rescue of a Blue and a Green to the Asylum of St. Laurence. [The interval of a day gives the Demes time to concert joint action to obtain the pardon of the two condemned men]"; esta posición es apoyada por J. A. S. EVANS, *The Age of Justinian. The Circumstances of Imperial Power*, Londres-Nueva York, 1996, p. 119; el único problema que existe con esta datación, como pone de relieve E. STEIN, *Histoire du Bas- Empire. Tome II: de la disparition de l'empire d'Occident à la mort de Justinien (476-565)*, cit., p. 450. n.1, es que no se celebraban juegos en domingo, por lo que data el *Akta* en sábado, con la consiguiente ejecución de los condenados en ese mismo día. Sin embargo, J. A. EVANS, *The Empress Theodora. Partner of Justinian*, cit., p.129, plantea una seria objeción al respecto: "The *Akta* show the emperor's overt partiality, whereas the urban prefect's action shows that imperial policy had changed to one of the neutrality and arrests had been made of both Green and Blue malefactors", proponiendo como posibles soluciones, bien desconectar el *Akta* de la revolución de Nikà por completo, o la opción de dejar tiempo suficiente entre el *Akta* y la rebelión, para poder fijar la ejecución fallida en el sábado 10 de enero.

232    J. A. EVANS, *The Empress Theodora. Partner of Justinian*, cit., p. 42: "Then, in the Hippodrome on the Ides of January (Tuesday, 13 January), the Blues and Greens, who had the weekend to coordinate tactics", es decir, que estuvieron preparando su puesta en escena para rogarle a Justiniano el perdón imperial de sus correligionarios, lo que da cuenta de la falta de previsión a la hora de organizar la carrera en ese clima de elevada tensión social.

233    Que habían escapado de su funesto destino, como concreta J. BURY, *The History of the Later Roman Empire. From the Death of Theodosius I to the Death of Justinian*, cit., vol. 2, p. 40, gracias a "The monks of St. Conon, which was close to the place of execution", ofreciéndoles refugio "in the asylum of St. Laurentius" en Constantinopla, a salvo de su captura por tratarse de un lugar santo, pero como solución temporal, ya que no podían permanecer para toda la vida en el sagrado recinto.

el emperador. Ya no había ninguna facción contraria, sino un deseo unívoco de todos los presentes en el recinto deportivo de arrasar con la injusticia flagrante del máximo gobernante.

Procopio, conocedor de la imprevista sublevación, y con la intención como cronista de referir consecuentemente la violenta insurrección ciudadana[234], comienza así su relato: "Por entonces, la autoridad pública constituida en Bizancio apresó a algunos sediciosos y los condeno a muerte. Pero los de una y otra parcialidad, tras concertarse y pactar una tregua entre ellos, se apoderan de los encarcelados y, entrando de inmediato en la cárcel, liberan a todos los reclusos arrestados por sedición o por cualquier otra fechoría. A los guardias que sirven a las órdenes de la autoridad ciudadana, se pusieron a matarlos sin ninguna consideración, mientras que los pocos ciudadanos honrados que quedaban se dieron a la huida a la tierra firme de enfrente; y la ciudad fue entregada a las llamas, lo mismo que si lo hubiera sido por enemigos. La iglesia de Santa Sofía[235], los Baños de Zeuxipo y, en el palacio imperial, desde los Propíleos hasta la llamada Casa de Ares, todo eso fue consumido por el fuego; y, además de esto, los dos grandes pórticos que llegan hasta la plaza que se llama «de Constantino» y muchas mansiones de gente rica y grandes tesoros"[236].

---

[234] Si bien es cierto que su descripción resulta demasiado breve y concisa en lo que respecta al primer estallido de la revuelta; vid. al respecto, J.B. BURY, *The Nika Riot*, cit., p. 94: "Procopius summarizes the tumults and conflagrations of the first days of the rebellion... he omits altogether the scene in the Hippodrome on Jan. 13".

[235] E. STEIN, *Histoire du Bas- Empire. Tome II: de la disparition de l'empire d'Occident à la mort de Justinien*, cit., p. 452, destaca la reducción a cenizas de Santa Sofía, así como de otros monumentos de espléndida construcción, como uno de los resultados más nefastos, consecuencia de la turba imparable de destrucción que asoló Constantinopla durante la revuelta; F. GÓMEZ DEL VAL, *Justiniano contra Verdes y Azules*, cit., p. 79: "Aquella misma noche fue incendiada la catedral de Santa Sofía, por el mero hecho de ser el Templo Imperial, y el fuego alcanzó la llamada 'Puerta de Bronce', por la que se accedía al Palacio desde la Basílica, y muchos soldados perecieron defendiendo su cuartel, emplazado tras este gran vestíbulo, y sólo la valiente actuación del general Mundo evitó a duras penas su caída".

[236] Procopio, *Historia de las Guerras, Libros I-II. Guerra persa*, cit., 1.24.7-10, p. 142.

En ese momento, conscientes de la gravedad de la revuelta, y de las imprevisibles consecuencias de la misma, el emperador Justiniano, su esposa Teodora, y algunos miembros del Senado se encerraron en el palacio, pero si bien Procopio declara que permanecieron tranquilos, pudiera ser que la calma palaciega imperase en un primer momento después de la ingrata sorpresa de la sublevación ciudadana, pero con el paso de las horas dudamos mucho de la existencia de serenidad alguna.

En relación con el traslado para guarecerse de la violencia colectiva, parece ser que el tránsito desde el hipódromo a palacio resultaba una ruta fácil para la familia imperial, por cuanto la tribuna o palco *Kathisma*[237], desde donde se presenciaban los eventos deportivos, estaba intercomunicada con el recinto imperial. Tendría sentido pensar en esa posible interconexión, previsible para la protección del titular del trono y en este caso para proceder a una fuga rápida y segura.

Con todo, no resulta clara la posible intercomunicación entre el hipódromo y el palacio imperial. En este sentido, algún autor apuesta por una configuración separada entre ambos edificios[238], sin comunicación directa, de acuerdo con el testimonio de Procopio[239], en el que destaca que mientras Justiniano I y su corte quedaban aislados en el Gran Palacio, el pueblo, sublevado en el hipódromo, entronizaba a su pretendiente, Hipacio, en la *kathisma*.

Sin embargo, el mismo autor palestino se contradice poco después[240], al informar que cuando Belisario trató de llegar desde el

---

237  G. GREATREX, *The Nika Riot: A Reappraisal*, cit., pp. 69-70: "This was an easy move to make, since the imperial palace was connected to the kathisma in the hippodrome. In the face of a riot the patriarch Macedonius in 510 Anastasius had likewise shut himself".

238  G. DAGRON, *Naissance d'une capitale: Constantinople et ses institutions de 330 a 451*, cit., p. 319, n. 1.

239  Procopio, *Historia de las Guerras, Libros I-II. Guerra persa*, 1.24.42, p. 148: "Pues bien, cuando Hipacio llegó al Circo, subió en seguida a donde el emperador suele situarse y se sentó en el trono imperial, desde donde el emperador también siempre ha tenido por costumbre contemplar las competiciones hípicas y gimnásticas".

240  Procopio, *Historia de las guerras, Libros I-II. Guerra persa*, cit., 1.24.44-45, pp. 148-149: "Belisario, primero, subió derecho hacia el propio Hipacio y el trono imperial y, al acceder a la zona contigua, justo donde hay desde antaño un

palacio hasta la *kathisma,* refugio del usurpador Hipacio, no pudo atravesar la entrada, no porque estuvieran incomunicados el hipódromo y el palacio, sino por la negativa de los guardias del recinto, que querían mostrarse absolutamente neutrales con lo que estaba sucediendo, sin tomar partido por ninguna de las partes en conflicto, información que abunda en la tesis de un espacio intercomunicado entre la tribuna del hipódromo y el palacio que parece razonable a efectos de proteger a la familia imperial[241].

Lo cierto y verdad es que el pueblo, clamando contra las injusticias, con su grito ensordecedor 'NIKÀ'[242], palabra griega que significa 'Victoria'[243], clamor triunfal de los insurrectos entonado repetidamente durante la sangrienta revuelta, tuvo que provocar pavor entre la población que directamente no participaba en la manifestación colectiva ininterrumpida, originando el caos y la desolación en la ciudad de Constantinopla, así como un pánico justificado en la familia imperial y la corte de Justiniano que percibía el odio de los insurgentes de forma real.

---

puesto de guardia, les ordenó a gritos a los soldados que le abrieran la puerta. Pero, como los soldados estaban resueltos a no apoyar a ninguno de los dos hasta que uno de ellos se alzara con la victoria, aparentaron no oírle y lo dejaron plantado".

241    F. GÓMEZ DEL VAL, *Justiniano contra Verdes y Azules,* cit., p. 79: "El "cathisma" o tribuna imperial, unida por galerías, escaleras y un patio ajardinado al propio Palacio".

242    M. MEIER, *Justinian. Herrschaft, Reich und Religion,* cit. p. 48: "Unter der parole Nika (Sieg!), schliessen sich die Gruppen zusammen und stürmen aus dem Zirkus. Ziel ist das Prätorium, der Sitz des Stadtpräfekten an der Mese. Dort wird erneut die Freilassung der Delinquenten gefordert -wiederum erfolgt keine Reaktion. Daraufhin setzt die Menge das Gebäude in Brand. Der Aufstand hat begonnen", deduce que la violencia fue aumentando progresivamente, de acuerdo con cada decepción sufrida por el grupo insurrecto. De hecho, el primer objetivo era la sede del prefecto pretorio de la ciudad, y solo después de que no accediese a la liberación de los apresados, la multitud prende fuego al edificio, comenzando realmente en ese momento la revuelta de Nikà.

243    E. STEIN, *Histoire du Bas-Empire. Tome II: de la disparition de l'empire d'Occident à la mort de Justinien,* cit., pp. 450-451, recuerda que las facciones del circo solían aclamarse a sí mismas en griego, mientras que la aclamación correspondiente al discurso del emperador se realizaba en latín, *'tu vincas'.*

Fueron un total de ocho días de sublevación[244], salpicados de saqueos, destrucción, incendios, agresiones y muertes, en un infierno provocado por una turba, desorganizada en el método, pero unívoca a la hora de ejecutar su furor irracional provocando aflicción, angustia, desconsuelo y tribulación con crudeza total, sin atisbo de arrepentimiento alguno, como multitud embriagada de un concepto equívoco de impartir justicia.

Sirva como ejemplo de la locura desatada y del desenfreno sin un objetivo claramente definido[245], la actitud abrumadoramente indife-

---

[244] J. B. BURY, *The Nika Riot*, cit., pp. 118-119, plantea un cronograma minuciosamente descriptivo del probable curso de los acontecimientos en la revolución de Nikà. Así, el domingo 11 de enero, Justiniano habría tenido el altercado con los Verdes, antecedente directo de la posterior rebelión. El martes 13 de enero, durante la carrera de cuadrigas en el hipódromo (p.118): "Vain appeal to the Emperor for mercy and open declaration of the union of the *Prasino-venetoi*". El miércoles 14 de enero se corresponde con la destitución de Juan de Capadocia y Triboniano para calmar a los exaltados, sin efecto alguno, puesto que los sublevados se disponen a destituir a Justiniano. El jueves 15 (p. 119), "Belisarius and his Heruls and Goths issue from the Palace", luchando en las calles de Constantinopla, también el viernes 16, en el que se recrudecen los enfrentamientos; el sábado 17 de enero continúan los combates, mientras por la noche Hipacio y Pompeyo abandonan el palacio imperial; el domingo 17, antes del amanecer, Justiniano reaparece en el Hipódromo, sin lograr sofocar la rebelión. Se produce la aclamación de Hipacio como nuevo emperador y Justiniano se plantea la huida, que no se lleva a cabo gracias a la brillante intervención de la emperatriz Teodora. Ese mismo día se sofoca la rebelión mediante la intervención militar; el lunes 18 de enero, epílogo de la revuelta, "Execution of Hypatius and Pompeius, before day-break. According to the Continuator of Zacharias of Mytilene, Justinian wished to spare them but Theodora interfered; swearing by God and by him, she urged him to kill them", asegurando de acuerdo con este testimonio, que fue Teodora la que evitó el perdón de Justiniano, conminándole a ajusticiar a los traidores al emperador.

[245] A. CAMERON, *Circus Factions: Blues and Greens at Rome and Byzantium*, cit., p. 186, considera que la exigencia de la destitución del prefecto del pretor y de Triboniano indica una manipulación senatorial de las facciones: "Almost certainly senatorial agents", lo que ayudaría a mantener la tesis de una sedición con una concreta finalidad, seguramente la de derrocar al emperador; J. MARTINDALE, *Public disorders in the late Roman empire*, Oxford, 1960, p. 87, sugiere que los sublevados pudieron haber presentado el nombre de Triboniano para ser depurado, sabiendo de su cercanía al emperador; con todo, G. GREATREX, considera que no hay nada nuevo en realizar peticiones a un emperador para que destituya a funcionarios impopulares, puesto que se conocen episodios parecidos

rente demostrada ante la destitución llevada a cabo por Justiniano, de forma fulminante, de Juan de Capadocia, prefecto del pretorio, y de Triboniano, *quaestor sacri palatii*, personajes absolutamente relevantes en la organización administrativa imperial[246].

El intento de aplacar los ánimos de los insurrectos con la remoción de tan ilustres e insignes notables -de cuya presencia renegaban por toda la ciudad y a decir de Procopio, la recorrían buscándolos con la intención de acabar con su vida- no consiguió el resultado perseguido[247], continuando la sedición colectiva sin señal alguna de rendi-

---

en tiempos de Justino I, sin que ello implicase como objeto principal la remoción del gobernante.

[246] El hecho de que Justiniano los destituyese a fin de salvar su trono, da cuenta del conocimiento popular de ambos, y de su elevada posición en la escala social jerárquica, tanto como para elegir su entrega como moneda de cambio a los sediciosos para conseguir su pacificación. Sin embargo, la presentación que de ellos hace Procopio, *Historia de las guerras, Libros I-II. Guerra persa*, cit., 1.24.11.16, resulta deplorable, al margen de su sarcasmo característico, destacando como insuperables sus defectos y con ausencia total de virtud alguna: "Por entonces, era prefecto del pretorio Juan de Capadocia; Triboniano, por su parte, de origen panfilio, era consejero del emperador («cuestor» lo llaman los romanos). El primero de ellos, Juan, estaba ayuno de estudios liberales y de cultura, pues por no haber asistido más que a las clases del maestro de primera enseñanza, no aprendió sino las letras, y aun éstas mal y de mala manera; pero por sus facultades naturales había llegado a ser el más poderoso de todos los que nosotros hemos conocido. Y es que era también el más capacitado para decidir lo que se debía y para encontrar solución a los problemas. Así, se había convertido en el más perverso de todos los hombres y aprovechaba para ello sus dotes naturales; y ni la palabra de Dios ni un cierto respeto a los seres humanos le llegaban al alma: aniquilar las vidas de muchos hombres y destruir ciudades enteras, ésa era su preocupación. El caso es que, tras cubrirse en poco tiempo de grandes riquezas, se hallaba engolfado en una existencia de crápula sin freno: hasta la hora del almuerzo saqueaba las haciendas de sus súbditos y el resto del día dedicaba su ocio a emborracharse y a entregar su cuerpo a prácticas licenciosas. No tenía fuerzas para controlarse, sino que engullía la comida hasta vomitar; y a robar dinero estaba siempre dispuesto, y a tirarlo y malgastarlo más dispuesto todavía. Así era Juan a grandes rasgos. Triboniano, por su parte, aprovechaba también sus dotes naturales y su nivel cultural no era inferior al de ninguno de sus contemporáneos; pero por sus inclinaciones endiabladamente codiciosas era capaz de vender siempre la justicia por su lucro personal: en lo tocante a las leyes cada día, desde muy atrás, se dedicaba a abolir unas y proponer otras, cobrando estos servicios a los solicitantes según la petición de cada cual".

[247] Procopio, *Historia de las guerras, Libros I-II. Guerra persa*, cit., 1.24.18-19: "Fue por eso por lo que, con idea de ganarse al pueblo, el emperador en aquel

ción. Bien es cierto que se trató de una política efectista, deponiendo a funcionarios poderosos a fin de conseguir el perdón del pueblo[248], pero la estratagema fue única y exclusivamente eso, puesto que en cuanto terminó el brutal episodio de la revolución ciudadana, Juan de Capadocia y el célebre jurista Triboniano recuperaron sus puestos de forma inmediata.

En ese caos precipitado, alguien debió proponer el derrocamiento del tirano, para la muchedumbre encarnado en la figura de Justiniano al no acceder a sus peticiones de clemencia, y el nombramiento de otro emperador más receptivo y sensible a los ruegos de la población. Así llegamos, después de un nuevo fallido intento de Justiniano de aplacar la violencia con la promesa de una amnistía general a los insurrectos[249], a la aclamación como emperador de Hipacio[250], sobrino

---

mismo momento destituyó a ambos de sus cargos. Y nombró prefecto del pretorio a Focas, un patricio, discretísimo él y capacitado de natura para administrar justicia; a Basilides, por su parte, le mandó desempeñar el cargo de cuestor, siendo como era célebre entre los patricios por su ecuanimidad y apreciado por otras razones. Así y todo, la sedición contra aquellos dos no dejaba de estar en pleno apogeo"; A. SCHMIDT, *Der Aufstand in Constantinopel unter Kaiser Justinian*, cit., p. 59, da cuenta de la estrategia de Justiniano y del nulo resultado de la misma, que no solo no consiguió calmar a la masa colectivamente conturbada, sino que el efecto contrario fue la aclamación de Hipacio como nuevo emperador.

[248] J. B. BURY, *The History of the Later Roman Empire. From the Death of Theodosius I to the Death of Justinian*, cit., vol. 2, pp. 41-42: "These concessions would probably have satisfied the factions and ended the trouble, like similar concessions in previous reigns, if the decision had depended solely on the leaders of the Blues and Greens. But the movement now wore an aspect totally diferent from that of the previous day. We saw how the city had been filled by throngs of miserable country folk from the provinces who had been ruined by the fiscal administration of the Praetorian Prefect and were naturally animated by bitter resentment against the Emperor and the government. It was inevitable that they should take part in the disturbances ; it was at least a good opportunity to compass the fall of the detested Cappadocian; and the riot thus assumed the character and proportions of a popular rising".

[249] J. A. S. EVANS, *The Age of Justinian. The Circumstances of Imperial Power*, cit., p. 19: "Sunday arrived. Justinian made a last effort to appease the mob, appearing in the imperial loge in the Hippodrome with the Gospels in his hands and promising to accede to the demands of the people and grant the rioters amnesty. But the mob replied with insults".

[250] J. A. EVANS, *The Empress Theodora. Partner of Justinian*, cit., p. 44: "Flavius Hypatius, the eldest nephew of Anastasius, had a long military career, although hardly a distinguished one. He was a cautious officer of only moderate ability

de Anastasio[251], por parte de la multitud sublevada, sin ningún tipo de refrendo legal, que se lleva a cabo en el exterior, en el hipódromo, mientras continúa el encierro forzoso de Justiniano y miembros de su corte en palacio.

Justamente, será en esa reclusión forzada en donde se produzca el momento trascendental que glorificará la posición de Teodora[252], el espléndido discurso de la emperatriz que la convertirá en mito y símbolo de fortaleza y determinación para la posteridad. Así, mientras el pueblo exaltado y embrutecido por la violencia grupal provoca el pavor y la destrucción por toda Constantinopla, el temor fundado a ser derrocado, con la presencia violenta ya a las puertas de palacio de

---

but had never lost the confidence of the emperors he served. When his uncle died, he was in Antioch serving as Master of the soldiers, and no one seems to have considered him seriously as Anastasius'successor, señalando que su credo parecía ser flexible, así como que fue Justiniano quién lo sustituyó al frente de las fuerzas armadas en beneficio de Belisario.

[251]  Procopio, *Historia de las guerras, Libros I-II. Guerra persa*, cit., 1.24.19.24, pp. 144-145: "Y en el quinto día de dicha sedición, hacia la caída de la tarde, el emperador Justiniano instó a Hipacio y Pompeyo, sobrinos de Anastasio, el que había regido el imperio con anterioridad, a que se fueran cuanto antes a casa, ya por sospechar que se traían entre manos alguna maquinación contra su propia persona, ya porque el destino los llevaba en esa dirección. Pero ellos, temiendo que el pueblo los forzara, como en efecto ocurrió, a asumir el imperio, le dijeron que cometerían una injusticia si abandonaban a su emperador en medio de un peligro tan grande. Al oírlo, el emperador Justiniano dio en recelar todavía más y les ordenó que se marcharan en el acto. De modo que los dos se retiraron a sus casas y durante la noche permanecieron allí tranquilos. Al amanecer del día siguiente, vino a saberse entre el pueblo que ambos se habían marchado de sus dependencias de la corte. Corrió, pues, todo el mundo hacia ellos; e iban ya aclamando como emperador a Hipacio y llevándolo a la plaza para que asumiera el poder, mientras la mujer de Hipacio, María, que era discreta y contaba con una grandísima reputación de prudencia, se agarraba a su esposo y no lo dejaba, al tiempo que entre gritos y gemidos ante todos sus allegados insistía en que el pueblo lo llevaba camino de la muerte. Aun así, arrollada por la muchedumbre, soltó ella contra su voluntad a su esposo, y a él, que también contra su voluntad había ido a la plaza de Constantino, la multitud lo llamaba a ocupar el trono imperial. Y como no tenían ni diadema ni ninguna otra cosa con las que se acostumbra coronar a un soberano, le pusieron un collar de oro sobre la cabeza y lo proclamaron emperador de los romanos".

[252]  E. STEIN, *Histoire du Bas- Empire. Tome II: de la disparition de l'empire d'Occident à la mort de Justinien (476-565)*, cit., p. 453, refiere esta ocasión como la más importante de la vida de Teodora.

partidarios de la facción verde, e incluso a ser asesinado en el fragor de la insurrección, hizo mella en el emperador Justiniano, que llegó a pensar en abandonar el trono, el 18 de enero del año 532, como la mejor opción de salir ilesos del terrible trance de la revolución.

Procopio relata con precisión el debate suscitado dentro de Palacio[253], así como las diferentes reacciones ante la posible deposición y pérdida del poder imperial: "Los del círculo del emperador estaban indecisos entre dos pareceres: si sería mejor para ellos permanecer allí o darse a la fuga en sus naves. Y se expusieron muchos argumentos en favor de uno y otro. Y Teodora, la emperatriz, dijo lo siguiente: «En cuanto al hecho de que una mujer entre hombres no debe mostrar atrevimiento ni soltar bravatas entre quienes están remisos, yo creo que la actual coyuntura de ningún modo permite considerar minuciosamente si hay que considerarlo así o de otra manera. Y es que para quienes se encuentran en un grandísimo peligro, no hay nada mejor, me parece, que ponerse las cosas lo más expeditas que uno pueda. Yo al menos opino que la huida es ahora, más que nunca, inconveniente, aunque nos reporte la salvación. Pues lo mismo que al hombre que ha llegado a la luz de la vida le es imposible no morir, también al que ha sido emperador le es insoportable convertirse en un prófugo. No, que nunca me vea yo sin esta púrpura, ni esté viva el día en el que quienes se encuentren conmigo no me llamen soberana[254]. Y lo cierto es que si

---

[253]  J. B. BURY, *The History of the Later Roman Empire. From the Death of Theodosius I to the Death of Justinian*, cit., vol. 2, p. 45: "In the meantime, another council was being held in the Palace. The situation seemed desperate. To many, including the Emperor himself, there seemed no resource but escape by sea. John the Cappadocian recommended flight to Heraclea, and Belisarius agreed. This course would have been adopted had it not been for the intervention of the Empress Theodora, whose indomitable courage mastered the wavering spirits of her husband and his councillors".

[254]  J. A. EVANS, *The Empress Theodora. Partner of Justinian*, cit., p. 46: "She would be *despoins* and *basilissa* or she would be nothing"; P. HEATHER, *Rome Resurgent. War and Empire in the Age of Justinian*, Oxford, 2018, p. 111: "She would rather die than give up the throne. The eunuch Narses, going into the crowd alone, sought out the leaders of the Blues and promised them gold; he even had some of it within him. He also reminded them that Hypatius had long supported the Greens"; Narsés, el liberto eunuco y reconocido general a las órdenes de Justiniano, intentó dividir a las facciones, sabedor de la necesidad de fragmentar a los sublevados para enfrentarlos y enemistarlos lo antes posible para conseguir una victoria sin paliativos; sobre la excelente relación de Narsés con Teodora,

tú, emperador, deseas salvarte, no hay problema: que tenemos muchas riquezas, y allí está el mar y aquí los barcos. Considera, no obstante, si, una vez a salvo, no te va a resultar más grato cambiar la salvación por la muerte. Lo que es a mí, me satisface un antiguo dicho que hay: 'el imperio es hermosa mortaja'.» Cuando la emperatriz habló así, todos recobraron el ánimo y, decididos ya a combatir, se pusieron a deliberar sobre cómo podrían defenderse en el caso de que alguien viniera a atacarlos"[255].

Si procedemos con la exégesis del texto procopiano[256], lo primero que resalta es la resiliencia innata de Teodora, acostumbrada a superar circunstancias traumáticas a la largo de su vida, en absoluto dispuesta a abandonar su soberanía bizantina y en ningún momento abrumada por la incertidumbre del caos reinante, demostrando una serenidad y fortaleza incólume a las circunstancias de desestabilización monárquica que se estaban produciendo, progresivamente *in crescendo*.

La capacidad de Teodora para superar la adversidad contraria colectiva, la entereza de la emperatriz para sobreponerse a las circunstancias no propicias del levantamiento hostil contra su cónyuge Justiniano, concedió al emperador una opinión decisiva del contexto adverso, un dictamen certero y leal[257], con la decisión que debería

---

C. DIEHL, *Justinian's Government in the East*, en *The Cambridge medieval History*, vol. 2, M. Gwatkin, J. P. Whitney, (eds.), Nueva York, 1913, p. 27: "As passionate in her loves as in her hates, she advanced her favourites without scruple. Peter Barsymes was made praetorian praefect, Narses a general...".

[255] Procopio, *Historia de las guerras, Libros I-II. Guerra persa*, cit., 1.24.32-39.

[256] P. HEATHER, *Rome Resurgent. War and Empire in the Age of Justinian*, cit., p. 113, cree que la famosa frase de Teodora es una cita equivocada: "Her famous phrase is a misquotation. The original reads '*Tyranny* makes a fine burial shroud'. So it looks like the Procopius of the *Secret History* reckoned he could use the lack of a proper classical education in the higher reaches of the regime to crack a little recherché joke at the imperial couple's expense. But the story of the empress's courage appears in the Wars, which was published opnely, so it presumably encapsulates a Reading of the riot that the regime was happy to endorse ca 550".

[257] A. BRIDGE, *Theodora. Portrait in a Byzantine Landscape*, cit., p. 108, reconoce la lealtad absoluta de Teodora hacia Justiniano: "She was totally loyal to him", añadiendo que ni siquiera Procopio pudo acusarla jamás de infidelidad alguna a Justiniano, con quién estaba íntimamente ligada en sus intereses, fortuna y destino, demostrando su perfecta unión con el soberano durante los disturbios de Niká.

tomar el soberano ante la insurrección de los facinerosos activos de su reino, prevaleciendo ante todos la opinión autorizada de Teodora[258].

A mayor abundamiento, la determinación femenina no parecía contar en absoluto en el ámbito masculino bizantino del poder, pero como excepción, el dictamen persuasivo y deliberado de la emperatriz consiguió demonizar la fuga propuesta por el consejo imperial, imponiendo la necesidad de lidiar y contender en aras de la majestuosa púrpura soberana. Procopio, por primera vez, eleva la imagen de Teodora, auténtica salvadora del futuro del imperio, y considera eximia la declaración rotunda de la emperatriz, sin ambigüedades y sin ninguna concesión a otra posible salida. Resistir es la única opción, enfrentarse es la singular posibilidad, y morir defendiendo el poder mayestático es la exclusiva opción honrosa identificada con el poder real.

Será su discurso firme y sin alternativa posible el que consiga la recapacitación de Justiniano, y la contraofensiva dirigida a contener definitivamente la revolución ciudadana. Por eso podemos afirmar que la auténtica salvadora del trono del emperador Justiniano fue su mujer Teodora[259], puesto que sólo ella defendió la resistencia y la permanencia en Constantinopla como única opción posible, lo que la convierte en la estratega definitiva de la recuperación del trono bizantino en la revuelta de Nikà.

La descripción detallada de Procopio ha llevado a parte de la doctrina, a plantear la posibilidad de que el cronista palestino formase

---

[258] C. DIEHL, *Justinian's Government in the East*, cit., p. 27, destaca el carácter resolutivo de Teodora frente a la frecuente actitud dubitativa de Justiniano: "She was a woman of unshaken courage, as she proved in the troublous time of the Nika rising, proud energy, masculine resolution, a determined and a clear mind, and a strong will by which she frequently overruled the vacillating Justinian". Con todo, identificar la capacidad resolutiva con el género masculino suponemos es propio de la cultura del siglo XIX, puesto que no dudamos de la defensa de la figura de Teodora por parte de Diehl, aunque en ocasiones utilice adjetivaciones arcaicas y poco apropiadas en el avance igualitario actual.

[259] C. DIEHL, *Byzantine Portraits*, cit., p. 63: "On that day…Theodora saved Justinian's throne; and in this supreme struggle, when her crown and her life were at stake, ambition inspired her to real heroism", añadiendo que en ese decisivo momento Teodora, con su frialdad y energía, se comportó como una auténtica estadista.

parte del cortejo recluido en Palacio[260], lo que le convertiría en espectador privilegiado de la solemne y tal vez teatralizada declaración de la emperatriz Teodora[261], aunque algunos estimen excesiva esta

---

[260]   Su presencia en el interior del recinto imperial es aceptada por J. B. BURY, *The Nika Riot*, cit., p. 94: "The great interest in his relation is that he describes what happened in the palace. Malalas only knows what went on in the city and the Hippodrome, but the secretary of Belisarius knew the doings and the deliberations of the court, nor can there be much doubt that he was in the palace with Belisarius during the last days of the insurrection", concluyendo que el relato de Procopio, en contraste con el Malalas, es el de un actor presente en el conflicto, desde el palacio, mientras que el testimonio de Malalas refiere la visión de un espectador de la ciudad; en la misma dirección, G. GREATREX, *The Nika Riot: A Reappraisal*, cit., p. 69: "While the rioting was taking place, the emperor and his entourage-probably including the historian Procopius-took refuge in the palace"; si bien no podemos rechazar la posible presencia de Procopio en el cortejo recluido en Palacio, las dudas doctrinales se presentan con respecto a la opción de haber sido Procopio directo interlocutor, presente en el discurso de Teodora, o haberlo escuchado de Belisario, como asume J. B. BURY, *The History of the Later Roman Empire. From the Death of Theodosius I to the Death of Justinian*, London, vol. 2, cit., p. 45: "A writer, who may well have heard the scene described by Belisarius himself, professes to reproduce her short speech, and even his sophisticated style hardly spoils the effect of her vigorous words"; vid. al respecto, A. CAMERON, *Procopius*, cit., p. 69, partiendo de la opción de Bury, considera el discurso, narrado por Procopio, como parte de una pieza retórica, atribuyéndoselo a Teodora posiblemente solo por un efecto dramático, teniendo en cuenta el tema obvio del sexo femenino: "Bury assumes (but I choose him only as an example) that Procopius heard about the speech from Belisarius, and his whole account of the revolt is a virtual paraphrase of the narrative of Procopius, and totally premised on his reliability. As a result of his famous scene, Theodora has gone down in history as the brave queen putting backbone into her wavering husband. Yet we have only Procopius to thank for the story. On closer inspection, the speech itself is part of a rhetorical set-piece, as its introduction betrays: 'many speeches were made putting opposite points of view'. Procopius only gives us this one, ascribing it to Theodora, possibly purely for dramatic and rhetorical effect. At least, he makes the speech begin from the obvious theme of Theodora's sex: the present crisis is too serious to worry about the conventional role of women".

[261]   Teatralizada en el sentido de la representación dramática protagonizada por Teodora; vid. al respecto, J. A. EVANS, *The Empress Theodora. Partner of Justinian*, cit., p. 45: "Then Theodora stood up and spoke. There is a rhetorical flavor to her speech that can hardly reproduce exactly the words she uttered", destacando que como Teodora había sido alumna del teatro bizantino, debía apreciar el drama que se respiraba en aquel preciso momento.

María José Bravo Bosch

eventualidad, optando por la tesis de un discurso totalmente ficti-
cio[262], inventado por Procopio, producto de una literatura bien planteada en relación con el episodio acontecido.

Con todo, la conclusión relevante que se desprende de la crónica
del momento crucial de la revuelta de Nikà, es que gracias a la sublime consideración de Teodora con respecto a la solemnidad eterna de
la púrpura imperial, Justiniano comprendió la excelsa importancia
de conservar ininterrumpidamente el poder imperial, la necesidad de
mantener indemne la *auctoritas* y demostrar la regia *potestas*, sin ma-
nifestar debilidad aparente alguna, por lo que se dispuso de inmediato
a recuperar el trono soberano, reconquista victoriosa que consiguió
sin duda gracias a la opción magistral de Teodora[263].

Para ello, el emperador debía emplear con denodado esfuerzo bélico a sus tropas para recuperar el control de la anarquía ciudadana,
recordando a su favor que contaba con la innegable habilidad bélica
del general Belisario, recién llegado de la guerra contra los Persas, con
una poderosa escolta entre sus filas, y un grupo de guerreros, lanceros
y escuderos expertos en batalla. Además, podía confiar en la excelencia marcial del general Mundo de los Ilirios, que afortunadamente
se encontraba en aquel momento en Bizancio, y atesoraba entre sus
tropas a unos bárbaros hérulos, eficaces y temibles guerreros[264].

---

[262] N. J. AUSTIN, *Autobiography and history: some later Roman their veracity*, en
*History and historians in late antiquity*, B. Croke, A.M. Emmet (eds.), Sidney,
1983, p. 62, en donde tilda de poco convincente la tesis de Bury; M. MEIER,
*Justinian. Herrschaft, Reich und Religion*, cit., p. 56: "... Als plötzlich Theodora das Wort ergriff: Niemals werde sie fliehen, niemals kampflos ihre Stellung
als Kaiserin aufgeben... Diese Rede is sicherlich fiktiv. Prokop wird kaum über
die hektischen Diskussionene dieser Stunden im Palast unterrichtet gewesen
sein. Was er Theodora in den Mund legt, ist ein wohlkomponiertes literarisches
Kuntsprodukt, aber es hatte seinen Zweck: Der Historiker zeigt eine Frau, die
nicht nur über die Grenzen des Anstandes hinausgeht, indem sie sich  in eine
politische Debatte einmischt; vielmehr stellt sich hier eine Kaiserin vor, die sich
mit aller Entschiedenheit an ihre Macht klammert".
[263] J. B. BURY, *The History of the Later Roman Empire. From the Death of Theodosius I to the Death of Justinian*, cit., vol. 2, p. 48: "The throne of Justinian was
saved through the moral energy of Theodora and the loyal efforts of Belisarius".
[264] Procopio, *Historia de las guerras, Libros I-II. Guerra persa*, cit., 1. 24. 40-42, p.
148; vid. con respecto a la acepción de 'bárbaro', J. L. TEALL, *The Barbarians
in Justinian's Armies*, en *Speculum*, 40, 2, 1965, pp. 294-322, en donde reabre

La reconquista de la *civitas* se llevó cabo sin miramiento alguno. Justiniano conocía la destrucción mortal llevada a cabo por los
sublevados, dirigida conscientemente hacia los poderosos, e incons-
cientemente contra todos los que no compartían el credo colectivo
de devastación que se había incrementado con el paso de los días,
manipulando a la masa enfervorecida que consideraba pasivamente
la aflicción, la ruina y el aniquilamiento sin inmutarse. Por ello, de
forma decidida[265], dirigió a sus tropas con un estricto mensaje *manu
militari*, abanderando el restablecimiento del orden total en la urbe
mediante la utilización de la fuerza necesaria, sin límite alguno y con
autorización discrecional total.

El usurpador Hipacio, como sucede con cierta asiduidad en los
itinerarios historiográficos, fue ajusticiado[266], como ejemplo de lo que

---

el debate sobre el significado de la condición de bárbaro, entendido por un sector de la doctrina como comprensivo de sujetos nacionales, nativos o romanos,
mientras otra parte de la doctrina entiende que bárbaro implica sujetos extraños
al imperio, con lo que ello implica legal y socialmente hablando.

[265]  La actitud vacilante del emperador Justiniano es puesta de manifiesto por la doctrina y las fuentes en numerosas ocasiones, por lo que la decisión mostrada en el
conflicto de Nikà sorprendió a propios y extraños, como un signo más de la influencia de Teodora sobre el emperador. Vid. con respecto al carácter indeciso, G.
GREATREX, *The Nika Riot: A Reappraisal*, cit., p. 83: "In conclusion, the uni-
queness of the Nika riot lies more with the emperor than 'mob': had Anastasius
ever shown such hesitation, he too could have been unseated. Comparison with
the disturbances studied by Hobsbawm and Rude, as well as with those of the
early imperial period, has shown how rulers and ruled were expected to adhere
to certain patterns of behaviour in their dealings with one another. Consistency
and decisiveness were important attributes for an emperor; Justinian possessed
neither. He was no more unpopular than Anastasius, it should be emphasised;
but he was more concerned for popular opinion, and consequently unprepared
to match uncompromising rescripts with firm action".

[266]  Procopio, *Historia de las guerras, Libros I-II. Guerra persa*, cit., 1. 24.56-57,
p. 150: "Pero Hipacio entre continuos reproches le decía que no debían lamentarse porque fueran a ser ejecutados injustamente: que al principio habían sido
forzados contra su voluntad por la plebe y que después habían ido al Circo sin
intención de causarle ningún mal al emperador. Pero los soldados mataron a los
dos al día siguiente y arrojaron sus cadáveres al mar. Y el emperador registró sus
bienes y los confiscó..."; P. HEATHER, *Rome Resurgent. War and Empire in
the Age of Justinian*, cit., p. 111: "Held overnight, Hypatius claimed that he had
been forced to accept the purple against his will, but Justinian was implacable",
y ordenó su ejecución.

sucede con los traidores al emperador y a la patria bizantina, aunque parece que Justiniano procedió con cierta indulgencia con respecto a los familiares de los traidores, terminando así con la sedición de Bizancio. A mayor abundamiento, parece que el *Basileus*[267], comprendió al fin la necesidad de realizar diversas reformas que consiguiesen una mayor afección de los ciudadanos hacia una administración que se antojaba inútil, corrupta y desproporcionada[268], procurando la honestidad de los funcionarios en el desempeño de sus funciones habituales.

En relación con las consecuencias fatales de la insurrección, debemos apuntar que esta catástrofe escenificada[269], tuvo como resultado un elevado número de víctimas, cifra que, de acuerdo con la estimación de Procopio[270], ascendió, a más de *treinta* mil muertos[271], mientras que otros llegan a proponer una balanza aún más catastrófica, con unos ochenta mil muertos derivados de la revuelta de Nikà[272].

---

[267]	M. AMELOTTI, *Giustiniano Basileus*, en *Studi in Onore di Arnaldo Biscardi*, 2, 1982, pp. 95-103.

[268]	C. DIEHL, *Justinian's Government in the East*, cit., p. 38: "After the great crisis of the Nika riot had clearly shewn him the public discontent and the faults of the government, he promulgated the two great ordinances of April 535. By these two documents Justinian laid down the principles of his administrative reform and shewed his functionaries the new duties which he expected of them. The sale of offices was abolished. To take all pretext for exploiting the population from the governors, their salaries were raised, while their prestige was increased in order to remove from them the temptation to yield to the demands of powerful private persons. But before all things, the Emperor wished his agents to be scrupulously honest, and was always urging them to keep their hands clean".

[269]	M. MEIER, *Die Inszenierung einer Katastrophe: Justinian und der Nika-Aufstand*, en *Zeitschrift für Papyrologie und Epigraphik*, 142, 2003.

[270]	Procopio, *Historia de las guerras, Libros I-II. Guerra persa*, cit., 1. 24.54.

[271]	M. MEIER, *Justinian. Herrschaft, Reich und Religion*, cit., p. 50, prefiere dar una cifra aproximada más amplia, en p. 50: "Zwischen 30000 und 35000 Menschen finden an diesem Tag im Hippodrom den Tod", recordando que incluso senadores de renombre que habían dado por seguro el triunfo tuvieron que optar apresuradamente por la huida hacia el exilio, quedando todas sus propiedades confiscadas.

[272]	Zach. *RH*. 9.14, p. 246.

Por último, la moraleja personal de Justiniano se tradujo en que la máxima confianza debía depositarla para siempre en Teodora[273], su custodia firme, capaz y eficaz ante las mayores adversidades, *in aeternum*, cuya lealtad sin fisuras permitió al augusto legislador dedicarse con serenidad e imperturbabilidad a la ingente obra del *Corpus Iuris Civilis*, la colosal y perdurable recopilación jurídica.

## 2.3. PROTOCOLO ANTE LA EMPERATRIZ. PROSTERNACIÓN.

La coronación de Teodora supuso su entronización frente al pueblo bizantino[274], protagonista de largas aclamaciones populares bendecidas por Justiniano, sabedor de la necesidad simbólica del reconocimiento popular de la emperatriz[275], cuya presentación real fue un acto sumamente político. El lazo privilegiado entre los ciudadanos y sus soberanos fue revestido de toda la pompa y boato posibles, en una ceremonia codificada que convirtió el protocolo imperial en una herramienta indispensable para el respeto real exigido a la población.

De este modo, Teodora, comenzó a cultivar su imagen pública, en un intento de mantener una reputación intachable desde su ascenso

---

[273]   R. BROWNING, *Justinian and Theodora*, cit., p. 112, afirma que Justiniano comprendió después de lo sucedido en la revuelta de Niká que podía confiar en Belisarius, Mundus y Narsés, pero, sobre todos ellos, en Teodora.

[274]   C. DIEHL, *Byzantine Portraits*, cit., pp.17-18, afirma que las solemnes ceremonias que acompañaron la coronación otorgaron a la futura emperatriz "an entirely new character, and made of the poor girl of yesterday a superhuman being, the incarnation of power and holiness".

[275]   A. BRIDGE, *Theodora. Portrait in a Byzantine Landscape*, cit., p. 54, describe profusamente la coronación de la pareja imperial y las aclamaciones multitudinarias distinguiendo la excelsa dignidad de Justiniano y Teodora, acto sublime de reconocimiento jurídico-social de la emperatriz, pero sin que nadie pudiese adivinar sus sentimientos en su fuero interno: "No one will ever know what Theodora's thoughts were, as she stood beside Justinian in this place where she had grown up in abject poverty, and where she had been humiliated when she and her sisters had made their pathetic appeals to the crowd for help in their extremity; but whatever they may have been, this moment of her triumph must have been full of bittersweet memories of a past which was almost unbelievably different from the present".

María José Bravo Bosch

al trono imperial, con una solemne etiqueta en todos los actos de su vida, incluso los más sencillos pertenecientes a la vida cotidiana[276], que daban fe del protocolo exigido rigurosamente por la emperatriz, combinándolo a la vez con un rígido conjunto de normas para las audiencias con los súbditos o magistrados que quisieran presentarse ante ella.

Conocedora de la importancia de los gestos, de la necesidad de protocolizar reglamentadamente las reverencias de los cortesanos para reflejar en todo su esplendor la inexcusable adoración imperial, impuso un rígido ceremonial para todo visitante que quisiera acceder ante su regia presencia.

La prosternación, como acto de sumisión ante la soberana del imperio bizantino, acción que supone la adoración obligatoria hacia el destinatario de tal explícito movimiento, consiste en un gesto extremo ritual en el que se dobla la rodilla para tumbarse a tierra, decúbito prono, en señal de respeto manifiesto, de reconocimiento ceremonial de la superioridad de quién recibe al prosternado. El movimiento no resulta en absoluto sencillo de ejecutar, y el protocolo, siempre rígido e inamovible en la corte de Teodora, exigía la prosternación absoluta, como signo de reconocimiento de la condición excelsa de la emperatriz.

A mayor abundamiento, Procopio, con el ánimo perpetuo de denigrar la figura de la emperatriz, recuerda la ausencia de cita previa para poder acceder ante la presencia real, y los periodos de larga espera sin saber el instante preciso en el que serían llamados a comparecer ante la Augusta, estrategia perfectamente calculada por la propia Teodora, incentivando la incertidumbre sobre un posible favoritismo real, evitando las conjuras cortesanas y la influencia anterior que ejercían sobre los soberanos, haciéndose inaccesible[277], incluso para los magistrados:

---

[276]   C. DIEHL, *Byzantine Portraits*, cit., p. 9, señala como Teodora pensaba que una mesa exquisitamente servida era un privilegio inalienable del poder supremo, destacando la meticulosidad extrema en todos los quehaceres de la Augusta.

[277]   P. NEVILLE URE, *Justiniano y su época*, cit., p. 247, explica la restricción de acceso a Teodora como una consecuencia de su vida anterior: "Pero el resultado de este extremo exhibicionismo de sus primeros años fue que Teodora como emperatriz era casi inaccesible".

"En cambio, en lo que respecta a la emperatriz, ninguno de los magistrados tenía acceso a ella a no ser a costa de mucho tiempo y esfuerzo. Todos ellos formaban una especie de permanente comitiva de siervos que permanecía todo el tiempo en espera en una habitación estrecha y asfixiante, pues cualquiera de los magistrados que se ausentase de allí corría un peligro gravísimo. Permanecían así de pie sobre las puntas de los pies y cada uno de ellos se esforzaba en sacar la cabeza por encima de sus compañeros para que lo viesen los eunucos cuando salían de dentro[278]. Apenas a algunos de ellos se les llamaba,

---

[278] La presencia de eunucos como parte del servicio imperial, en los más diversos puestos, en una escala de ingentes posibilidades de ascenso en la administración imperial, era la tónica común bizantina, como describe brillantemente R. GUILLAND, *Les eunuques dans l'empire byzantin. Etude de titulature et de prosopographie byzantines*, en *Études byzantines*, 1, 1943, pp. 197-238. Como destaca en p. 198, esta práctica contra natura estaba en contradicción con la política anti castración mostrada por los emperadores romanos: "La présence d'innombrables eunuques à la cour de Byzance semble être en contradiction avec les lois qui interdisaient sévèrement l'eunuchat. De bonne heure, les empereurs romains avaient proscrit formellement cette pratique, tout au moins dans les limites de l'empire. Domitien (Amm. Marcell. XVIII, 4). promulgua, semble-t-il, le premier cette interdiction et Nerva (Dio Cass. 68, 3 ; Zonar. II, 506) la renouvela. Hadrien alla plus loin; il appliqua la loi Cornélia *De sicariis* aux médecins qui avaient rendu un homme eunuque et même à celui qui l'avait toléré (Dig. 48, 8, 4 § 2). Malgré tout, la pratique de l'eunuchat ne disparut pas. Julien (361-363) eut pour précepteur l'eunuque Macédonios (Socrate III, I), mais il ne fit pas moins mettre à mort le préposite eunuque Eusèbe et chasser du palais impérial tous les eunuques (Zonar. III, 62). Les basileis, il est vrai, ne pouvaient légiférer que dans les limites de l'empire et il ne semble pas que le commerce d'eunuques originaires des pays barbares ait été interdit. Ce commerce était très florissant. On payait 30 solidi un eunuque au-dessous de 10 ans, 50 solidi s'il avait plus de 10 ans et 60 solidi s'il était artiste (C. J. 7, 1 § 5)". Los eunucos de Bizancio, sin embargo, tenían amplias prerrogativas, con su propia orden, tan numerosa como poderosa, bien organizada jerárquicamente, y si gozaban del favor de los soberanos podían llegar a las más altas cotas de poder, excepto ostentar el trono imperial, por su condición de hombres menoscabados físicamente, por lo tanto carentes de la perfección física, como se deduce en Evagr. *Hist. Eccl.*, 4.2, en *The Ecclesiastical History of Evagrius*, J. Bidez, L. Parmentier (eds.), Londres, 1898, p. 153, pero reconocidos por su castidad, apreciados e imprescindibles en su cometido, como recuerda G. RAVEGNANI, *Teodora. La cortigiana che regnò sul trono di Bisanzio*, cit., p. 39: "L'usanza degli eunuchi è tipica di Bisanzio. Erano considerati indispensabili per il servicio palatino sia per la familiarità con le imperatrici sia perché avevano un posto di rilievo nel cerimoniale dove, come gli angeli in cielo, assistevano il sovrano terrestre. A causa della vicinanza con l'imperatore acquisivano facilmente potenza e ricchezze. Non potevano tuttavia aspirare al trono

y eso muchos días después. Entonces entraban en las estancias de la emperatriz embargados de temor, para retirarse acto seguido habiéndose sólo prosternado ante ella y tocado con la punta de sus labios el empeine de sus dos pies[279]. Nadie tenía libertad alguna para hablar o pedir nada, a menos que ella lo ordenase. El gobierno se convirtió así en un régimen de esclavos de los que ella era dueña y señora"[280].

---

in quanto un'antica consuetudine, che Bisanzio divideva con la Persia, proibiva che persone menomate nel fisico esercitassero la suprema autorità", añadiendo que aún así podían llegar a dirigir la política imperial, si el soberano era débil, e incluso disponer la sucesión, como habían intentado llevar a cabo a la muerte de Anastasio I. A mayor abundamiento, señala que la importancia de los eunucos venía también dada por su rango oficial: el más elevado, el *praepositus*, estaba equiparado a los más altos funcionarios públicos, perteneciendo a la clase de los ilustres, y a su jubilación, entraban a formar parte del Senado; con todo, Justiniano, en el año 541, con la Novela 142, capítulo 1, condena la castración, y los culpables del delito de la operación perpetrada, sean hombres o mujeres, verán privados sus bienes por el Fisco y desterrados, imponiéndose la misma condena a los cómplices de la ilícita acción. Y en el capítulo 2, se confiere la libertad a los sometidos a castración: *Ipsos autem castratos tametsi oportebat iam ab antiquioribus temporibus, at utique iubemus a duodecima indictione cycli nunc praeteriti per quemcumque in locis rei publicae nostrae castratos liberos esse, nec ullo modo ullove genere contractus in servitutem retrahi, nec instrumentum de iis publicum vel privata manu scriptum quod ullo modo vel fraude factum sit futurumve sit valere...*

[279] F. FÈVRE, *Teodora. Emperatriz de Bizancio*, cit., p. 85, afirma que Teodora no estaba satisfecha con los honores dispensados a los emperadores anteriores, reclamándole a Justiniano que para alcanzar la grandiosidad era necesaria la humillación evidente de los súbditos imperiales o los arrogantes bárbaros que venían en embajada: "Evidentemente, Teodora obtiene satisfacción y desde los primeros meses del reinado se introduce una nueva etiqueta. El rumor recorre la ciudad. Se puede ver a las grandes familias echadas a los pies de la pareja imperial, prosternadas en una larga adoración puntuada de 'mi señor, mi señora', destinados a Justiniano y Teodora, que van vestidos llenos de condecoraciones. Todos los súbditos, hasta los ministros de mayores títulos, deben prosternarse ante la emperatriz, primera mujer llevada así a unos honores que habrían hecho enrojecer a César o a Augusto".

[280] Procopio, *Historia Secreta*, cit., 15.13-16, pp. 244-245, en donde compara primero a Justiniano, de fácil acceso para los súbditos que querían presentarse ante él, con Teodora, sumamente exigente e impredecible a la hora de acceder ante su presencia; a continuación, en 15.17-20, p. 245, insiste en los defectos inasumibles de la soberana: "El imperio de los romanos se descomponía por obra tanto de lo que parecía ser la simplicidad del tirano, como del carácter difícil e intratable de Teodora, pues en la simplicidad de uno estaba la causa de la inestabilidad y en el carácter intratable de la otra la de la parálisis que lo atenazaba. En efecto, en estos asuntos se revelaban las diferencias que había entre ellos en cuanto a

Sin posibilidad alguna de confidencias con los súbditos reales, Teodora confiaba en procurar un ambiente de recelo pero también de temor hacia su persona[281], con el fin de evitar las confabulaciones, la prelación de algunos miembros de la nobleza que condujese a celos peligrosos de la aristocracia no privilegiada, así como la intención de sublimar el respeto ilimitado hacia la que otrora fuera actriz. Consideramos este último motivo, la *damnatio memoriae* de su pasado, y el estatus privilegiado del presente, la cuestión principal ligada al estricto y puntilloso protocolo[282], puesto que la barrera infranqueable impuesta a los súbditos evitaba cualquier comentario sobre el oficio procaz anterior de la emperatriz, obligándolos a prosternarse en su presencia[283].

Bien es cierto que el protocolo ya formaba parte del ceremonial exigido a todos los visitantes imperiales con anterioridad a la llegada al poder de Teodora, puesto que el ritual antiguo no carecía de fastos, salutaciones y otras muestras de deferencia extrema ofrecidas por los cortesanos, embajadores y altos dignatarios presentes en las

---

mentalidad y hábitos, aunque compartían la avaricia, el ansia asesina y una falta total de sinceridad con los demás, pues ambos tenían una enorme predisposición a mentir y si de alguno de los que hubiera podido ofender a Teodora se decía que había cometido una falta insignificante e indigna siquiera de mencionarse, ella enseguida se inventaba acusaciones que nada tenían que ver con esa persona y convertía este asunto en un terrible crimen".

[281]    B. RUBIN, *Das Zeitalter Justinians*, cit., p. 116, en relación con el temor que inspiraba la emperatriz, y la desconfianza a sus posibles informantes: "Von der Frau, die durch Liebe gross geworden ist, geht eine seltsame Kälte aus. Den Freunden begegnet sie als Herrscherin unnahbar. Die Feinde bekennen, dass die Angst von der Furie sie jahrelang mundtot gemacht hat. Ihre Spitzel scheuen vor nichts zurück. Man konnte sich nicht auf die nächsten Verwandten verlassen".

[282]    Vid. al respecto, A. BRIDGE, *Theodora. Portrait in a Byzantine Landscape*, cit., p. 51: "Theodora's punctilious insistence upon the minutiae of protocol must have been more than enough to ensure that in fact it was at all times frigid in the extreme".

[283]    F. FÈVRE, *Teodora. Emperatriz de Bizancio*, cit., p. 77: "Consciente de ese papel cortado a su medida, la emperatriz se dispone a gozar de su papel, a no percibir más que la nuca de los cortesanos, aplastados contra el suelo en una adoración sin fin"; y como recordatorio del inmenso poder de la real consorte, afirma a continuación: "Las grandes habitaciones del Palacio Sagrado acogen a sus familiares, capaces de cualquier cosa al menor movimiento de los párpados de la soberana. El imperio se pone aliviado en esas manos despóticas".

recepciones del Palacio imperial, y la cercanía no formaba parte del acceso que los guardianes del exclusivo recinto vigilaban detalladamente para evitar el acceso indeseado de los no autorizados para comparecer ante el emperador. Pero estos soberanos no exigían la demostración de una adoración absoluta ni un acto de humillación personal como el que implicaba la prosternación, acción ceremonial de inigualable supeditación que Teodora, ávida de reconocimiento después de un primer itinerario vital plagado de desprecio y desdén, impuso para evidenciar su nueva existencia, ornamentada con las máximas distinciones terrenales posibles.

Otro supuesto testimonio proporcionado por el cronista palestino con respecto a la -por él publicitada- vis malvada de Teodora[284], lo constituye el episodio de escarnio público al que fue sometido un anciano patricio que se atrevió a presentarse ante la emperatriz, para requerirle su ayuda en el cobro de una gran suma de dinero que le debía uno de los servidores de la soberana. De acuerdo con las referencias de Procopio, la burla a la que fue sometido el patricio en su asunto de interés económico, la realizó la emperatriz con tal vileza para evitar atender su súplica veraz que el humillado súbdito se retiró sin haber conseguido nada:

> "Pero también era parte de su trabajo el convertir en objeto de burla asuntos de gran importancia, cuando a ella le parecía mejor[285], tal como en la escena del teatro. En una ocasión un anciano patricio que

---

[284]   Procopio, *Historia Secreta*, cit., 15.1-3, p. 243: "En cuanto a Teodora, su inconmovible e inhumana crueldad determinaba constantemente todos sus pensamientos. Nunca hacía nada porque le obligara o persuadiera otra persona, sino que ella misma, con orgullosa determinación, utilizaba todo su poder para llevar a cabo lo que le parecía conveniente, sin que nadie se atreviera a interceder por sus víctimas, pues ni el paso del tiempo, ni la satisfacción que le provocaban los castigos, ni súplica de ninguna clase, ni la amenaza de muerte que es probable que se abata desde el cielo sobre todo el género humano, le podían convencer para que mitigara siquiera en algo su ira". Ciertamente el autor palestino no descansa jamás en su libelo contra Teodora, aprovechando toda ocasión para desprestigiarla, convirtiéndola en un monstruo con forma humana que solo concebía el mal por el placer de percibir el dolor en los damnificados.

[285]   P. NEVILLE URE, *Justiniano y su época*, cit., p. 247: "Cada uno de nosotros es lo que él mismo se ha hecho, y este arma protectora para Teodora era la burla. Le resultó muy valiosa para abrirse paso de la escena al trono, y luego se convirtió en algo tan suyo que no pudo abandonarlo".

llevaba largos años en el cargo, aunque sé su nombre no lo mencionaré para nada a fin de no inmortalizar la ofensa que recibió, puesto que no era capaz de cobrar una gran suma dinero que le debía uno de los servidores de Teodora, se presentó ante ella para acusar al que había hecho el trato con él y reclamar de la emperatriz su ayuda en los derechos que le asistían. Teodora[286], previamente enterada de sus intenciones, ordenó a los eunucos que cuando el patricio fuese a su presencia, lo rodearan todos ellos en círculo y escucharan lo que ella decía, indicándoles el estribillo con el que era preciso que ellos replicaran[287]. Cuando el patricio llegó a las estancias de las mujeres, se prosternó ante ella como se acostumbraba a hacer y dijo casi lloroso: «Señora, es duro para un patricio necesitar dinero, pues lo que en otras personas mueve a compasión y piedad, es considerado algo ofensivo para alguien de este rango, ya que cualquier otra persona que se encuentra en una situación de extrema necesidad puede librarse fácilmente de los problemas que le agobian mencionando esta circunstancia a sus acreedores, pero un patricio que no tiene los medios que le podrían permitir satisfacer las deudas de sus acreedores, se avergonzaría ya solo de mencionar esto, pero aun mencionándolo, nunca los convencería, por considerarse imposible que la pobreza tenga acomodo entre personas de esta condición. Pero incluso aunque pudiera convencerlos, padecerá la mayor de las vergüenzas y aflicciones. Así pues, señora, tengo cuentas pendientes con diversas personas, unos que me han prestado lo que es suyo y otros que lo han tomado en préstamo de mí. A los que me lo han prestado y me urgen con insistencia no soy capaz de contenerlos con el respeto debido a mi dignidad y los que me deben, aunque no se trate de patricios, se refugian en pretextos

---

[286]  J. STEINER, *Theodora*, cit., p. 62: "Zuweilen würzte Theodora ihre Audienzen mit maliziösen Einfällen", insistiendo en la versión de las ideas maliciosas de Teodora, trayendo a colación de inmediato el episodio del anciano patricio, otorgándole una credibilidad y certeza a la propuesta de Procopio que no se corresponde con la objetividad necesaria en lo que respecta a las informaciones sobre Teodora.

[287]  F. FÈVRE, *Teodora. Emperatriz de Bizancio*, cit., p. 86: "A veces, la señora se divierte y convida a sus servidores a la implacable e irrisoria caza del cortesano ofuscado... Los servidores de Teodora apenas retienen sus risas y la soberana, que no ha olvidado que fue una excelente actriz, se divierte ya con el juego que va a realizar. Cada súplica del anciano levanta un torrente de indignación de los cortesanos y eunucos encargados de ese papel de coro bufón. La emperatriz finge no comprender, y las risas aumentan mientras el senador se excusa, se embrolla y parece que ni él mismo comprende lo bien fundamentado y justo de su petición. Teodora no cede y lo despide a casa sin darle la satisfacción de desautorizar a su codicioso favorito".

indignos de personas de bien. Así pues, a ti acudo suplicante y te ruego que me ayudes en los derechos que me asisten y me libres de los males que me apremian». Así habló. Esta mujer contestó con una voz melodiosa: «Patricio Tal...» y el coro de eunucos, tomando pie, replicó: «Qué hernia tan grande tienes». Cuando este hombre suplicó de nuevo y pronunció un discurso similar al que había dicho antes, la mujer contestó de nuevo en los mismo términos y el coro recitó su réplica. Finalmente el desdichado, desesperado, se prosternó conforme era costumbre y saliendo regresó a su casa"[288].

Un alegato anónimo que no resulta confirmado por la fuentes no se puede convertir en un testimonio fidedigno de la supuesta crueldad de la emperatriz, y mucho menos si se encuentra recogido en la obra de Procopio, cuya inequívoca intención de desacreditar gravemente a Teodora no ayuda a la credibilidad del supuesto suceso impropio de una soberana.

Con la insistencia procuradora del desdoro de la emperatriz, Procopio insiste de nuevo, ya al final de su *Historia Secreta*, en el protocolo riguroso exigido a senadores y magistrados en presencia de la pareja imperial:

"Entre las innovaciones que introdujeron Justiniano y Teodora en el estado, se encuentran también las que siguen. Antaño cuando el Senado se presentaba ante el emperador acostumbraba a rendirle pleitesía de la forma siguiente. Uno de los patricios agachaba su cabeza junto al pecho del emperador, a su derecha, y el emperador le besaba en la frente y le dejaba partir, mientras todos los demás, después de doblar su rodilla derecha, se retiraban. No era sin embargo costumbre que nadie presentara sus respetos a la emperatriz[289]. Pero en el caso de

---

288    Procopio, *Historia Secreta*, cit., 15. 24-35, pp. 246-247.
289    J. STEINER, *Theodora*, cit., pp. 60-61, describe el cambio negativo protocolario que se produjo con la coronación de Teodora, que en cuanto se supo Basilisa modificó el ceremonial reverencial para procurar la sumisión absoluta con la prosternación incluso de los visitantes extranjeros: "Wenn der Senat zur Audienz beim Kaiser erschien, dann mussten sich die Patrizier mit der Hand auf dem Herzen tief vor ihm verneigen. Der Kaiser küsste sie dann. Die anderen Senatoren beugten die Knie und zogen sich alsbald zurück. Der Kaiserin hingegen wurde früher keine besondere Ehrenbezeugung gebracht. Dies änderte sich, als Theodora Basilissa wurde. Jetzt mussten sich alle Anwesenden mit dem Gesicht zu Boden werfen und nicht nur die Füsse des Basileus, sondern auch jene der Basilissa küssen. Die Anrede war 'mein Gebieter', und 'meine Gebieterin'. Selbst

Justiniano y Teodora, todos los demás senadores y cuantos tenían la dignidad de patricios, cada vez que hacían su entrada ante ellos, se arrojaban enseguida de bruces sobre el suelo y después de extender cuanto podían manos y pies, tocaban con sus labios un pie a cada uno antes de incorporarse. Teodora no se negaba a estos honores, e incluso no consideraba en modo alguno improcedente tratar a los embajadores de los persas y de los demás bárbaros y recompensarles con dinero, como si ella tuviera sometido al imperio romano, una situación que no se había visto nunca en todos los siglos anteriores. Antaño los que frecuentaban al emperador lo llamaban a el «emperador» y a su mujer «emperatriz» y daban a cada uno de los magistrados la dignidad que tuviese en ese momento, pero ahora, si alguien entablaba conversación con uno de los dos y aludía a él como emperador o emperatriz, pero no lo calificaba de «mi señor» o «mi señora», o incluso pretendía nombrar a algunos magistrados con otra palabra que no fuese «siervos», se pensaba que era un gran ignorante de lengua insolente y así se retiraba de su presencia como si hubiera cometido un gravísimo error y hubiese ofendido a quienes menos hubiera debido"[290].

---

die Botschafter fremder Länder mussten sich diesem Zeremoniell fügen. Von den Beamten wurde, wenn sie im Palast, besonders jenem der Basilissa, vorzusprechen hatten, eine weit grössere Beflissenheit verlangt als früher".

[290] Procopio, *Historia Secreta*, cit., 30. 21-26, pp. 337-338, porfiando la vileza especialmente de Teodora, ocupa el epílogo de su obra, 30. 27-34, pp. 338-339, con el descrédito de la soberana, fuente de corrupción y desorganización administrativa en Bizancio: "Anteriormente eran pocos los que accedían al Palacio y esto incluso con dificultad. Pero desde que estos accedieron al poder, los magistrados en su totalidad y todos los demás permanecían continuamente en Palacio. La causa era que antaño los magistrados podían tomar independientemente sus decisiones de acuerdo con lo que era justo y legal. De esta forma los magistrados permanecían en sus sedes administrando los asuntos habituales y los ciudadanos, al no ver ni tener noticia de transgresión alguna, importunaban, como es lógico, muy poco al emperador. Estos en cambio hacían recaer constantemente sobre si mismos la gestión de todos los asuntos, para perjuicio de sus súbditos, y les obligaban a hacerles la corte del modo más servil. Prácticamente, cada día se podía ver por un lado a todos los tribunales en su gran mayoría desiertos y por otro lado en la Corte del emperador una multitud insolente, un gran tumulto e incesantes muestras del más absoluto servilismo. Los que se juzgaban íntimos de ambos permanecían allí en vela y sin comer a las horas acostumbradas, durante todo el día sin interrupción y luego siempre durante buena parte de la noche hasta que se consumían. A este extremo les llevo su pretendida felicidad. Pero cuando dejaban todas estas cosas, las gentes disputaban entre si sobre a donde habrían ido a parar las riquezas de los romanos, pues mientras unos aseguraban que todas se hallaban entre los barbaros, otros decían que el emperador las tenía a recaudo repartidas en numerosos depósitos. Pero o bien cuando Justiniano

María José Bravo Bosch

La sumisión ahora firme y rígidamente exigida, como muestra del máximo respeto, casi religioso, hacia su persona y rango, no se limitaba a las visitas de cortesía en Palacio, o a las recepciones de los distintos cargos de la administración imperial, sino que se extendió por obra y gracia de Justiniano a muchos otros actos administrativos y políticos[291], reconociendo que Teodora era necesaria en su vida y en sus actos[292].

Con la rotunda intención de trasladar la excepcional capacidad de Teodora, el emperador declara en una ley, la Novela 8[293], capítulo I,

---

abandone esta vida si es un hombre, o bien cuando se libere de ella en su condición de príncipe de los demonios, entonces cuantos hayan tenido la suerte de sobrevivirle sabrán la verdad".

[291]  G. RAVEGNANI, *Teodora. La cortigiana che regnò sul trono di Bisanzio*, cit., p. 32, en donde da cuenta de la prosternación exigida como parte de los honores inherentes a la condición de emperatriz, pero incluyendo la ambición desmedida en otros ámbitos: "Teodora tuttavia andò alquanto piú in là, pretendendo in molti casi di imporre una sua linea politica non sempre consenziente con quella di Giustiniano, e questa va senza dubbio considerata la prima anomalia della sua persona".

[292]  Vid. al respecto, C. DIEHL, *Justinien et la civilisation byzantine au VI siécle*, cit., p. 52: "Une telle femme, on le conçoit, dut exercer une influence souveraine sur l'âme souvent indécise de Justinien...elle étatit, comme il se plaisait, en jouant sur le nom de Théodora, á le proclamer lui-même dans un acte officiel, 'son présent de Dieu'".

[293]  Cuyo título es revelador: "De que sin sufragio alguno sean nombrados los jueces"; Las Novelas, en ocasiones minusvaloradas dentro de la magna obra justinianea, deben ser justamente apreciadas en sus objetivos, de preservación y restauración legal, como destaca M. MAAS, *Innovation and restoration in Justinianic Constantinopla*, Berkeley, 1982, *passim*, y señala A. CAMERON, *Procopius*, cit., p. 256: "But it is the *Novels* rather than the *Code* that reveal Justinian's attitudes and aims"; sin embargo, P. NEVILLE URE, *Justiniano y su época*, cit., p. 192, observa que Justiniano "Fue mucho más eficaz en lo que se refería a descubrir dónde marchaban las cosas mal, que en encontrar remedios efectivos", resaltando que las Novelas demuestran claramente las limitaciones de sus objetivos: "Los rígidos y estrechos criterios que encontramos en el *Codex*, se reflejan en las *Novelas*; existe la misma preocupación excesiva sobre los derechos de propiedad privada y sobre las aberraciones sexuales como una forma imperdonable de pecado; el mismo énfasis desmedido en lo relativo al dogma cristiano, en detrimento, precisamente, de las cualidades cristianas", aunque excluye la condenación absoluta de la colección legal, al señalar en p. 193: "Quizá el aspecto más atractivo de las *Novelas* sea la manera en que en ellas se admite su propia falibilidad".

en relación con la deshonestidad relacionada con los nombramientos de la administración civil provincial bizantina y la compra de cargos públicos, con firmeza y sin fisura alguna, su intención de tomar como consejera en este específico asunto a la reverendísima cónyuge que por Dios le fue dada:

"Meditando nosotros sobre todo esto, y tomando también en este caso como consejera a la reverendísima cónyuge que por Dios nos fue dada[294], y comunicando el asunto a tu excelsitud[295], y aceptando también por tu consejo algunas cosas, hemos llegado a dar esta sacra ley, por la cual mandamos que ningún cargo de procónsul, ni de los llamados hasta ahora de vicario, ni de conde de Oriente, ni otro cualquiera, ni proconsular, ni presidencial, que llaman consulares y de corregidores, de los que expresamente hace mención la relación continuada al pie de esta sacra ley nuestra, y solos los que ponemos a continuación de ella, dé sufragio alguno[296], ni donación alguna por

---

[294] J. A. EVANS, *The Empress Theodora. Partner of Justinian*, cit., p. 37: "Our most pious consort granted us by God", afirma que Justiniano reconoce abiertamente que consultó a su esposa Teodora sobre la regulación que prohibió la compra de cargos públicos, añadiendo a continuación que si Justiniano le pidió consejo en temas de corrupción burocrática, con más razón acudiría a asesorarse con Teodora en asuntos directamente relacionados con las vivencias personales de la emperatriz: "Theodora's interests were wide-ranging; in this case the problema was corruption in the bureaucracy whereby officeholders bought their offices and the sought to make profit by charging fees for their services. But there is a group of laws issued by Justinian that deal with matters that must have been closer to Theodora's heart, and although Justinian does not make any specific indication that he consulted her, we can rest assured that if he took her advice on secular simony he sought it as well on these"; G. RAVEGNANI, *Teodora. La cortigiana che regnò sul trono di Bisanzio*, cit., p. 216: "La compilazione giuridica giustinianea non menciona Teodora, eccezion fatta per la Novella 8 del 535, nel cui prologo si fa espressamente riferimento allá sovrana come ispiratrice insieme a Giovanni di Capadocia del divieto di vendita delle cariche pubbliche".

[295] La Novela 8 está dirigida a Juan, Prefecto del Pretorio, excónsul y Patricio, y fechada el 17 de las calendas de mayo del año 535. Trataremos posteriormente la semblanza de Juan de Capadocia y su contrastable influencia sobre el emperador, motivo que habría despertado los recelos de Teodora hasta conseguir su destitución acusado de traición; recomendamos aquí, en relación con la influencia del Prefecto en esta Novela, R. BONINI, *Ricerche sulla legislazione giustinianea*, Bolonia, 3ª ed., 1989, pp. 23 ss.

[296] Los *suffragia*, el dinero que un candidato a un cargo público debía pagar al *suffragator* para conseguir su nombramiento, recuperándolo posteriormente con abusivas exacciones, son objeto aquí de prohibición por parte de Justiniano,

un cargo administrativo, ni a juez alguno, ni a nadie de los que están cerca de los que desempeñan el cargo, ni a otro alguno con ocasión de patrocinio, sino que a la verdad reciba gratuitamente los cargos administrativos[297], y den módica cantidad con ocasión de lo que se satisface por los cíngulos y las credenciales. Porque agregamos también a esta nuestra sacra ley una relación que declara qué es lo que compete que cada cargo administrativo nuestro satisfaga en nuestro sacro registro o en el foro de tu excelsitud con ocasión de las credenciales o

---

intentando cambiar la dinámica extendida de la venalidad de los cargos públicos; vid. sobre el *suffragium*, A. H. M. JONES, *The later Roman Empire, 284-602: a social economic and administrative survey*, reimpr. Baltimore, 1986, p. 391: "*Suffragium*, which in its original context had meant a vote in an election and had come to be extended to the influence exercised in an election by the favour of a prominent man, under the autocracy of the empire had acquired the meaning of the recommendation, favor or interest of a great man with the emperor. If the system of *suffragium* had been rationally organised, so that the great officers of state regularly recommended candidates for the power posts 'under their disposition', it might have been a reasonable method of selection. But this was the case only to a very limited extent", dando cuenta de que si el sistema de sufragio se hubiera utilizado de forma racional, podía haber resultado un método de selección razonable, pero los excesos cometidos con dicho 'proceso' selectivo lo convirtieron en un sistema corrupto, "readily lent itself to corruption", de adquisición de cargos públicos que se facilitaban mucho más en caso de cercanía al emperador.

[297]  Contra, Procopio, *Historia Secreta*, cit., 20.16-19, p. 282, desdice la honesta intención de Justiniano de terminar con las corruptelas unidas a los nombramientos administrativos, afirmando que lo que quería el emperador en realidad era intervenir a su favor en dicha venalidad: "Pero después promulgó una ley para que los que aspirasen a magistraturas jurasen que se comprometían a estar completamente limpios de cualquier desfalco y que ni darían ni tomarían nada debido a sus cargos. Lanzó todo tipo de maldiciones de las que se proferían en los tiempos más remotos contra el que transgrediera el decreto. Pero apenas se había aplicado la ley durante un año, cuando él mismo, sin tener para nada en cuenta ni lo escrito, ni las maldiciones, ni el deshonor que acarreaban, negociaba aún con más desvergüenza el precio de las magistraturas, y ello no en un rincón oscuro, sino en medio de la plaza pública. Los que compraban las magistraturas, a pesar del juramento que les ligaba, robaban todo lo que podían, e incluso más que antes"; sin embargo, nosotros compartimos la teoría de A. H. M. JONES, *The later Roman Empire, 284-602: a social economic and administrative survey*, cit., p. 395, con respecto a la loable intención de Justiniano, a juzgar por sus leyes, de haber hecho un serio intento para terminar con la venta de cargos, a pesar de que ello supusiera una merma considerable de ingresos para lograr su objetivo.

mandamientos, a cuyo efecto ha sido también reducido, a fin de que no le cause a aquel muy grande quebranto"[298].

Se trata de una decisión excepcional, por cuanto en la organización patriarcal bizantina no existía ejemplo anterior alguno de relevancia jurídica femenina[299], y menos aún de la toma en consideración, por parte del sacro soberano de Bizancio, de los consejos de su venerada esposa en un tema de tal entidad como el relativo al nombramiento de los diferentes cargos administrativos de alto rango en el imperio bizantino. Nos encontramos, por lo tanto, ante un acto sin precedentes, un ejercicio del poder por parte de Justiniano con el objetivo de destacar las sobresalientes aptitudes de Teodora, a la que normativamente otorga el papel de consejera soberana aunque sea única y exclusivamente en un episodio concreto, realzando definitivamente la posición de su esposa amada.

Esta devoción mostrada por Justiniano hacia Teodora no se muestra de forma excepcional en este único capítulo legal, sino que se

---

[298] *Cuerpo del Derecho Civil Romano,* trad. esp. I. L. GARCÍA DEL CORRAL, *Tercera Parte, Novelas,* Barcelona, 1898, p. 52, cuya versión traducida al latín de la lengua griega original ofrecemos a continuación: *Haec omnia apud nos cogitantes et hic quoque participem consilii sumentes eam quae a deo data nobis est reverentissimam coniugem, et tuae celsitudini causam communicantes et quiddam etiam a tuo sumentes consilio, ad hanc sacram venimus legem: per quam sancimus, neque proconsulariam ullam neque hactenus vocatam vicariam neque comitem Orientis neque aliam quamlibet administrationem, neque proconsularem neque praesidalem, quas consularias et correctivas vocant (quarum expressim meminit supposita huic sacrae nostrae legi descriptio, quasque solas sub hac lege ducimus), dare aliquod suffragium neque pro administratione quamlibet donationem, neque iudici ulli neque horum qui circa administrationem sunt alicui neque alteri per occasionem patrocinii: sed gratis quidem sumere administrationes, pauca vero praebere occasione horum quae pro singulis dantur cingulis, codicillis et chartis. Nam etiam subiecimus descriptionem huic nostrae sacrae legi declarantem, quid competat unamquamque administrationem nostram praebere in sacro nostro laterculo aut in foro tuae celsitudinis occasione codicillorum aut praeceptorum: unde et illud abbreviatum est, ne praestet illi maximum damnum.*

[299] Hecho singular que indujo a parte de la doctrina moderna a proponer como hipótesis una posible corregencia de Teodora; vid. sobre el estado de la doctrina, M. AMELOTTI, *Teodora moglie o imperatrice?* en *Annali della Facoltà di Giusrisprudenza di Genova,* 20, 1984-85, pp. 14-22, donde distingue oportunamente una comprobada autoridad de Teodora de un poder formal.

reproduce de nuevo en la misma norma para replicar el poder del que goza en la administración imperial la emperatriz Teodora, reiterando la ampliación de la posición legal y espiritual de la Basilisa, ahora ascendida a una cuota inestimable de poder femenino.

De este modo, en la Novela 8, constitución de Justiniano promulgada en relación con los magistrados, tenemos otro magnífico ejemplo de la presencia de Teodora postulada y promovida por el propio soberano en su legislación, puesto que al referir al final el juramento que debían prestar los que recibían algún cargo administrativo[300], *iusiurandum quod praestatur ab his qui administrationes accipiunt*, extiende la obligación de sumisión a la emperatriz Teodora[301], con el deber duplicado de sus votos frente a la pareja imperial, en el juramento que se presta por los que reciben cargos administrativos[302]:

---

[300] Vid. al respecto, A. CALORE, *Iuro per Deum Omnipotentem...: Il giuramento dei funzionari imperiali all'epoca di Giustiniano*, en *Seminari di storia e di diritto*, II, , A. Calore (ed.), Milán, 1998, pp. 107-126, afirma que se debe destacar la utilización de nuevo del juramento en la legislación justinianea, con respecto al derecho clásico anterior.

[301] C. PAZDERNIK, *Our Most Pious Consort Given Us by God: Dissident Reactions to the Partnership of Justinian and Theodora, A.D. 525-548*, en *Classical Antiquity*, 13, 2, 1994, p. 266: "Justinian personally took some possibly extreme steps to associate Theodora explicitly in the official and even the magisterial functions of his office. In a provincial reform Novel of 535 the emperor states: "we have taken as partner in our counsels our most pious consort given us by God." The oath of allegiance prescribed for provincial governors at the end of this legislation required officials to swear loyalty to "the divine and pious despots, Justinian and his consort Theodora"; y no sólo realizó ese cambio, sino que al mismo tiempo, Justiniano continuó incrementando más propiedades e ingresos a los ya considerables recursos de la *divina domus serenissimae Augustae*, lo que permitió a Teodora tener una agenda independiente con sus propios medios, insistiendo en p. 267 en la autonomía y poder de la emperatriz: "Theodora was of course by no means the first empress whose authority and capacity for independent action were recognized in late antiquity".

[302] O. LICANDRO, N. PALAZZOLO, *Roma e le sue istituzioni dalle origini a Giustiniano*, Turín, 2019, p. 465, sobre la involucración de los cargos eclesiásticos en dicho juramento: "Che l'estensione delle politiche di contrasto della venalità delle cariche e delle procedure di selezione della burocrazia, contenuto principale della Nov. 8, coinvolse la sfera ecclesiastica trova conferma nella disciplina sull'elezione dei vescovi contenuta in Nov. 6, Nov. 123, e Nov. 137".

"Juro por Dios Omnipotente[303], y su unigénito hijo, nuestro señor Jesucristo, por el Espíritu Santo, y por la santa gloriosa madre de Dios y siempre Virgen María, y por los cuatro evangelios, que tengo en mis manos, y por los santos Arcángeles Miguel y Gabriel, que habré de conservar pura conciencia y fraternal sumisión a nuestros sacratísimos señores Justiniano y Teodora, su cónyuge, con ocasión de la administración que por su piedad me ha sido confiada; y tomo a mi cargo toda laboriosidad y empeño con celo sin dolo y sin artificio alguno en la administración que por ellos me ha sido encomendad de su imperio y república; y comulgo en la santísima iglesia de Dios católica y apostólica, y en ningún modo o tiempo seré adversario de ella, ni permito, en cuanto para ello tengo posibilidad, que otro alguno lo sea. Presto también el mismo juramento de que a nadie absolutamente he dado, ni daré, cosa alguna, con ocasión del cíngulo que me ha sido conferido, ni con motivo de patrocinio, ni de promesa, y de que no he prometido enviarla de la provincia, ni la enviaré, ni con ocasión de sufragio dominical[304], ni para los gloriosísimos prefectos ni para otros famosísimos varones que tienen cargos administrativos, ni para los que están cerca de ellos, ni para algún otro hombre, sino que así como he obtenido sin sufragio el cíngulo, así también me conduciré con pureza respecto a los súbditos de nuestros piadosísimos señores,

---

[303]  B. BIONDI, *Il diritto romano cristiano*, III, Milán, 1954, p. 408, señala que el juramento pagano es un acto esencialmente humano que se desarrolla siempre en el ámbito de las relaciones humanas, diferenciado del juramento cristiano que presenta, por el contrario, una clara y precisa impostación religiosa: "Fondato sulla fede, sorge e può svilupparsi in ambiente pervaso da senso religioso. Non si trata della semplice sostituzione di Dio al nome del principe. Il giuramento cristiano importa esplicito riconoscimento di Dio come primo fattore di ogni evento, giudice giusto ed onnipotente, quindi importa volontario assoggettamento alla sanzione divina nel caso di violazione o trasgressione. Si può giurare sul proprio onore, sulla propria od altrui vita, sulla propria reputazione, ma questo non è il giuramento cristiano, né quello che ammettono in larga misura le leggi degli imperatori cristiani".

[304]  S. PULIATTI, *Ricerche sulla legislazione 'regionale' di Giustiniano*, Milán, 1980, pp. 21-24, señala que aquí se trata la abolición del *suffragium* con el objetivo, 'semplicistico', de deshacer la 'spirale *suffragium-sportulae*', que era un mal hábito, convertido ya en costumbre, que aun así no consigue extirpar la iniciativa justinianea, como demuestran las posteriores decisiones sobre este tema, como la *Pragmatica sanctio pro petitione Virgilii*, del propio Justiniano fechada el 13 de agosto del año 554, la Novela 149 del año 569 de Justino II, o la Novela 161 del año 574 de Tiberio II y Constantino.

contentándome con las *annonas* que me están señaladas a cargo del fisco"[305].

---

[305] *Cuerpo del Derecho Civil Romano,* trad. esp. I. L. GARCÍA DEL CORRAL, *Tercera Parte, Novelas,* cit., p. 67, en donde en el extenso juramento se repite la condición de súbdito de la piadosa pareja imperial: "Y ante todo tendré empeño en inspeccionar vigilantemente los tributos fiscales, y los exigiré ciertamente con todo rigor...más a los cumplidores los trataré paternalmente, y conservaré de todo punto ilesos, en cuanto tenga posibilidad, a los súbditos de nuestros piadosísimos señores"; la versión latina muestra la extensión requerida para prestar los votos, en un juramento preciso, exigente y leal al matrimonio imperial: *Iuro ego per deum omnipotentem et filium eius unigenitum dominum nostrum Iesum Christum et spiritum sanctum et sanctam gloriosam dei genitricem et semper virginem Mariam et quattuor evangelia, quae in manibus meis teneo, et sanctos archangelos Michael et Gabriel, puram conscientiam germanumque servitium me servaturum sacratissimis nostris dominis Iustiniano et Theodorae coniugi eius occasione traditae mihi ab eorum pietate administrationis; et omnem laborem ac sudorem cum favore sine dolo et sine arte quacumque suscipio in commissa mihi ab eis administratione de eorum imperio atque republica. Et communicator sum sanctae dei catholicae et apostolicae ecclesiae, et nullo modo vel tempore adversabor ei, nec alium quemcumque permitto, quantum possibilitatem habeo. Iuro quoque idem iusiurandum, quia nulli penitus neque dedi neque dabo occasione dati mihi cinguli neque occasione patrocinii, neque promisi neque professus sum de provincia mittere neque mittam, neque occasione dominici suffragii, neque gloriosissimis praefectis neque aliis famosissimis viris administrationes habentibus neque qui circa eos sunt nec alii omnium ulli: sed sicut sine suffragio percepi cingulum, sic etiam pure me exhibeo circa subiectos piissimorum nostrorum dominorum, contentus his quae statutae sunt mihi de fisco annonis. Et primum omne habebo studium ut fiscalia vigilanter inspiciam, et indevotos quidem et indigentes necessitate cum omni exigam vehementia, nequaquam subinclinatus neque ob hoc ipsum lucrum omnino considerans aut per gratiam vel odium exigens aliquem citra quam competit, aut concedo alicui; devotos autem paterne tractabo, et subiectos piissimorum nostrorum dominorum illaesos undique, quantum possibilitatem habeo, custodibo. Et aequus in causis utrique parti et in publicis disciplinis ero, nullique parti citra quam iustum est praestabo, sed exequar universa delicta, et omnem aequitatem servabo, secundum quod visum fuerit mihi iustum: et eos quidem, qui innoxii sunt, undique innoxios illaesosque conservabo, noxiis autem impono supplicium secundum legem; et omnem iustitiam, sicut dictum est, in publicis privatisque contractibus eis servabo, et si comperero fiscum iniustitiam pati. Non ego solum haec ago, sed etiam semper mihi adsidentem talem studebo adsumere et circa me omnes, ut non ego quidem purus sim, qui vero circa me sunt, furentur et delinquant; si quis autem inveniatur circa me talis, et quod fit ab eo me sanare, et eum expello. Si vero non haec omnia ita servavero, recipiam hic et in futuro saeculo in terribili iudicio magni dei domini et salvatoris nostri Iesu Christi et habeam partem cum Iuda et lepram Giezi et tremorem Cain, insuper et poenis, quae lege eorum pietatis continentur,*

Y además, tomaban su cargo con todo empeño y celo sin dolo y sin ningún artificio en la administración que por ellos le era encomendada de su imperio y república. Dicho juramento era ciertamente extenso, en donde repetían la sumisión a los piadosos señores, al referirse al trato con los súbditos, la justicia a impartir, la inspección de los tributos fiscales y cualquier otra cuestión relacionada con su cargo.

Si bien es cierto que las Novelas[306], así como el resto de las constituciones recogidas en la obra justinianea, otorgan el máximo y exclusivo protagonismo al emperador, en este caso concreto en referencia a Justiniano, y nunca permiten relevancia alguna a ninguna mujer en el encabezamiento de las disposiciones dirigidas a múltiples destinatarios de la administración imperial, el juramento escrito y reflejado en la última parte de la Novela 8 refleja un cambio de estilo.

De este modo, en una sociedad tan patriarcal como la bizantina, en la que un magistrado debe prestar ahora sumisión absoluta en el juramento de su cargo no sólo al emperador, sino también a su consorte, a la emperatriz, da cuenta de una cierta paridad inexistente hasta el momento en la corte imperial.

Sin ánimo de obcecarnos con el gesto mostrado por Justiniano hacia Teodora[307], debemos ser realistas e incidir en que la obra legal del

---

ero subiectus. Scriptum exemplar huius Dominico gloriosissimo praefecto per Illyricum.

[306] P. NEVILLE URE, *Justiniano y su época*, cit., p. 168, detalla con respecto a las Novelas, como leyes, que pueden ser consideradas: "Siguiendo el verdadero espíritu del Derecho romano, como un crecimiento natural basado en los constantes y nuevos problemas que se presentan incluso en el estado más conservador. Naturalmente no nos ofrecen una visión comprensiva de ningún sector de la vida bajo Justiniano, pero si nos permiten una fugaz visión de algunos aspectos de la misma...".

[307] Una distinción especial dispensada a la emperatriz que además se publicita en Novela 8 *Edictum pr.*, con una gran difusión por deseo expreso del emperador, como afirma A. CALORE, *Iuro per Deum Omnipotentem...: Il giuramento dei funzionari imperiali all'epoca di Giustiniano*, cit., pp. 113-114, precisando incluso Justiniano las distintas modalidades de publicidad de la disposición legislativa para obtener el mayor impacto de conocimiento por parte de la población y los cargos públicos; vid. sobre la colaboración de la jerarquía eclesiástica para publicitar el contenido de la ley, G. LANATA, *Legislazione e natura nelle Novelle giustinianee*, Nápoles, 1984, pp. 156-158; acerca de los distintos destinatarios de la Novela, N. VAN DER WAL, *Edictum und lex edictalis. Form und Inhalt*

emperador, extensa, inmensa y ejemplar jurídicamente hablando, no contiene más ejemplos explícitos de la autoridad de la emperatriz, por lo que colegir un inconmensurable poder del enunciado de una sola ley, la Novela 8, resulta disparatado. Tampoco la ausencia de referencias expresas en la legislación justinianea referida a las mujeres significa la obliteración de la emperatriz en las políticas femeninas, puesto que la influencia de la Augusta se reconoce en la administración de Justiniano[308], pero no nos permite atribuirle mayor protagonismo que el manifiesto, pudiendo sólo sugerir su secundaria presencia en el incipiente feminismo jurídico de Bizancio.

Es decir, la distribución de poder realizada por Justiniano con su cónyuge no supuso una división real de su inmenso e inigualable poder. Realizó notables gestos cara a la galería, autorizó el ascenso moral y espiritual de la emperatriz Teodora en alguna de las partes del *Corpus Iuris Civilis*[309], pero de ningún modo permitió mayores excesos en el conjunto de la compilación justinianea, reservada al intelectual formado y al equipo de compiladores supervisados por Triboniano[310],

*der Kaisergesetze im spätrömischen Reich*, en *RIDA* 28, 1981, p. 298; si bien la necesaria publicidad explícita el deseo de que la ley se conozca por todos los súbditos bizantinos, no es menos cierto que el reconocimiento de Teodora como su consejera en este tema tendría una difusión sin igual por todos los rincones del imperio.

[308]  C. DIEHL, *Byzantine Portraits*, cit., p. 71, en donde primero refiere grandes defectos de Teodora, para luego referir sus virtudes, estrechamente relacionadas con la capacidad de gestión en la administración justinianea: "She had other, more eminent virtues: a masculine vigour, a lofty energy, and a statesman's clear and powerful intelligence. Her influence was not always good; but she made a deep impress upon Justinian's government. After her death ther followed a period of decadence in which the once-glorious reign drew sadly to a close".

[309]  P. NEVILLE URE, *Justiniano y su época*, cit., p.166: "Lo que da al *Corpus* su valor único es el hecho de no caer en la ilusión de que toda la sabiduría de Roma se encuentra en un período o época. El resultado de este tipo de tradicionalismo ilustrado es que el *Codex* y el *Digesto* agrupan la acumulada experiencia y la sabiduría de siglos".

[310]  A. M. HONORÉ, *Tribonian*, Londres, 1978, p. 12, atribuye a Teodora un protagonismo real en la modificación legislativa atinente a los cargos de la administración, en cierto modo sorprendente por cuanto se trata de una obra que dedica a la importancia de Triboniano en la magna obra jurídica justinianea: "The reform of provincial government in 535 is partly credited to her advice".

así como por el propio emperador[311], protagonista indiscutible de la eterna obra legal.

## 2.4. DERECHO Y RELIGIÓN. MONOFISISMO DE TEODORA.

La cuestión religiosa en Bizancio no resultaba en absoluto pacífica. Los temas suscitados en el Concilio de Calcedonia del año 451[312], convocado por el emperador Marciano, habían provocado un cisma doctrinal con respecto a la naturaleza de Cristo, que no parecía sencillo de resolver. Paradójicamente, el *Concilium* no había tenido nada de conciliador ni apaciguador, muy al contrario, había dividido todavía más el escenario delicado de susceptibilidades religiosas de la época, estimando como herejía un credo muy difundido en Oriente, el monofisismo, defensor de una única naturaleza de Cristo, frente a la doble naturaleza impuesta por la ortodoxia cristiana oficialmente

---

[311] Vid. sobre la participación directa de Justiniano en algunas constituciones de la legislación justinianea, A. M. HONORÉ, *Some Constitutions Composed by Justinian*, en *The Journal of Roman Studies* , 65, 1975, pp. 107-123.

[312] Cuarto concilio ecuménico al que fueron convocados todos los obispos cristianos para definir la doctrina teológica que debía imperar frente a las diferentes corrientes religiosas que se sucedían continuamente: M. RICHARD, *Les florileges diphysites du Ve et VIe siècles*, en *Das Konzil von Chalkedon*, A. Grillmeier, H. Bacht, (eds.), Würzburg, 1951, pp. 721-748, en donde refleja la aparición de florilegios dogmáticos en el concilio, que abundaron todavía más en los argumentos patrísticos contrarios; R.V. SELLERS, *The Council of Chalcedon*, London, 1953; P.T.R. GRAY, *The Defense of Chalcedon in the East 451-553*, cit., *passim*; vid. sobre la edición crítica del encuentro conciliar, con toda la documentación relativa al efecto, R. PRICE, M. GADDIS, *The Acts of the Council of Chalcedon*, 3 vols., trad. ingl., Liverpool, 2005; *Chalcedon in Context. Church Councils 400-700*, R. Price, M. Whitby, eds., Oxford, 2008; S. BROCK, *A monothelete florilegium in Syriac*, en *After Chalcedon. Studies in Theology and Church History, offered to Professor Albert Van Roey for his seventieth birthday*, C. Laga, J.A. Munitiz, L. van Rompay, eds., Lovaina, 1985, pp. 35-45; P. Athanassiadi, *Vers la pensée unique. La montée de l'intolérance dans l'Antiquité tardive*, París, 2010, p.113, afirma que la producción y uso de florilegios difisitas distorsionó el pensamiento de los teólogos y dio una falsa impresión de libre discusión en lugar de lo que de hecho no era más que un "une danse rituelle".

impuesta en la asamblea, más por motivos geo-políticos que esencialmente ideológicos.

En el sínodo solemne de autoridades religiosas reunidas en Calcedonia[313], no se había intentado resolver esta disputa teológica controvertida, con diferencias reconocibles desde antiguo, sino que se optó
por publicar un decreto sobre la fe cristiana que debía considerarse
como el decreto dogmático específico del Cuarto Concilio General[314],

---

[313]   J. MEYENDORFF, *Justinian, the Empire and the Church*, en *Dumbarton Oaks
Papers*, 22, 1968, p. 52: "The great Council gathered in Chalcedon in 451 was
the largest Christian assembly ever held until then. Its proceedings were more
orderly and regular than those of other councils; they allowed room for dis-
cussion, for study of texts in commission, and they resulted in a Christological
formula which has always been admired for having appropriated, in a careful
and balanced way, the positive elements found in both the Alexandrian and the
Antiochian Christologies. Nevertheless, it was this balanced Chalcedonian definition which also provoked the first major and lasting split in Eastern Christianity. For, as is true of all dogmatic formulae and doctrinal definitions, it not only
solved problems but created new ones. Here are two of many possible exam-
ples: I. The Nicaean Creed had spoken of the Son as "consubstantial" with the
Father: Chalcedon, in order to affirm that in Jesus Christ there were indeed two
natures, the divine and the human, proclaims that He was "consubstantial to
the Father according to His divinity and consubstantial to us according to His
humanity." Implied in this definition was a condemnation of Eutyches. But, in
affirming that the Son with the Father had one substance, Nicaea was following
the essential Biblical monotheism: there is one God. However, by saying that
Christ was "consubstantial to us," was Chalcedon implying that there was also
one man? Obviously, further clarification was needed on the point of how the
three are One in God, but the many are not one in humanity. 2. The Council of
Chalcedon took the crucial option of speaking of Christ as being in two natures, while Dioscoros of Alexandria and the Monophysites were ready to accept
the milder Cyrillian formula of two natures, which would actually permit them
to say that in Christ the union "of two natures" resulted concretely in the one
nature of the Word incarnate. The Chalcedonian option, which is really the di-
viding point between the Monophysites and the Orthodox, implies that Divinity
and humanity, while united in Christ, did not merge into each other, but retained
their essential characteristics"; su conclusión no es otra que las ambigüedades de
la fórmula de Calcedonia fueron las responsables del tremendo éxito del monofisismo, explotadas por los teólogos monofisitas durante casi un siglo, además de
la sorprendente falta de mentes teológicas importantes presentes en el Concilio
de Calcedonia.

[314]   J. L. GONZÁLEZ, *Historia del cristianismo*,1, Miami, 1994, p. 290, da cuenta de los siete primeros concilios ecuménicos y sus fechas, a modo de apoyo

en el que se recoge como verdadera fe que Cristo sea conocido en dos naturalezas, sin confusión, sin cambio, sin división y sin separación.

El monofisismo[315], sin embargo, aunque representaba un argumento diferente con el rechazo a la doble naturaleza de Cristo, no esperaba la consideración de herejía a su disputa cristológica, por lo que la decisión conciliar, en la que además se decidieron argumentos disciplinarios y judiciales eclesiásticos, la entendieron como un ataque despiadado frente a su doctrina teológica, provocando la agitación monofisita, un cisma irreductible y eterno que conllevó la persecución y condena a partir de la clausura de la reunión conciliar.

En la época de Teodora, había transcurrido ya un tiempo considerable desde la decisión sinodal contraria a los intereses de los monofisitas, pero sin que hubiera supuesto un retroceso crepuscular en el número de seguidores del dogma prohibido, puesto que la definición dogmática oficial no había conseguido su propósito entre la mayoría de los cristianos de Oriente.

---

[315] referencial: 1) Nicea 325; 2) Constantinopla 381; 3) Éfeso 431; 4) Calcedonia 451; 5) II Constantinopla 553; 6) III Constantinopla 680–681; 7) II Nicea 787. J.D. CHAPMAN, *Monophysites and Monophysitism*, en *The Catholic Encyclopedia*, X, Nueva York, 1912, pp. 489-497; J. LEBON, *Le Monophysisme Severien. Étude Historique, Litteraire et Theologique sur la resistance monophysite au Concile de Chalcedoine jusqu'a la constitution de l'Église Jacobite*, Lovaina, 1909, es uno de los estudios más detallados sobre la doctrina monofisita, del que podemos destacar su análisis sobre la encarnación, en p. 183: "L'incarnation est un acte auquel concourent les trois personnes de la sainte Trinité et la Vierge...", pp.184-185: "Les auteurs monophysites sont les champions de la glorieuse maternité divine de Marie. Tous affirment unanimement que la chair du Verbe est tirée de celle de Marie et que le Christ est véritablement, de ce chef, consubstantiel à sa Mère par la chair"; y en p. 187, afirma que los monofisitas establecen una asociación necesaria y perpetua entre la encarnación y la redención: "La fin de l'incarnation le motif qui a poussé le Verbe à se faire homme, c'est, la régénération de l'humanité. C'est pour nous que le Verbe a pris la chair. Il y a, chez les auteurs monophysites, comme une association nécessaire et perpétuelle entre la mention de l'incarnation et celle de la rédemption"; id., *La christologie du monophysisme sévérien*, en *Das Konzil von Chalkedon*, II, pp. 425-480; W.H.C. FREND, *The Rise of the Monophysite Movement. Chapters in the History of the Church in fifth and sixth centuries*, Cambridge, 1972, *passim*.

No se trataba de un argumento trivial, o una obsesión provinciana en contraste con la intrusa y extraña capital[316], Constantinopla[317], sino que el monofisismo como doctrina teológica que mantenía una única naturaleza de Cristo, la divina, en la que se encuentra integrada la parte humana, estaba muy extendida y apoyada incluso por parte de la jerarquía eclesiástica, como el Patriarca de Alejandría[318], y sobre todo, defendida por la emperatriz Teodora[319].

A mayor abundamiento, la emperatriz conocía desde su primer itinerario vital las bondades de la jerarquía monofisita, que la habían

---

[316]  Cfr. P. BROWN, *El mundo de la Antigüedad Tardía*, cit., p. 140: "Siglos de experiencia cristiana en las provincias se habían visto burlados por la advenediza capital. Para el griego piadoso, para el copto y el sirio, Cristo era el prototipo del hombre redimido. ¿Hasta qué punto, se preguntaban esos hombres, se había dignado Dios tomar y transformar la naturaleza humana, eliminando de ella sus fragilidades, en la persona de Cristo? Si la naturaleza humana había sido totalmente transformada y hecha una única cosa con la naturaleza divina en Cristo —de aquí procede la apropiada etiqueta teológica: «monofísita» (monos: único; physis: naturaleza)— , entonces al hombre normal le cabía esperar conseguir la salvación del mismo modo: él también podía ser transformado. El hombre normal miraba en torno suyo y veía al santo: si una naturaleza humana, tan frágil, podía verse dotada en su vida con un poder tan sobrenatural, entonces, seguramente, ¿no habría sido igualmente dotada la naturaleza divina de Cristo, y de una manera más absoluta e indivisible? ¿Quién podría situarse entre la humanidad y su imponente enemigo, el demonio, sino un ser absolutamente divino?".

[317]  El antagonismo entre los patriarcas de Constantinopla y Alejandría era de sobra conocido, como se desprende de la lectura de: N. H. BAYNES, *Alexandria and Constantinople: A Study in Ecclesiastical Diplomacy*, en *J.E.A.*, 12, 1926, pp. 145-156; E. R. HARDY, *The Patriarchate of Alexandria: A Study in National Christianity*, en *Church History*, 15, 1946, pp. 81-100; Id., *Christian Egypt: Church and People*, New York, 1952, p. 47.

[318]  Vid. sobre los poderes y prerrogativas de los patriarcas de Alejandría y el patriarcado alejandrino en general: J. MASPERO, *Histoire des Patriarches d'Alexandrie depuis la mort de l'empereur Anastase jusqu'à la réconciliation des églises Jacobites (518-616)*, París, 1923, pp. 90 ss.; H. GELZER, *Ungedruckte und wenig bekannte Bistümerverzeichnisse der orientalischen Kirche*, en *Byzantinische Zeitschrif*, 2, 1893, pp. 24-26 y 33-35; L. DUCHESNE, *Autonomies ecclésiastiques. Églises séparées*, París, 1896, pp. 35 ss.; A. H. M. JONES, *The Later Roman Empire*, 2, Oxford 1964, pp. 883 ss.; L. BRÉHIER, *Les institutions de l'empire byzantin*, París, 1970, p. 361.

[319]  A. M. DEMICHELI, *La política religiosa di Giustiniano in Egitto. Riflessi sulla chiesa egiziana della legislazione ecclesiastica giustinianea*, en *Aegyptus 63, 1*, 1983, pp. 230: "Teodora, apertamente monofisita", y en la misma página, n. 34: "Che Teodora nutrisse simpatie monofisite è fuor di dubbio".

ayudado en su propia reconversión, transformación imprescindible para conseguir el ascenso jurídico social bizantino que culminó con su unión a Justiniano, por lo que su defensa del monofisismo, de sus patriarcas, y de los fieles seguidores serán el signo de identidad de la emperatriz[320], y una de sus escasas muestras de debilidad personal, si es que se le puede llamar así a su encendida apología de la doctrina teológica monofisita.

Si bien el cristianismo ortodoxo, religión oficial del imperio bizantino, mantenía como dogma oficial la doble naturaleza de Cristo, la divina y la humana, como verdad indiscutible de todo creyente, y Justiniano defendía la esencia del calcedonismo como la ortodoxia legítima[321], la resistencia a dicha doctrina era muy numerosa, y se

---

[320]  Es evidente que la simpatía por la causa monofisita por parte de la emperatriz era conocida en todos los ambientes, puesto que con posterioridad, las biografías papales del *Liber Pontificalis*, L. ROPES LOOMIS, trad. e introd., *The Book of the Popes*, Nueva York, 1916, pp. 143-160, que se remontan a los siglos VI-VII, es decir, las de papa Agapito, Silverio y Vigilio, mientras muestran un respeto reverencial en relación a Justiniano, exhiben una franca hostilidad con respecto a la política religiosa atribuida a Teodora, como se aprecia en la versión inglesa en p. 155: "Then Theodora Augusta wrote to pope Vigilius: 'Come, fullfill for us what you promised of your own freewill concerning our father Anthemius and restore him to his office'. But Vigilius replied: 'Far be this from me, Lady Augusta. I spoke beforetime wrongly and foolishly; now I do assuredly refuse to restore a man who is a heretic an under the anathema. Although unworthy, I am the vicar of blessed Peter, the apostle, as were my predecessors, the most holy Agapitus and Silverius, who condemned him'. Then the Romans brought an accusation against Vigilius, because he had advised the deposition of the blessed pope Silverius"; vid. al respecto, A. CARILE, *Consenso e dissenso fra propaganda e fronda nelle fonti narrative dell'età giustinianea*, en *L'Imperatore Giustiniano, Storia e Mito: giornate di studio a Ravenna, 14-16 ottobre 1976*, G. G. Archi (ed.), Milán, 1978, pp. 74 ss.

[321]  De acuerdo con la posición adoptada por su tío el emperador Justino, que en un intento de reconciliación imperial con la iglesia de Roma, cuya ruptura con el papado se había producido en el 484 con el cisma de Acacio, se pronunció rotundamente en favor de la ortodoxia de Calcedonia; Vid. al respecto: A. A. VASILIEV, *Justin the First. An Introduction to the Epoch of Justinian the Great*, cit. p. 200 ss.; 200 ss.; L. DUCHESNE, *La réaction chalcédonienne sous l'empereur Justin*, in *L'Église au VIe siècle*, París, 1925, pp. 43-77; R. HAACKE, *Die kaiserliche Politik in der Auseinandersetzungen um Chalkedon (451-553)*, en *Das Konzil von Chalkedon*, cit., pp. 141 ss.

María José Bravo Bosch

sentía profundamente, alejándose progresivamente las provincias de la verdad oficial y apostando por el monofisismo[322].

No estamos ante un debate únicamente religioso, sino también político, por cuanto el soberano bizantino debía mostrar una devoción total a los designios de Dios, a la doctrina autorizada por el Patriarca de Constantinopla, y demostrar con su actos administrativos, sociales y legislativos[323], la comunión sin fisuras con la verdad establecida. De este modo, el dominio religioso y político se entremezclaban, y el ejercicio del poder imperial debía procurar la consolidación del dogma

---

[322]   Evagr. *Hist. Eccl.* 2.8, en *The Ecclesiastical History of Evagrius*, cit., pp. 55-59, da cuenta de lo sucedido a Proterio, patriarca impuesto después del Concilio de Calcedonia del año 451, asesinado por la población de Alejandría en el 457, sustituyéndolo por el monofisita Timoteo Eluro; E. R. HARDY, *The Egyptian policy of Justinian*, en *Dumbarton Oak Papers* 22, 1969, pp. 23-41; A. M. DEMICHE-LI, *La política religiosa di Giustiniano in Egitto. Riflessi sulla chiesa egiziana della legislazione ecclesiastica giustinianea*, cit., pp. 217-257,

[323]   En la Constitución *Deo Auctore*, norma en la que el emperador dispone la elaboración del Digesto el 15 de diciembre del año 530, implora la ayuda de Dios omnipotente, y sitúa toda su esperanza únicamente en la providencia de la Trinidad Altísima, de donde procedieron los elementos del mundo entero, y nació su disposición en el orbe terrenal: *Deo auctore nostrum gubernantes imperium, quod nobis a caelesti maiestate traditum est, et bella feliciter peragimus et pacem decoramus et statum rei publicae sustentamus: et ita nostros animos ad dei omnipotentis erigimus adiutorium, ut neque armie confidamus neque nostris militibus neque bellorum ducibus uel nostro ingenio, sed omnem spem ad solam referamus summae prouidentiam trinitatis : unde et mundi totius elementa processerunt et eorum dispositio in orbem terrarum producta est*; del mismo modo, al final de esta disposición legal, vuelve a hacer referencia a que todo lo cual procure, con el favor de Dios, hacerlo con sabiduría, como testimonio de la sabiduría de Dios Omnipotente: *Haec omnia igitur deo placido facere tua prudentia una cum aliis facundissimis viris studeat et tam subtili quam celerrimo fini tradere, ut codex consummatus et in quinquaginta libros digestus nobis offeratur in maximam et aeternam rei memoriam deique omnipotentis providentiae argumentum nostrique imperii vestrique ministerii gloriam*; vid. al respecto, C. HUMFRESS, *Law and Legal Practice in the Age of Justinian*, en *The Cambridge Companion to the Age of Justinian*, cit., p. 167, en relación con la Constitución *Tanta* de 16 de diciembre del 533, que otorgó fuerza legal a la obra: "In fact, according to the rhetoric of the Constitution *Tanta*, The completion of the Digest in December 533 was nothing short of a providential act of divine generosity", afirmando que debemos tomarnos en serio la retórica de Justiniano, puesto que el emperador cristianizó conscientemente todos los libros jurídicos clásicos no cristianos, como demuestra en el Digesto, obra jurídica inspirada por Dios, y promulgada en el nombre de Cristo.

oficial, persiguiendo cualquier divergencia religiosa con la doctrina impuesta.

De este modo, la agitación religiosa será una constante durante el reinado de Justiniano, puesto que, convencido en lo más profundo de su espíritu de la auténtica verdad ortodoxa[324], dirigirá con todas sus

---

[324] C. 1.1.6, es la constitución del emperador Justiniano dirigida a los constantino-politanos, promulgada en el año 533, más clara y específica con respecto a la herejía monofisita; vid. al respecto, *Cuerpo del Derecho Civil Romano,* trad. esp. I. L. GARCÍA DEL CORRAL, *Código, tomo I,* Barcelona, 1892, C. 1.1.6.1-4, pp. 19-20, en donde se contiene el credo recitado por los católicos con absoluta convicción, modelo de creencia y fe absoluta, que ha permanecido inalterable a través de los siglos hasta el mundo contemporáneo, evidencia que da cuenta de la importancia del emperador legislador: "1. Creemos, pues, en un solo Dios, padre omnipotente, en un solo señor Jesucristo, hijo de Dios, y en el Espíritu Santo, adorando una sola substancia en tres personas, una deidad, una potestad, una Trinidad consubstancial. Confesamos que en los últimos días nuestro señor Jesucristo, unigénito, hijo de Dios, Dios verdadero de Dios verdadero, nacido del Padre antes de los siglos y sin tiempo, coeterno con el Padre, de quien y por quien son todas las cosas, descendió de los cielos, fue encarnado por obra del Espíritu Santo y de la santa gloriosa y siempre Virgen María, y se hizo hombre... No hemos conocido, pues, otro Dios verbo y otro Cristo más que el único y mismo consubstancial con el Padre según la deidad, y consubstancial con nosotros según la humanidad; de modo que así como es perfecto en la divinidad, así es también perfecto en la humanidad. Porque respecto a la persona aceptamos y confesamos la unidad. Pues la Trinidad subsistió Trinidad aún después de encarnado Dios verbo una de las personas de la Trinidad; y la santa Trinidad no admite la agregación de una cuarta persona. 2. Siendo así estas cosas, anatematizamos toda herejía, y principalmente al antropólatra Nestorio, y a los que con él opinaron u opinan las mismas cosas, quienes dividen la naturaleza única de nuestro señor Jesucristo, Hijo de Dios y Dios nuestro y no confiesan claramente y según es la verdad...3. Anatematizamos también al insensato Eutiques y a los que con él opinaron u opinan, quienes inducen a error, y niegan la verdadera generación de nuestro señor y salvador Jesucristo de la santa y deípara virgen, esto es, nuestra salvación; y los cuales no confiesan que él mismo sea consubstancial con el Padre según la deidad, y consubstancial con nosotros según la humanidad. 4. Y de igual modo anatematizamos también al animicida Apolinario, y a los que con él opinaron u opinan, quienes dicen que nuestro señor Jesucristo, hijo de Dios y Dios nuestro, no tenía alma humana, y los cuales introducen confusión o perturbación en la humanización del unigénito hijo de Dios, así como también a todos los que con estos opinaron o creen lo mismo"; vid. sobre la herejía cristológica nestoriana, cuyo fundador Nestorio fue patriarca de Constantinopla con Teodosio II, combatido por Cirilo de Alejandría, y declarado hereje por el Concilio de Éfeso en 431, nació de la imprecisión de los términos teológicos empleados para designar los nombres aplicables a Jesús, a la vez Dios y hombre. En la escuela

fuerzas la persecución impenitente de todos los grupos religiosos ale-
jados de la fe legalmente establecida[325], la verdad de la iglesia católica

---

de Antioquía, a la que pertenecía Nestorio, rechazaban atribuir a la naturaleza
divina del Verbo encarnado lo que pertenece a la naturaleza humana, pudiendo
resumir sus fundamentos en tres conceptos: Primero, En Jesucristo existen dos
personas, la del Verbo y la del hombre; segundo, no existe una unión de las dos
naturalezas de manera hipostática y sustancial, porque es solamente moral y
accidental y tercero, María es madre de Cristo, pero no madre de Dios; vid. al
respecto: F. LOOFS, *Nestorius and his Place in the History of Christian Doctrine*, Cambridge, 1914; Th. CAMELOT, *De Nestorius à Eutyches, l'opposition
de deux christologies*, en *Das Konzil von Chalkedon*, I, cit., pp. 213-219; L. I.
SCIPIONI, *Nestorio e il concilio di Efeso*, Milán, 1974; R. TEJA: *La 'tragedia'de
Éfeso (431): Herejía y poder en la Antigüedad Tardía*, Santander, 1995; con respecto a Eutiques (378-454), cuyo pensamiento supone el origen del monofisismo, era arquimandrita de un monasterio cercano a Constantinopla, y combatió
la herejía de Nestorio, pero pronto cayó en el error opuesto, afirmando que en
Cristo solo había la naturaleza divina. En el sínodo de Éfeso fue rehabilitado, pero en el Concilio de Calcedonia fue condenado definitivamente; sobre Eutiques,
vid. L. DE GIOVANNI: *Chiesa e Stato nel Codice Teodosiano, Saggio sul libro
XVI*, Nápoles 1980, pp. 161 ss.; R. GONZÁLEZ FERNÁNDEZ, *Las estructuras ideológicas del Código de Justiniano*, Murcia, 1997, p. 65: "Esta nueva profesión de fe fue redactada de tal manera que pudiese satisfacer las susceptibilidades
monofisitas y a la vez que omitía las referencias a Calcedonia y a las dos naturalezas, formulaba el dogma cristológico con la fórmula teopasquita que el Papa
Hormisdas había rechazado trece años antes"; por lo que respecta a Apolinar el
joven, obispo de Laodicea (310-390), sus enseñanzas se fundamentaban en que
Cristo en el plano del espíritu no participaba de la naturaleza humana, sino que
el espíritu humano de Cristo había sido sustituido por el Logos Divino, como
describen H. LIETZMANN, *Apollinaris von Laodicea und seine Schule, Texte
und Untersuchungen*, Tubinga, 1904, *passim*; H. DE RIEDMATEN, *La christologie d'Apollinaire de Laodicée*, en *Studia Patristica* 2, Berlín, 1957, pp. 208-234.

325  Procopio, *Historia Secreta*, cit., 11.14-16, pp. 218-219: "Hay entre los cristianos
de todo el imperio romano muchas doctrinas prohibidas, a las que suelen dar el
nombre de herejías, como las de los montanos, sabacianos y cuantas otras suelen
inducir a error el juicio de los hombres. A todos éstos les ordenó que abandonaran sus antiguas creencias, amenazando a los que no obedecieran, además de
con muchas otras cosas, con impedir que pudieran en adelante legar sus bienes a
hijos o parientes"; con respecto a las consecuencias de no ceder a las pretensiones del emperador, Procopio describe la violencia excesiva ejercida contra ellos,
en 11.21-24: "Enseguida aparecieron muchos enviados que recorrían todos los
lugares obligando a los que encontraban a abandonar la doctrina de sus padres.
Puesto que a los hombres de campo les pareció que este comportamiento no era
religioso, todos ellos decidieron hacer frente a los portadores de estas órdenes.
Muchos fueron por ello masacrados por los soldados y otros muchos, creyendo

y apostólica de cuyo credo es firme defensor, incluyendo a los seguidores de la doctrina teológica monofisita, considerada una herejía[326],
y por ello anatemizada y convertida en un movimiento contrario a la
religión y al derecho.

La devoción religiosa del emperador Justiniano[327], convertirá su
persecución de las minorías religiosas que se apartaban de la ortodoxia oficial del Imperio en una cruzada imprescindible para salvar las
almas de los súbditos del Imperio. Solo así se comprende su severi-
dad extrema con los considerados herejes[328], los maniqueos, samaritanos[329], denominados como extremos aislacionistas religiosos, y los

---

en su necedad que actuaban piadosamente, dispusieron ellos mismos de sus vidas. Aunque la gran mayoría de ellos huyó, abandonando la tierra de sus padres,
los montanos que habitaban en Frigia, después de encerrarse en sus propios
santuarios, prendieron acto seguido fuego a estos templos y fueron destruidos
con ellos de una manera absurda. A raíz de ello todo el imperio romano se veía
lleno de muertos y fugitivos".

[326] C. 1.1.5, es una constitución dirigida por el emperador Justiniano a todos sus
súbditos, en la que afirma rotundamente la fe que predica la santa iglesia de
Dios católica y apostólica, manifestando el credo verdadero, y anatematiza a
Eutiques, inadmitiendo de ningún modo innovaciones en la fe irreprensible, pre-
dicada por la iglesia católica y apostólica, y "siguiendo nosotros los dogmas de
los santos apóstoles y de los que después de ellos brillaron en las santas iglesias
de Dios", declarando como anatema toda herejía de los grupos religiosos aleja-
dos de la única doctrina teológica admisible; O. DILIBERTO, *La macchina della
teologia politica e il posto del pensiero*, en *SDHI* 81, 2015, p. 427, refiere como
Justiniano llevó a cabo con esta constitución la codificación legislativa de la Santísima Trinidad: "Giustiniano (e qui siamo in àmbito squisitamente giuridico-
legislativo, ancorché in materia teologica). Tra il 527 e il 533, Giustiniano emana
tre costituzioni « teologiche »: è la condanna ufficiale del nestorismo (presenza
di due persone distinte in Cristo, una divinae una umana) e la « codificazione »
legislativa della Trinità, secondo il dogma cristiano cattolico niceno: C. 1.1.5.1
(e poi C. 1.1.6.4): *patrem filium et sanctum spiritum, unam substantiam in tribus
personis*".

[327] H. S. ALIVISATOS, *Die kirchliche gesetzgebung des kaisers Justinian I*, en *Neue
Studien zur Geschichte der Theologie und der Kirche*, Berlín, 1913, *passim*.

[328] A. BERGER, *La concezione di eretico nelle fonti giustinianee*, en en *Atti
dell'Accademia Nazionale dei Lincei*, 8, vol. 10, 1955, pp. 353-365; vid., sobre
las medidas adoptadas por Justiniano contra los herejes, G. CRONT, *La repression de l'Heresie au Bas-Empire pendant le regne de Justinien Ier (527-565)*, en
*Byzantiaka* 20, 1982, pp. 39-51.

[329] C. 1.5.2.1; 1.5.1.7; S. WINKLER, *Die Samariter in den Jahren 529-30*, en *Klio*,
43/45, 1965, pp. 435-457; R. GONZÁLEZ FERNÁNDEZ, *Las estructuras*

hebreos, así como su actitud hacia los monofisitas, aunque bien es cierto que con respecto a estos últimos, a pesar de la persecución formal documentada, realizó algunas concesiones[330], seguramente por su proximidad a la emperatriz.

Bien es cierto que ya en alguna ocasión anterior, en nombre del emperador reinante Justino[331], el Basileo legislador había realizado

---

ideológicas del Código de Justiniano, cit., p.73, habla de los samaritanos cuando entran en conflicto con Justiniano: "Posiblemente junto a razones de tipo religioso se combinan razones de tipo político. En cuanto a la razón religiosa está clara su posición en el cosmos religioso de Justiniano, los samaritanos están situados en el lado de la heterodoxia, como los herejes, los paganos y, en definitiva, todos aquellos que no son cristianos ortodoxos. En el plano político son los levantamientos en la zona de Palestina contra el poder imperial los que mueven al emperador a endurecer las medidas legislativas contra ellos y así mismo a variar su lugar de inclusión en el Código con respecto al Teodosiano".

[330] T. SABO, *From Monophysitism to Nestorianism. AD 431-681*, Cambridge, 2018, recoge en pp. 101 ss. las concesiones realizadas por Justiniano a los monofisitas, señalando además que mientras la persecución de Justiniano contra los Montanistas y Samaritanos fue vergonzosa, su actitud con respecto al monofisismo no resultaba clara, como se aprecia en p.102: "Toward the Monophysites was more ambiguous, in part because of the influence of his empress Theodora".

[331] R. GONZÁLEZ FERNÁNDEZ, *Las estructuras ideológicas del Código de Justiniano*, cit., p. 62, en el que refiere el protagonismo de Severo, cuyos seguidores conformarán una de las sensibilidades monofisitas menos radicales: "Hay un personaje esencial para poder comprender la política religiosa de Justino y posteriormente la de Justiniano. Se trata de Severo de Antioquía. Fue el principal artífice de la oposición anticalcedonense, sobre todo en la región de Siria-Palestina. Aseguró su base doctrinal fijando a la vez su teología y se puede decir que el monofisismo histórico es el monofisismo de Severo. En la corte de Anastasio permaneció desde 508 a 511. Justino lo depuso, y se refugió en Egipto donde extendió su influencia. Luego, protegido por Teodora, aparece en 531-532 y de nuevo en 536 defiende la causa monofisita ante Justiniano. Fue condenado de nuevo y exiliado a Egipto donde murió en el año 538. El movimiento desarrollado por Severo durante su estancia en Constantinopla y que coincidió con el reinado de Anastasio hizo que sus ideas se manifestasen, a raíz de la toma de poder por Justino en 518, por un grupo de monjes escitas los cuales pensaron que la formula «Teopasquita», adaptada de Proclo, «Unus de Trinitate...», «Uno de la Trinidad padeció por nosotros en la carne», serviría para llegar finalmente a la paz religiosa, pero, rechazados por el Papa Hormisdas en 520, vuelven a Constantinopla y se enzarzan en una lucha contra los monjes acoimetas, defensores de la fe de Calcedonia"; vid. sobre Severo de Antioquía, R. C. CHESNUT, *Three Monophysite Christologies: Severus of Antioch, Philoxenus of Mabbug, and Jacob of Sarug*, Oxford, 1976, pp. 23 ss.

una preterición legal favorecedora con respecto a los monofisitas[332], pero el motivo probable resulta del partidismo monofisita del empe-

---

[332] C. 1.5.12, resulta un ejemplo esclarecedor. Mientras en este precepto legal del emperador Justino se cita expresamente a los Maniqueos, tildándolos incluso de 'execrables, a los Judíos y Samaritanos, no se dice nada de los Monofisitas, omisión que permitía la duda de su condición de herejes, resolución favorable a los seguidores de dicho credo; vid. al respecto, *Cuerpo del Derecho Civil Romano,* trad. esp. I. L. GARCÍA DEL CORRAL, *Código, tomo I,* cit., p. 119: "Concedimos que los herejes pudieran, así reunirse, como tener denominación propia, para que venerando nuestra paciencia se hicieran de sana intención, y pasaran voluntariamente a mejor estado. Mas se ha apoderado de ellos tal audacia, que no debe tolerarse, y despreciando la sanción de las leyes, se han introducido en las milicias, en que los rescriptos de los emperadores no permiten que sean partícipes hombres de esta clase. Pero llamamos herejes a los demás, como a os execrables Maniqueos y a sus semejantes. Y es conveniente que no sean nombrados, que no aparezcan absolutamente en parte alguna, y no tocar aquellas cosas que ellos hubieran cogido; sino que, según ya dijimos, conviene rechazar también de este modo a los Maniqueos, y que nadie sostenga la denominación de ellos, ni la desatienda, si verdaderamente en el mismo lugar habitara con otros un hombre que ha abrazado esta impiedad, sino que el Maniqueo sea sometido a la última pena en donde quiera que sea hallado. Mas respecto de los demás herejes, cualesquiera que sean su error y nombre, (pues llamamos hereje al que no es de la iglesia católica y ortodoxa y de nuestra santa fe), y de los paganos, que tratan de introducir el culto de muchos dioses, y también de los Judíos y Samaritanos, hemos determinado, no solo renovar as leyes ya promulgadas, y hacerlas más firmes por esta ley, sino dar además muchas disposiciones por las que tengan mayor seguridad, esplendor y dignidad los participantes de nuestra fe. Pero será lícito advertir a todos, nos referimos a los que con rectitud no veneran a Dios, que serán privados de todos los bienes humanos. En consecuencia, no toleramos que ninguno de los que ya hemos mencionado sea en modo alguno partícipe de una dignidad, o esté ceñido con cíngulo civil o militar, ni ingrese en una orden cualquiera, exceptuado el orden de los que llaman cohortales; pues a este queremos que estén sujetos en general, de suerte que ingresen para permanecer en él, y hacerlo todo por necesidad y soportar las cargas propias de la misma milicia...": bien es cierto que en el texto se habla de 'semejantes', lo que podría referirse a los monofisitas, pero su cuidada preterición no permite la equivalencia inmediata; cfr. A. M. DEMICHELI, *La política religiosa di Giustiniano in Egitto. Riflessi sulla chiesa egiziana della legislazione ecclesiastica giustinianea,* cit., p. 227: "Ritornando ora alla questione più propriamente religiosa è indubbio che Giustino sia stato indotto, durante il suo regno, e presumibilmente sotto l'influenza della forte personalità di Giustiniano, a mitigare l'atteggiamento iniziale di intransigenza adottato nei confronti dei monofisiti ai quali non è fatto alcun cenno in un editto che comminava severe sanzioni contro i dissidenti religiosi, emanato nel 527 da Giustino e Giustiniano".

rador anterior Anastasio, antecesor de Justino, cuya preferencia religiosa no se podía trastocar inmediatamente sin graves consecuencias en el reinado de su sucesor.

Sin embargo, este empeño inquisidor formalmente presentado[333], que le llevará a imponer condenas severas a los miembros convencidos del credo monofisita, declarando anatema cualquier alejamiento doctrinal de la verdad oficial, tendrá episodios de auténtica contradicción, incluso de intento conciliador de aproximación entre ambas posiciones religiosas divergentes[334], sin que pueda con ello evitar la

---

[333]　Procopio, *Historia Secreta*, cit., 10.15, p. 212: "Así pues, en primer lugar fomentaron la escisión entre los cristianos, fingiendo que cada uno de los dos seguía caminos opuestos en los asuntos debatidos y así consiguieron enfrentarlos a todos, tal como no tardaré mucho en exponer"; se refiere a Justiniano y Teodora, entre los que no parece que hubiera diferencias religiosas tan profundas como las que se les atribuían, sino que representaban un papel adecuado a sus intereses, sin escrúpulo alguno.

[334]　La idea de acercar posiciones alejadas en temas teológicos no es primigenia de Justiniano, por cuanto a finales del siglo V el patriarca Acacio de Constantinopla había propuesto a Zenón la publicación de un documento que reconciliase posturas entre ortodoxos y monofisitas. Así había nacido el 'decreto de unificación', *Henoticon*, de Zenón, en el año 482, en el que se planteaba la unidad de la fe como herramienta imprescindible para la unidad del Imperio; vid, al respecto, J. MEYENDORFF, *Justinian, the Empire and the Church*, cit., p. 46, en donde da cuenta del papel conciliador que tuvieron que llevar a cabo los emperadores de la segunda mitad del siglo V, después del dogma establecido en el Concilio de Calcedonia, ante la feroz oposición de un gran número de cristianos orientales: "This is why, one after the other, they preferred to solve the ecclesiastical issues of the day themselves and, avoiding conciliar procedure, to publish decrees on the faith; the most important of those decrees, the *Henotikon* of Zeno (482), was legally enforced until 518, when it was officially rejected by Justin I, probably upon the advice, and certainly with the agreement, of his nephew Justinian"; A. M. DEMICHELI, *La política religiosa di Giustiniano in Egitto. Riflessi sulla chiesa egiziana della legislazione ecclesiastica giustinianea*, cit., p. 230: "È ben noto come Giustiniano si fosse prefisso di attuare con tutti i mezzi, fin dall'inizio del suo regno, quel programma di restaurazione dell'unità religiosa inutilmente perseguito dai suoi predecessori e come considerasse necessario, per concretizzarlo, giungere ad una intesa con i monofisiti o almeno con la corrente più moderata dei severiani per mezzo di trattative e di eventuali concessioni. Per volontà dell'imperatore e soprattutto grazie all'opera di Teodora, apertamente filomonofisita, pote così realizzarsi, nel 532, un primo *Colloquium cum Severianis*, di cui il risultato più importante fu l'approvazione della formula teopaschita *Unus di Trinitate* da parte di monofisiti ed ortodossi"; vid. E. STEIN, *Histoire du Bas- Empire. Tome II: de la disparition de l'empire d'Occident à la mort de*

crisis más peligrosa de la época justinianea en lo que se refiere a la estabilidad y unidad del Imperio.

Por otro lado, Teodora, partidaria irreductible del movimiento monofisita, no pudo intervenir en el amparo necesario de su credo en su primer acercamiento al poder imperial, ya que tuvo que asistir durante algún tiempo como simple espectadora a la persecución religiosa, hasta que su unión con Justiniano fue legalizada, puesto que su delicada condición no le permitía posicionarse mientras su propia potestad y autoridad estaba todavía por decidir.

Después de consolidar su regia situación mediante el matrimonio con el emperador, decidió defender la que consideraba la fe auténtica y absoluta[335], tanto por convicción íntima como por el rédito político que sabía cierto, puesto que el imperio bizantino era poco sensible a la ortodoxia oficial de Justiniano.

---

*Justinien (476-565)*, cit., p. 377, considera que en realidad el intento de reconciliación de Justiniano nace después de los sangrientos incidentes acaecidos en el 531 en Antioquía, después de una represión anti monofisita ordenada por el Patriarca Efrén, llegando a un grado de condescendencia con los monofisitas, al margen de la relación que tenían con Teodora, ciertamente generosa: "Après la mort de Justin Ier les dispositions sévères prises contre les monophysites dans toutes les provinces à l'exception de l'Égypte, restèrent pendant quelque temps encore en vigueur. Elles paraissent même avoir été aggravées par le patriarche Ephrem d'Antioche en 531, ce qui fut la cause ou le prétexte d'une violente émeute contre le patriarche; la plèbe d'Antioche s'opposa, semble-t-il, à ce que des monophysites fussent envoyés en exil; il fallut une répression sanglante pour mettre fin à ces désordres. Cet incident pourrait bien être le motif immédiat qui décida l'empereur à opérer un revirement d'une haute portée. Dès l'été de la même année les mesures de persécution furent partiellement rapportées: les moines orientaux qui avaient été exilés, purent rentrer... et tout ce monde entra bientôt en relations personnelles non seulement avece Théodora qui leur prodiguait ses faveurs, mais aussi avec Justinian dont la condescendance allá jusu'à tolérer de bonne grâce que certains de ces moines, monophysites plus fervents que bien élevés, l'injuriassent grossièrement au cours des audiences qu'il leur accordait".

[335] L. GARLAND, *Byzantine Empresses: Women and Power in Byzantium AD 527-1204*, Londres-Nueva York, 1999, p. 23: "Like many an empress, one of her greatest spheres of activity was intensely interested in religious controversy and was an ardent monophysite".

La soberana, devota monofisita[336], mostrará una clara preocupación con respecto a la necesaria promoción de la doctrina monofisita y la protección de sus partidarios[337], entre los que debemos destacar el compromiso personal de patrocinio dispensado a los tres grandes patriarcas monofisitas, Severo de Antioquía, Teodosio de Alejandría, y Antimo de Constantinopla, perseguidos con todo el rigor de las leyes del emperador, convirtiéndose en una defensora comprometida con la lucha religiosa, pero dirigida de forma discreta, sin estridencias, en una suerte de resistencia pasiva que alimentará las almas de las multitudes cercanas al monofisismo, que sentían el apoyo sutil de la emperatriz.

---

[336] Evagr., *Hist. Eccl.* 4. 30, cit., p. 179, afirma que mientras Justiniano era seguidor del dogma de Calcedonia, Teodora era monofisita; J. B. BURY, *The History of the Later Roman Empire. From the Death of Theodosius I to the Death of Justinian*, 2, cit., p. 31, reitera la devoción monofisita de la emperatriz y añade el carácter autosuficiente de Teodora, que cuando adivinaba que su cónyuge mostraba una opinión diferente a la que ella mantenía, "she did not scruple to act independently", es decir, que no tenía escrúpulo alguno en actuar de forma independiente, añadiendo que la mayor divergencia fue precisamente en la política religiosa. Aun así, no parece que Justiniano actuase con su esposa del mismo modo que con los seguidores monofisitas que trataba legalmente como herejes, por cuanto se sabe que el poder de Teodora y su acción política independiente eran posibles gracias a su independencia económica, permitida y otorgada por el emperador, conocedor de la devoción religiosa de su mujer, y que sin embargo nunca limitó aún sabiendo de la protección dispensada, a salvo de la persecución oficial, a personajes célebres de la confesión herética.

[337] J. B. CHABOT, edición y traducción, *Chronique de Michel le Syrien*, 4 Vols., París, 1899-1905, reimpr., Bruselas, 1963, 9.21, revela como Teodora acogía en Constantinopla a los exiliados monofisitas, destacando su apoyo a los tres grandes patriarcas, Severo de Antioquía, Teodosio de Alejandría, y Antimo de Constantinopla; vid. con más detalle sobre los protegidos de la emperatriz, J. LEBON, *Le Monophysisme Severien. Étude Historique, Litteraire et Theologique sur la resistance monophysite au Concile de Chalcedoine jusqu'a la constitution de l'Église Jacobite*, cit., pp. 74-75, en donde relata como Severo es recibido por Justiniano en Constantinopla, pero de forma mucho más amigable por la emperatriz Teodora, sin duda su protectora "sa protectrice"; en p. 76, refleja como Antimo encuentra refugio gracias a la intervención de Teodora; vid., un estudio detallado en L. DUCHESNE, *Les protégés de Théodora*, en *Mélanges d'archéologie et d'histoire* 35, 1914, pp. 57-79.

Así, dará cobijo y protección a los monofisitas perseguidos en el Palacio de Hormisdas[338], la magnífica residencia que había compartido con Justiniano en su primer acceso a la nobleza, convirtiéndolo en refugio seguro e inaccesible a la persecución legal[339], al que acudían,

---

[338] Procopio, *Los edificios*, cit. 1.4.1-2, al detallar la fe de Justiniano, da cuenta de la magnificencia de este palacio: "La fe en los Apóstoles de Cristo queda evidenciada de la siguiente manera. En primer lugar, a Pedro y Pablo les construyó un templo, inexistente anteriormente en Bizancio, junto al palacio imperial que antiguamente se llamaba Hormisdas. Había procurado que aquella su residencia privada pareciera que era un palacio y que sobresalía por la magnificencia de su estructura, y la sumó al resto de las mansiones reales, una vez que se erigió en emperador de los romanos. Precisamente también en este sitio construyó otro santuario a los famosos santos Sergio y Baco, y junto a éste, en posición oblicua, también levantó otro templo. Y, por ello, estos dos templos no se encuentran frente a frente, sino que se hallan entre sí en ángulo, aunque estén juntos y rivalicen entre sí, y tengan entradas comunes; mantienen también aspectos idénticos en todo lo demás y, en concreto, los recintos que los rodean, y ninguno respecto al otro se muestra superior o inferior en belleza, tamaño o alguna otra cosa. Igualmente, por el brillo de sus piedras, cada uno supera al sol en resplandor, y del mismo modo también está recargado por doquier por la abundancia de oro y rebosa de ofrendas. En una sola cosa, no obstante, se diferencian: el eje longitudinal de uno de ellos se ha trazado recto, mientras que en el otro templo las columnas, en su mayor parte, se alzan en semicírculo. En los pórticos tienen una sola galería de columnas, que recibe la denominación de nartex por ser considerablemente larga, y tienen totalmente sus atrios en común, al igual que un patio, y las puertas de acceso a éste, y también guardan su semejanza en el hecho de pertenecer a las dependencias reales. De este modo acontece que estos dos templos son admirables, de tal modo que resultan ser un ornato de la ciudad entera, en no menor medida que lo es el palacio imperial".

[339] J. A. EVANS, *The Empress Theodora. Partner of Justinian*, cit., p.72, incide en la conversión del Palacio de Hormisdas, ahora parte del complejo imperial, en centro de protección monofisita gracias al decidido apoyo de la emperatriz Teodora: "She made it into a Monophysite refuge. It became a shelter for fugitive monks and clergy who migrated to Constantinople, and the palace church of Saints Sergius and Bacchus may have been their place of worship. Stylite saints who had descended from their pillars, hermits expelled from their cells, and monks driven from their convents gathered there from Armenia, Syria, Isauria, Alexandria, and Byzantium itself", concretando el número de emigrados a Constantinopla en no menos de 500 monofisitas, que tenían a su disposición estancias en Palacio convertidas en celdas en donde los santos hombres podían mortificar su carne y cantar himnos de alabanza. Teodora les proporcionaba todo lo necesario, y cada dos o tres días iba a visitarlos, recibiendo sus bendiciones. Lo llamativo es que parece ser que Justiniano la acompañó en alguna ocasión, esperando ganar su aprobación, y algunos de los santos hombres le dejaron una profunda impresión.

ante cualquier contratiempo severo, los que huían de una condena por herejía, a procurar la protección infalible de la emperatriz[340], que garantizaba indudablemente su seguridad.

Si bien Procopio no dedica mucho esfuerzo a tales menesteres de Teodora, sí que encontramos una breve referencia cuando refiere el nombramiento de autoridades eclesiásticas, en un tono negativo y desmerecedor de las labores religiosas de la emperatriz, que evidentemente no nos sorprende dentro del libelo dedicado por el cronista palestino a Teodora. Con todo, resulta cuanto menos sorprendente su preterida referencia al credo monofisita de la emperatriz, seguramente porque el mecenazgo innegable e inequívoco reconocido por la sociedad no le permitió dirigir más invectivas difamatorias en un tema tan sensible como el relacionado con la religión:

"Ella se consideraba autorizada para dirigir todos los asuntos de estado con su solo criterio. Cuando designaba personas para las magistraturas y cargos sacerdotales, siempre se informaba y tenía presente solo esto, que quien ocupase la dignidad no fuese una persona de bien y por lo tanto incapaz de cumplir lo que ella le encomendase"[341].

---

[340] E. W. BROOKS, *John of Ephesus, Lives of the Eastern Saints, Patrologia Orientalis* 17, cit., p. v de la introducción, al explicar que Juan de Éfeso, se convirtió en la cabeza visible de los monofisitas a la muerte del patriarca Teodosio en el año 566 en Constantinopla, da cuenta de la ayuda prestada por la emperatriz Teodora: "Many Sirians had taken refuge under the protection of the empress Theodora, and after her death, (548), continued to enjoy the favor of Justinian".

[341] Procopio, *Historia Secreta*, cit., 17.27, pp. 258-259; L. GARLAND, *Byzantine Empresses: Women and Power in Byzantium AD 527-1204*, cit., p. 29, afirma que Teodora ejercía su poder en temas eclesiásticos: "Theodora had great influence on church affairs, and it was in great measure due to her influence that the monophysite church endured and indeed came to flourish in the eastern provinces. John *of Ephesos, as one of the monophysite leaders of the time, is naturally concerned to present the empress as* a champion of monophysitism, and we should perhaps beware of taking his portrait too literally. Nevertheless, it appears that she sponsored several missions of proselytism, all successfully, and encouraged Justinian's policies towards the monophysites continued to vacillate throught his reign, and he seems personally to have honoured a number of their leaders"; J. SIGNES CODOÑER, en *Procopio, Historia Secreta*, cit., n. 209: "Teodora tuvo efectivamente algo que ver con la elección de diversos dignatarios eclesiásticos. Así, promocionó al monofisita Antimo como patriarca de Constantinopla en el 535, ya que cuando fue depuesto diez meses después en el 536 con la visita del Papa Agapeto a Constantinopla, lo mantuvo oculto en su palacio. En febrero del 535 Teodora consiguió también nombrar al monofisita Teodosio patriarca de

La misteriosa emperatriz, altiva, distante, publicitadora extrema de su poder imperial, se convierte milagrosamente en la protectora fiel del credo monofisita, de la doctrina teológica controvertida que entiende como la única verdadera, y asumirá el riesgo de atender personalmente a la élite clerical y apostólica de su creencia, incentivando incluso el proselitismo activo del monofisismo[342].

Conocedora de la necesidad del apostolado para transmitir la fe, y a sabiendas de que su protección en el recinto imperial evitaba la persecución pero aislaba el testimonio monofisita debido a los fieles para incrementar la fe y el número de seguidores[343], realizará labores de auténtico patronazgo[344] para evitar que se diluya por falta de me-

---

Alejandría, aunque la oposición de los monofisitas radicales obligó a que la emperatriz enviase tropas armenias con el apoyo del emperador, que mantuvieron a Teodosio en el cargo durante 17 meses a costa de miles de muertos y un estado permanente de lucha callejera"; vid. sobre el sentimiento filomonofisita de Antimo, Michele Siro, *Chron.* IX 25, ed. Chabot, II, pp. 208-220; Zach. *Rhet. Hist. Eccl.* IX, 19-24; vid. sobre la figura de Antimo, E. HONIGMANN, *Anthimus of Tribizond, Patriarch of CP*, en *Patristic Studies*, 173, 1953, pp. 185-193.

[342] A. CAMERON, *Procopius*, cit., p. 76, destaca el monofisismo de Teodora confirmado por las fuentes coetáneas y posteriores, su estrecha amistad con Severo de Antioquía y su ayuda continua al credo monofisita: "She sheltered Monophysite monks and clergy in large numbers in the palace at Constantinople for years on end; she sent Monophysite missionaries to Nubia and she did her best to end Monophysite persecution and promote Monophysite ecclesiastical policies. Especially, she supported James Bar' adai, who effectively created the Monophysite institutional structure in the Eastern provinces which carried the church in those parts through to the Arab invasions and beyond the break from Byzantium. John makes it clear that she was indeed regarded by the Monophysites themselves as their champion and protectress, with a veneration that has survived to this day".

[343] C. CAPIZZI, *Giustiniano I: tra politica e religione*, cit., p. 89, destaca que, si bien la emperatriz albergaba en el gineceo imperial al patriarca Teodosio de Alejandría y a otros altos cargos de la jerarquía monofisita buscados por la policía, el gobierno no se preocupaba puesto que ese escondite bajo protección suponía en la práctica el aislamiento de la masa de fieles monofisitas, que carecían del impulso necesario para seguir transmitiendo la fe: "Così, dalla morte di Severo (538) in poi, i patriarchi di Antiochia non ebbero competitori monofisiti per ben vent'anni".

[344] A. MCCLANAN, *Representations of Early Byzantine Empresses. Image and Empire,* Nueva York, 2002, especialmente las pp. 93-106, dedicadas al patronazgo de Teodora, a la que reconoce en p. 106 su capacidad como patrón cultural, pero sin incidir realmente en su mecenazgo religioso, íntimamente unido a sus donaciones en el ámbito de la cultura; U. UNTERWEGER, *The Image of the*

dios el credo al que demuestra su devoción, y sobre todo para sostener el pulso de la doctrina monofisita frente a la ortodoxia impuesta de modo artificial, de acuerdo con el pensamiento de los seguidores del monofisismo.

No le supondrá esta diferencia teológica[345], en principio abismal, ningún conflicto serio con Justiniano, el emperador católico y apostólico dispuesto a todo con tal de convertir las almas desdichadas de una religión equivocada en fieles discípulos de la ortodoxia oficial, y en este equilibrio de poderes ambiguo e incierto, se mantendrán a lo largo de su reinado conjunto. Bien es cierto que el poder omnímodo del Basileo bizantino no se puede comparar en modo alguno con la influencia de la augusta consorte, pero la habilidad de Teodora para sortear las prohibiciones, condenas, y demás prescripciones legales dictadas contra los monofisitas derivaron con el tiempo en una cierta comprensión jurídica por parte del emperador[346].

---

*Empress Theodora as a Patron*, en *Female Founders in Byzantium and Beyond*, Viena-Colonia-Weimar, 2011, p. 104, destaca el mecenazgo múltiple de la emperatriz, incluso profano, pero destacando el patrocinio religioso: "The material evidence in the former capital suggests yet another image of Theodora as patron. Capitals bearing her monogram can be found in conjunction with four different buildings, all of them churches: the church of Hagia Sophia; the church of Hagia Irene; the church of the Sts Sergios and Bacchos, which also features a dedicatory epigram of Justinian and Theodora; and an unspecified church, a capital from which was found at the Hebdomon", concluyendo en p. 108 que Teodora fue una mecenas activa, que se dedicó a la fundación de un gran número de iglesias con un patrocinio total, a veces compartido con su cónyuge, pero sin que ello menoscabe su labor encomiable de patronazgo sincero y comprometido.

[345] J. A. EVANS, *The Empress Theodora. Partner of Justinian*, cit., p. 74, afirma que la doctrina se divide entre quienes estiman las desavenencias en materia religiosa existentes entre Justiniano y Teodora como auténticas y genuinas, y los que optan por una inspiración política en las supuestas diferencias, optando el autor por estimar ambas posibilidades como posibles: "Possibly it was both. Theodora's Monophysitism was the result of a sincere conversion, whereas Justinian's Chalcedonian beliefs were the result of a Catholic upbringing in a province of the empire that acknowledged the supremacy of the pope. At this point they worked hand in hand", aunque a partir del 540 Teodora comenzó a actuar de forma más independiente, o por lo menos así lo parece, afirmando en p. 75 que para la ortodoxia calcedoniana, Teodora "was a recognized enemy".

[346] C. CAPIZZI, *Giustiniano I: tra politica e religione*, cit., p. 51, afirma que Justiniano, que nunca perdió la esperanza de reconducir a los monofisitas, tenía dos motivos importantes para proceder con cautela: "1) sua moglie Teodora

En medio de una época de cierta estabilidad, debemos citar una nueva controversia dogmática, puesto que fue un episodio importante en este conflicto cristológico, la cuestión conocida como "los Tres Capítulos" del año 543. La convulsión en las relaciones ya de por sí tensas entre el Imperio romano de Oriente y la Iglesia de Roma se reprodujo con motivo de la condena de los Tres Capítulos[347], realizada por Justiniano como emperador en un edicto del año 543[348].

Este cisma surgió con el intento de reconciliar a los cristianos de Egipto, pertenecientes a la iglesia ortodoxa copta y a los ortodoxos de Siria[349], en su mayoría monofisitas, con los cristianos ortodoxos

era monofisita; 2) i monofisiti erano molto più numerosi di tutti gli altri eretici e popolavano le province economicamente più ricche e politicamente più vitali: Egitto, Siria e Mesopotamia", lo que hacía prácticamente imposible aplicar contra ellos las medidas necesarias para convertir o condenar a los otros heréticos o incrédulos propiamente dichos. Es decir, Justiniano no solo evitó la condena severa de los monofisitas por su relación con Teodora, sino porque económicamente sabía que causaría un daño irreparable a las arcas del Estado, ya de por sí vulnerables con los conflictos bélicos y de conquista, la peste sufrida y otras circunstancias perniciosas para el erario público que no podía soportar otro envite por causa de conflictos religiosos.

[347] Vid. al respecto: M. ANASTOS, *The Immutability of Christ and Justinian's Condemnation of Theodore of Mopsuestia*, en *Dumbarton Oaks Papers*, 6, 1951, pp. 125 ss.; M. AMELOTTI, *Giustiniano tra teologia e diritto*, en *L'imperatore Giustiniano, Storia e Mito*, cit., pp. 150 ss.; C. CHAZELLE, C. CUBITT (eds), *The Crisis of the Oikoumene: The Three Chapters and the Failed Quest for Unity in the Sixth-Century Mediterranean*, Turnhout, 2007, *passim*; R. M. PRICE, *The Acts of Constantinople 553, with Related Texts from the Three Chapters Controversy*, trad. ingl., Liverpool, 2009, *passim*.

[348] Los fragmentos del edicto se recogen en E. SCHWARTZ, *Sitzungsberichte der Bayerischen Akademie der Wissenschaften*, en *Philosophisch-historische Abteilung*, 1940, 2, pp. 73-81, concluyendo de esta forma la reconstrucción en p. 81, con la declaración de anatema: "4.4 p. 638: *qui subscripserunt definitionibus libri in quo dictum est: siquis dicit haec nos ad abolendos aut excludendos sanctos patres qui in Chalcedonensi fuere concilio dixisse, anathema sit*".

[349] J. A. EVANS, *The Empress Theodora. Partner of Justinian*, cit., p. 69, en relación con el idioma y el supuesto nacionalismo subyacente en el credo monofisita reputado herético, afirma que en el empuje monofisita, a menudo se escondía un deseo de autoidentificación y autoestima, pero llamar nacionalismo a estos sentimientos sería un anacronismo, además de insistir en el apoyo fundamental de la emperatriz Teodora a la causa monofisita: "Groups that were hitherto submerged in the all-pervasive Greek culture recovered their languages or acquired a new vulgate: in Egypt Coptic, created from demotic Egyptian with a generous

seguidores de la calcedonia oriental, objetivo fallido[350], por cuanto Justiniano no consiguió ni siquiera un breve acercamiento entre ellos[351].

Los Tres Capítulos se conocen con esta denominación[352], en clara referencia a tres teólogos del siglo V[353], que tuvieron un papel

---

infusion of Greek vocabulary, became the language of choice for the Egyptian Monophysites, and in the Eastern provinces, Syriac, developed from Aramaic, played a similar role... Behind the Monophysite thrust there often lay a desire for self-identification and self-esteem. To call these feelings nationalism would be an anachronism. No heretical sect in Late Antiquity wanted to establish its own nation. The Monophysites eventually started their own church with its own hierarchy, but their leaders did it reluctantly, and Theodora, whose support was critical, was anything but a percipient founder. What the Monophysites wanted was to define the orthodoxy of the whole empire, not of a sectarian movement".

[350] C. CAPIZZI, *Giustiniano I: tra politica e religione*, cit., p. 97, afirma que Justiniano nunca cedió en su propósito de conseguir vencer la resistencia de los monofisitas mediante la fuera. Pero al mismo tiempo, prosiguió con la misma tenacidad en el intento de atraerlos a la iglesia católica mediante concesiones teológicas, "sia pure entro i limiti invalicabili della fede ortodossa. La famosa questione dei Tre Capitoli rappresenta il tentativo più ostinato e clamoroso di tale disponibilità verso i monofisiti", añadiendo en p. 102 que el edicto de Justiniano sobre los Tres Capítulos fue acogido "con molta fredezza, per non dire ostilità".

[351] E. STEIN, *Histoire du Bas-Empire. Tome II: de la disparition de l'empire d'Occident à la mort de Justinien (476-565)*, cit., p. 635, explica como los monofisitas, a quienes, además, no se dirigió directamente el emperador, desdeñaron su iniciativa, sobre todo porque en un pasaje del edicto Justiniano había pronunciado el anatema contra cualquiera que le atribuyera la intención de abolir el Concilio de Calcedonia, por lo que la reconciliación pretendida fue del todo imposible.

[352] C. CAPIZZI, *Giustiniano I: tra politica e religione*, cit., p. 100, explica que el término *capitulum*, que deriva de un vocablo griego, significa 'anatematismo', condena eclesiástica de un fiel o de una doctrina en cuanto resulte contraria a la disciplina o la fe profesada por la iglesia.

[353] A. BARBERO DE AGUILERA, *El conflicto de los Tres Capítulos y las iglesias hispánicas en los siglos VI y VII*, en *Studia historica. Historia medieval*, 5, 1987, p. 123: "Se designa con el nombre de Tres Capítulos a la persona y la obra de Teodoro de Mopsuestia, a los escritos de Teodoreto de Ciro contra Cirilo de Alejandría y el Concilio de Éfeso de 431, y finalmente a una carta de Ibas de Edesa que defendía a Teodoro de Mopsuestia contra Cirilo de Alejandría y estaba dirigida a otro eclesiástico llamado Maris".

relevante entre los concilios de Éfeso[354], y Calcedonia, luego conver-

---

[354] El Concilio de Éfeso del 431 ya demuestra el enquistamiento del conflicto teológico de aquella época, intransigente en el fondo y en la forma con cualquier tipo de disidencia; vid. al respecto, J. L. GONZÁLEZ, *Historia del cristianismo*, 1, cit. pp.293-294: "Nestorio era un partidario de la escuela de Antioquía que había sido hecho patriarca de Constantinopla en el 428. Políticamente, su situación era difícil, pues el patriarcado de Constantinopla se había vuelto motivo de discordias entre los patriarcas de Alejandría y Antioquía. El Concilio de Constantinopla había declarado que esa ciudad tendría en el Oriente una precedencia semejante a la que gozaba la vieja Roma en el Occidente. Esto no era sino el reconocimiento de la realidad política, pues Constantinopla había venido a ser la capital del Imperio Oriental. Pero los patriarcas de Alejandría no quedaron contentos ante semejante postergación, sobre todo por cuanto tradicionalmente Constantinopla había estado más cerca de Antioquía en sus posiciones teológicas, y muchos de los patriarcas de Constantinopla resultaban entonces aliados de los de Antioquía. Por tanto, cuando Nestorio ascendió al patriarcado de Constantinopla, era de esperarse que contaría con la oposición de los alejandrinos. El motivo inmediato de la controversia fue el término *theotokos*, que se aplicaba a la Virgen María. *Theotokos*, que se traduce generalmente como "madre de Dios", literalmente quiere decir "paridora de Dios"… La controversia no era de carácter mariológico, sino cristológico. Lo que estaba en juego no era quién era la Virgen María, sino quién era el que había nacido de María, y cómo debía hablarse de él. Los antioqueños temían que, si se llegaba a hablar de una unión demasiado estrecha entre la humanidad y la divinidad de Jesucristo, esta última llegaría a eclipsar la primera, de modo que se perdería el sentido de la verdadera y total humanidad del Salvador. Por tanto, Nestorio creía que había ciertas cosas que debían decirse de la humanidad de Jesucristo, y otras que debían decirse de su divinidad, y que tales cosas no debían confundirse. Por tanto, cuando su capellán Anastasio atacó el uso del término *theotokos*, diciendo que quien había nacido de María no era Dios, sino la humanidad de Jesús, Nestorio lo apoyó. Lo que Anastasio y Nestorio estaban atacando no era una idea demasiado elevada de la Virgen María, sino la confusión entre divinidad y humanidad que parecía seguirse del término *theotokos*. Al explicar su oposición a este término, Nestorio decía que en Jesucristo Dios se ha unido a un ser humano. Puesto que Dios es una persona, y el ser humano es otra, en Cristo ha de haber, no sólo dos naturalezas, sino también dos personas. Fue la persona y naturaleza humana la que nació de María, y no la divina. Por tanto, la Virgen es *Christotokos* (paridora de Cristo) y no *theotokos* (paridora de Dios). Entre estas dos personas, la unión que existe no es una confusión, sino una conjunción, un acuerdo o una "unión moral"; evidentemente muchos reaccionaron negativamente ante tal doctrina, que desdibujaba la importancia de la encarnación para la salvación. Alejandría, con su patriarca Cirilo, se opusieron a Nestorio, consiguiendo después de la convocatoria de un concilio ecuménico en el año 431 en Éfeso, la condena como hereje y la deposición del mismo. El patriarca de Antioquía, Juan, que defendía la postura de Nestorio, no consiguió llegar a tiempo y evitar la condena, pero

tidos en objeto de discordia entre los distintos representantes de la política eclesiástica, en una época de continua revisión teológica, una etapa de la historia verdaderamente antagónica en el aspecto religioso entre las distintas opciones doctrinales, sin ánimo de reconciliar posturas, buscando, bien al contrario, el conflicto con el disidente religioso de la doctrina oficialmente aceptada.

En este contexto de crispación continua, la represión del emperador bizantino fue considerado un ataque a las decisiones tomadas en el seno del Concilio de Calcedonia del año 451, y más aún cuando el soberano exigió a la élite dignataria eclesiástica[355], comenzando por los obispos, la rúbrica respaldando el edicto. Seguidamente, Justiniano reclamó la presencia del Papa de Roma en Constantinopla, Vigilio, para refrendar la condena imperial sin traba alguna, pero la

---

constituyó un concilio aparte condenando a Cirilo y absolviendo a Nestorio. Del mismo modo, los legados papales también llegados con retraso, se reunieron de nuevo y condenaron a Juan, Nestorio y a todos los participantes en el concilio de absolución; como concluye el autor en p. 295: "Ante tales resultados, Teodosio II intervino en el debate y encarceló tanto a Cirilo como a Juan. A esto siguió una larga y complicada serie de negociaciones, hasta que por fin, en el año 433, Juan y Cirilo se pusieron de acuerdo en una "fórmula de unión". Mientras tanto, Nestorio fue depuesto y enviado a un monasterio en Antioquía. Más tarde fue trasladado a la remota ciudad de Petra, y por fin a un oasis en el desierto de Libia, donde pasó el resto de sus días. Como resultado de esas negociaciones, el concilio de Cirilo fue declarado válido, y por tanto el título de *theotokos*, aplicado a María, vino a ser parte de la doctrina de la iglesia y señal de ortodoxia, tanto en el Oriente como en el Occidente". Como podemos ver, una cuestión en absoluto baladí, sino francamente complicada.

[355] A. M. DEMICHELI, *La política religiosa di Giustiniano in Egitto. Riflessi sulla chiesa egiziana della legislazione ecclesiastica giustinianea*, cit., p. 242, insiste en la separación profunda que supuso este edicto en el seno de la jerarquía eclesiástica: "Così mentre da un lato gli alti esponenti del clero d'Occidente non esitarono ad opporre un netto rifiuto alle decisioni imperiali - per l'episcopato di Italia e d'Africa accettarle significava contestare l'autorità di alcune disposizioni sancite dal concilio di Calcedonia, dall'altro i patriarchi orientali - indubbiamente meno autonomi rispetto a Constantinopoli - mantennero un atteggiamento più flessibile, mostrandosi, pur dopo qualche esitazione e una parvenza di resistenza, acquiescenti all'editto. Tra questi ultimi solo il patriarca di Alessandria Zoilo si sentì, in un secondo tempo, in dovere di ritrattare la propria chiarazione di adesione alla legge imperiale, così almeno secondo il resoconto piuttosto schematico tramandatoci dalle fonti, preferendo schierarsi dalla parte del pontefice e sostenere la posizione di dissenso mantenuta dal clero occidentale".

confirmación del edicto justinianeo se haría esperar, ya que Vigilio, tras muchas indecisiones y cambios de opinión sobre el controvertido tema, no promulgaría el *Iudicatum*, entendido como juicio o sentencia, hasta el año 548[356], condenando los Tres Capítulos aunque con varias reservas restrictivas al respecto[357].

La dualidad persistente y paradójica del emperador Justiniano en materia religiosa, que se produjo a lo largo de su reinado, supuso en la práctica que las doctrinas teológicas supuestamente anatemizadas de forma oficial continuasen su existencia, aún con diversos sobresaltos, de forma especial el monofisismo, puesto que frente a la persecución de otras creencias condenadas y perseguidas con virulencia, la doctrina monofisita sabía de la transigencia interior del monarca como homenaje y reconocimiento a su real cónyuge Teodora.

De este modo, el diofisismo de Justiniano[358], supuestamente unido a la intransigencia de su credo, que otorgaba pocas opciones de equilibrio con otras creencias, se convertía en la intimidad en una reconocible benevolencia hacia los monofisitas, y aunque pareciese que el autoritarismo de la ortodoxia oficial[359], se superponía a cualquier

---

[356]  J. A. EVANS, *The Empress Theodora. Partner of Justinian*, cit., p. 102, da cuenta de lo sucedido con Vigilio, después de que confirmase la excomunión de Menas, e incluso una probable excomunión a Teodora, además de a los obispos que habían apoyado el edicto de Justiniano. Pero Teodora aun así no cedió, de modo que Teodora y Justiniano recurrieron a la coacción para doblegar a Vigilio, consiguiendo su reconciliación con Menas, y parece que escribió una carta secreta a Justiniano y Teodora diciendo que él personalmente condenaba los tres capítulos pero temía que un anatema dañara los derechos de Roma, aunque al final dictó el *iudicatum* que condenaba los Tres Capítulos.

[357]  C. CAPIZZI, *Giustiniano I: tra politica e religione*, cit., p. 104. describe la resistencia 'elastica del papa Vigilio', en pp. 105 ss. da cuenta de las vacilaciones del pontífice con respecto a la decisión que debía tomar, hasta publicar su famoso *iudicatum*, creyendo que así contentaría a Teodora y Justiniano, y tendría a su favor la docilidad del episcopado de Occidente, totalmente calcedoniano: "Ma s'ingannò di grosso".

[358]  Diofisismo, también llamado difisismo, significa dos naturalezas, que como hemos podido comprobar era la base fundamental de la ortodoxia cristiana oficial en tiempos de Justiniano; vid. al respecto: H. CHADWICK, *The Early Church*, Londres, 1993, pp. 192 ss.; R. J. PLANTINGA, T. R. THOMPSON, M. D. LUNDBERG, *An Introduction to Christian Theology*, Cambridge, 2010, pp. 80 ss.

[359]  Traemos a colación la reflexión contenida en Av. CAMERON, *The Violence of Orthodoxy*, en *Heresy and Identity in Late Antiquity*, E. Iricinschi, H. M.

otra posibilidad teológica, en el que la armonía religiosa y la mesura doctrinal no encontraban ninguna posibilidad de hacerse realidad, el monofisismo pudo continuar su *excursus* teológico vital.

Bien es cierto que las disputas teológicas no cesaron, aún después de la desaparición de la emperatriz[360], pero lo auténticamente relevante aquí es la evidencia del mecenazgo y la protección encarecida de Teodora en la cuestión monofisita, sensibilidad contraria al anatema de su credo, y el cuidado perenne de su elección religiosa, quizás la única devoción auténtica demostrada sin ambages por la emperatriz.

---

Zellentin, (eds.), Tubinga, 2008, p. 114, donde concluye que el concepto de ortodoxia implica no sólo intolerancia sino también violencia: "Given the current tendency to define "heresy" as a construct, how can one fail to do the same with "orthodoxy," or to place the word "orthodoxy" in the same inverted commas? But then orthodoxy falls prey to just the ontological doubts which assail the notion of truth. Historians of our period face a dilemma. Neither orthodoxy nor heresy can any longer be treated as objects of study in themselves, that is, essentialized. If it is an effect of postmodemism that "heresy" is now a contested term, then the same must be true of "orthodoxy." But any view, such as that of Radical Orthodoxy, which wants to retum to orthodoxy as an essence must fall into the trap that such a concept is itself inherently violent. Such views are not "radical," but reactionary, and Christians through the centuries have indeed harried, tortured, and bumed others in the name of this elusive orthodoxy. The dilemma, 1 would contend, leaves historians with a challenge: not how to read "heresy," but how to understand the mirage of "orthodoxy"; si bien se generaliza la equivalencia de ortodoxia con violencia, los tiempos de la antigüedad tardía en asuntos religiosos fueron de todo menos episodios tranquilos de la historia. Por lo tanto, debemos convenir en este caso la anuencia social con la represión violenta de las doctrinas religiosas contrarias a la ortodoxia oficial, aunque en el caso de Justiniano afirmemos su benevolencia con el movimiento monofisita por los motivos de apoyo a su cónyuge ya señalados.

[360]   Al final de su reinado, incomprensiblemente, parece ser que Justiniano pretendió imponer a la Iglesia la doctrina más discutida de la extrema izquierda monofisita, la incorruptibilidad del cuerpo humano de Cristo, el aphtartodocetismo, vid. al respecto: J. DANIÉLOU, H. I. MARROU, *Nueva Historia de la Iglesia. Desde los orígenes a San Gregorio Magno*, 1, trad. esp. Madrid, 1982, p. 401, en donde se refiere que solo su muerte consiguió anular esta iniciativa que complicaría seguro todavía más los problemas eclesiásticos ya existentes, dejando sin resolver la cuestión monofisita; L. GARLAND, *Byzantine Empresses: Women and Power in Byzantium AD 527-1204*, cit., p. 29: "Justinian's policies towards the monophysites continued to vacílate throughout his reign, and he seems personally to have...he issued an edict attempting to impose aphthartodocetism, a form of radical monophysitism".

## 2.5. MORS.

El 28 de junio del año 548[361], en medio de las disputas con la iglesia de Roma[362], se produjo la muerte de Teodora, después de una larga y penosa enfermedad. Los motivos nunca han sido suficientemente claros, aunque se ha referido el cáncer, como la causa más probable de su fallecimiento[363].

Nunca sabremos si los descansos que le atribuye insidiosamente Procopio, y el cuidado que prestaba a su cuerpo, fueron en realidad

[361] *Victoris Tonnensis episcopi, Chronica a. CCCCXLIV-DLXVII*, ed. TH. MOMM-SEN, en *Monumenta Germaniae Historica, Auct. Ant.* 11.2, Berlín, 1894, a. 549, p. 202: "*Theodora Augusta Calchedonensis synodi inimica canceris plaga corpore toto perfusa vitam prodigiose finivit*", es decir, Teodora Augusta enemiga del sínodo de Calcedonia, enferma de un cáncer que le invadió todo el cuerpo, terminó miserablemente su vida, ya que la adjetivación 'prodigiosa' debemos entenderla en sentido negativo; al respecto, L. SANDIROCCO, *Giustiniano e le mulieres scaenicae. Una rilettura della Novella 14 del 535*, en *Studia et Documenta Historiae et Iuris*, 83, 2017, p. 167, señala que probablemente sea ésta la primera vez en la que esta enfermedad aparece en una fuente literaria; vid., sobre la fecha del deceso de Teodora, W. SCHUBART, *Justinian und Theodora*, cit., p. 202: "Am 28 Juni 548 starb Theodora, etwa 50 Jahre alt, nachdem sie 21 ¼ Jahr in der Ehe mit Justinian gelebt hatte; J. STEINER, *Theodora*, cit., p. 202: "Wir wissen, dass sie am 28. Juni 548 einem Krebsleiden erlag"; R. BROWNING, *Justinian and Theodora*, cit., p. 192: "For on 28 June 548, before Antonina completed her journey, the empress died of cancer"; J. A. EVANS, *The Empress Theodora. Partner of Justinian*, cit., p. 103: "On 28 June, Theodora died"; G. RAVEGNANI, *Teodora. La cortigiana che regnò sul trono di Bisanzio*, cit., p. 170: "Teodora morí il 28 giugno del 548 a seguito di un cancro che le invase tutto il corpo"; debemos señalar que creemos equivocada la datación establecida por V. GIROD, *Théodora: Prostituée et impératrice de Byzance*, París, 2018, lectura Kindle sin p.: "Elle mourut à environ cinquante ans, le 28 mai 548".

[362] Fue en el mes de abril del 548 cuando el papa Vigilio cedió a las pretensiones de la pareja imperial con el *iudicatum* condenatorio de los Tres Capítulos, y poco después acaeció el fallecimiento de la emperatriz; vid. C. CAPIZZI, *Giustiniano I: tra politica e religione*, cit., p. 109, en donde da cuenta de que la muerte de Teodora el 28 de junio de 548, poco después de la cesión concedida bajo una presión insoportable por parte de la pareja imperial, fue considerada como un justo castigo de Dios, por lo que los obispos católicos de occidente, armados de coraje contra la condena de los Tres Capítulos, se rebelaron contra Vigilio.

[363] C. DIEHL, *Théodora, impératrice de Byzance*, París, 1900, p. 305: "Théodora mourut d'un cancer, aprés une assez longue maladie"; sin embargo, J. FITTON, *The Death of Theodora*, en *Byzantion* 46, 1976, p. 119, sugiere la gangrena como la razón del óbito de la emperatriz.

una cura preventiva o impuesta por su necesidad física de preservar su fortaleza y vigor frente a la fatiga que sentía con frecuencia, con la intención de mejorar los síntomas fruto de su dolencia mortal:

"En cuanto a su cuerpo, lo cuidaba más de lo que era necesario, pero menos de lo que ella misma deseaba. Así, iba muy temprano a los Baños y se retiraba muy tarde. Después de lavarse se iba de ahí a desayunar y una vez desayunada se tomaba un descanso[364]. Cuando almorzaba y al cenar, tomaba todo tipo de alimentos y bebidas y las horas de sueño que tenía eran cada vez más prolongadas, tanto durante el día hasta que empezaba a anochecer, como durante la noche hasta que se levantaba el sol[365].

En su lecho de muerte, Teodora hizo prometer a Justiniano que velaría por la comunidad monofisita, continuando con la protección imperial que en vida les había dispensado la emperatriz, último deseo al que accedió de buen grado el emperador, cumpliendo el resto de su reinado con el juramento prestado[366].

Las fuentes silencian el cortejo fúnebre de la insigne soberana, pero seguro que el ceremonial bizantino testimoniado en siglos posteriores[367], da cuenta de la solemne procesión que debió realizar toda Bizancio ante la emperatriz muerta.

---

[364]   P. NEVILLE URE, *Justiniano y su época*, cit., p. 248: "Los prolongados baños y los largos descansos, e incluso esa aparente reserva que le permitía evitar entrevistas fatigosas siempre que así lo deseare, pudieron haber sido dictados en parte por la simple necesidad física de conservar sus energías".

[365]   Procopio, *Historia Secreta*, cit., 15.6-8, p. 244.

[366]   L. GARLAND, *Byzantine Empresses: Women and Power in Byzantium AD 527-1204*, cit., pp. 26-27: "Theodosios lived on to 566, and he and the community even after Theodora's death in 548 continued to be protected by Justinian for Theodora's sake"; J. A. EVANS, *The Empress Theodora. Partner of Justinian*, cit., pp. 72-73, y en p. 104: "Yet however great her agony on her deathbed, she did not forget her refugee Monophysite churchmen whom she protected in the Palace of Hormisdas. They would become vulnerable once she was dead, and indeed the Chalcedonians barely waited for her to be laid to rest before they attempted to oust them from their quarters. But Theodora got Justinian to swear that he would look after them, and he kept his oath".

[367]   J. B. BURY, *The Ceremonial Book of Constantine Porphyrogennetos*, en *The English Historical Review*, 86, 1907, p. 209: "The treatise on the ceremonies of the Byzantine court, commonly known by the title De Cerimoniis, is ascribed to

Para rendirle el último homenaje a la emperatriz muerta, la multitud de cortesanos y dignatarios se reunieron a su alrededor en los pasillos del Palacio Sagrado. En un triclinio especial, de acuerdo con el ceremonial, se exponía el cadáver embalsamado de la soberana. En un lecho de oro, yacía vestida de púrpura la insigne emperatriz Teodora, coronada con la diadema imperial, cuyo rostro descubierto no mostraba la huella de la muerte, aunque la palidez extrema demostraba que no estaba durmiendo plácidamente. Alrededor del alto catafalco[368], sobre el que resplandecían las más preciosas joyas de la corona, ardían, colocadas sobre columnas, miles de bengalas de plata y oro; y en el aire, poco a poco más denso, se respiraban los vapores del incienso árabe, así como el aroma de las plantas balsámicas. Al pie del lecho funerario, los eunucos, los cubiculares, y las mujeres de la casa imperial lloraban apesadumbrados la muerte de la emperatriz, cuya estela a lo largo de su vida no dejaría a nadie indiferente.

Un último cortejo, en el que todo Bizancio marchó en solemne procesión, desfiló ante la soberana muerta. El Patriarca Menas, seguido por un multitudinario clero, con la presencia de obispos y monjes, y presidido por el Papa Vigilio. A continuación marchaba el Senado en traje ceremonial, los patricios, los magistrados, los grandes jefes militares, la multitud de dignatarios del palacio y de la administración; luego la larga lista de mujeres, esposas de prefectos, cónsules, cuestores, excubitores, damas de la corte y sirvientes de la cámara, todos vinieron sucesivamente para rendir un supremo homenaje a la Basilisa.

Al final del séquito, se encontraban los príncipes de la familia imperial con el propio Justiniano, abrumado y destrozado por lo que consideraba una pérdida irreparable[369], inconsolable ante la ausencia

---

Constantine VII in the unique manuscript in which it is preserved", conservado en la librería universitaria de Leipzig, reimpr. Bonn *Corpus*, 1829-1830.

368    J. STEINER, *Theodora*, cit., p. 202: "Die tote Basilissa wurde in einem Saal aufgebahrt, der sonst festlichen Empfängen vorbehalten war. Den Katafalk umgabenzahlreiche brennende Kerzen, un ein langer Zug von Menschen defilierte an ihr vorbei, um sich ein letztes Mal stumm zu verbeugen".

369    C. DIEHL, *Théodora, impératrice de Byzance*, cit. p. 307, muestra una vez más su vis romántica en relación con la historia personal de Justiniano y Teodora, al destacar la infinita tristeza del emperador, desolado ante el cadáver inánime de su amada, con los ojos arrasados de lágrimas, murmurando su adiós a Teodora;

vital que él consideraba antinatural por ley de vida, ya que Teodora era mucho más joven que el soberano bizantino.

Teodora fue enterrada, con toda la pompa ceremonial de acuerdo con su rango, en la iglesia de los Santos Apóstoles[370], cuya construcción había comenzado Justiniano y ella misma hacia el año 530[371], siendo finalmente consagrada el 28 de junio del año 550, justo dos años después del óbito de la emperatriz.

Resulta extraño, por otro lado, el silencio de los cronistas de la época en relación con la reacción del emperador ante la muerte de su

---

además, en p. 309, insiste en el profundo amor de Justiniano por su esposa, y en la necesidad de sus consejos: "On comptait sans le profond amour que Justinien gardait à Théodora sans la longue habitude qu'il avait de suivre ses conseils, sans le soin aussi qu'elle avait pris, avant de mourir, d'expliquer à son époux ses suprêmes désirs et de lui recommander tous ceux qui l'avaient aimée et bien servie".

[370] W. SCHUBART, *Justinian und Theodora*, cit., p. 202: "In der Kirche der Apostel wurde sie beigesetzt, und von nun an war diese Kirche, ihre Ruhestätte, dem Kaiser der Ort seiner Gebete, das Ziel seiner Gedanken"; G. RAVEGNANI, *Teodora. La cortigiana che regnò sul trono di Bisanzio*, cit., p. 170: " Le spoglie vennero deposte in un sarcófago di pietra di Ierapoli nel mausoleo annesso allá Chiesa dei SS. Apostoli di Costantinopoli".

[371] Vid. sobre el primer impulso urbanístico atribuido a Teodora en lo que respecta a la construcción de la iglesia de los Santos Apóstoles, A. HEISENBERG, *Grabeskirche und Apostelkirche, Zwei Basiliken Konstantins V.2. Die Apostelkirche in Konstantinopel*, Leipzig, 1908, p. 9, afirma que Mesarites, cuyo manuscrito con la descripción de la Iglesia de los Santos Apóstoles fue descubierto por él mismo en la Biblioteca Ambrosiana de Milán en 1898, atribuye la construcción a Constantino, así como la renovación a Justiniano y Teodora: "Jedenfalls hat Mesarites von der Gründung der Apostelkirche durch Konstantin und von der Erneuerung durch Justinian und Theodora gesprochen (vgl. Cod. F 96 sup. fol. 12'); ob er aber noch mehr von ihrer Geschichte erzählt hat, entzieht sich unserer Kenntnis"; en p. 118, describe como Justiniano derribó la antigua iglesia para construir una nueva, en cuya promoción intervendría de forma activa Teodora: "Die alte Apostelkirche ließ Justinian abtragen; im Jahre 536 wurde der Grundstein zu dem glänzenden Neubau gelegt, der mit seinen fünf Kuppeln einem der schönsten Punkte der Stadt sein charakteristisches Gepräge gab. Als Architekten nannte die Überlieferung Anthemios von Tralles und den jüngeren Isidoros, zwei von den Baumeistern der Sophienkirche, ein hervorragender Anteil an der Gründung wurde der Kaiserin Theodora zugeschrieben"; G. DOWNEY, *Nikolaos Mesarites: Description of the Church of the Holy Apostles at Constantinople*, en *Transactions of the American Philosophical Society* , 47, 6, 1957, p. 862, n. 8, señala que Mesarites apuesta por el protagonismo constructor de la emperatriz.

amada cónyuge, mutismo que no se corresponde con el seguramente visible desmoronamiento emocional de Justiniano ante la pérdida de su leal esposa y fiel confidente[372], a la que sobrevivió durante varios años[373]. El epílogo vital de la amada consorte merecía sin duda alguna un veraz relato sobre el luto personal del emperador[374], pero el universo bizantino convulso de aquellos tiempos parecía reclamar la atención exclusiva en los continuos cambios del imperio[375].

---

[372] Vid. al respecto, R. BROWNING, *Justinian and Theodora*, cit., p. 193, da cuenta de un episodio acaecido años más tarde, en el 559, con ocasión de una celebración triunfal del emperador, que transmite el vívido recuerdo de Teodora en Justiniano: "On 11 August Justinian made a triumphal entry into his capital after this curious victory. The oficial record of the ostentations ceremony survives; it states that as the procession passed before the Church of the Holy Apostles it halted while the emperor went in to offer a prayer and light candles before Theodora's tomb"; P. SARRIS, *Economy and Society in the Age of Justinian*, cit., p. 206: "In the triumph organised for the General Belisarius in 559, the secular *adventus* was combined with the saying of prayers for the soul of the emperor's wife, the deceased Empress Theodora"; G. RAVEGNANI, *Teodora. La cortigiana che regnò sul trono di Bisanzio*, cit., p. 173: "Non ci sono note le reazioni di Giustiniano alla scomparsa della moglie, ma è facile intuire che l'effetto dovette essere devastante. Pur non essendo ancora molto anziano (aveva all'incirca sessantasei anni), la perdita di Teodora fu senza dubbio la causa dell'abbandono da parte sua dei grandi sogni che avevano caratterizzato la prima parte del regno, anche se bene o male continuò ad andare avanti nel governo dell'impero".

[373] M. MEIER, *Justinian. Herrschaft, Reich und Religion*, cit., p. 115: In der Nacht des 14. November 565 starb Justinian im Kaiserpalast eines natürlichen Todes. Er wurde etwa 83 Jahre alt", lo que se traduce en la cifra de una supervivencia a Teodora de 17 años.

[374] L. GARLAND, *Byzantine Empresses: Women and Power in Byzantium AD 527-1204*, cit., p. 38, en donde destaca que a pesar de no tener un heredero obvio, Justiniano no se volvió a casar, y si bien ciertos cambios de política fueron evidentes después de la muerte de Teodora, como el retiro de Belisario de Italia, la vacilación inherente a Justiniano se evidenció de forma mucho más aguda después de la muerte de Teodora.

[375] B. RUBIN, *Das Zeitalter Justinians*, cit., p.109, confirma el aumento de rebeliones internas, que se intensificaron bruscamente después de la muerte de Teodora, así como la actitud de Justiniano, que no habría enterrado su política con su amada esposa: "Der Tod Theodoras im Jahre 548, zwei Jahre vor Abschluss der Geheimgeschichte, ändert daran nichts. Im Gegenteil. Ein Blick auf die nach ihrem Tode sprunghaft steigende Kurve der inneren Rebellionen zeigt, dass weder die Person des Kaisers noch seine Milde den unversöhnlichen Hass gewisser Gruppen besänftigten. Denn Iustinian hatte mit der geliebten Gemahlin nicht ihre Politik zu Grabe getragen"; P. BROWN, *El mundo de la Antigüedad Tardía*,

María José Bravo Bosch

Fueron más de veinte años de reinado[376], los que disfrutó Teodora
con su augusto cónyuge en el trono bizantino[377], y si bien debemos
rechazar la posibilidad de una corregencia de la emperatriz[378], su influencia sobre Justiniano parece meritoria en un entorno como el del

---

cit., pp. 194-196: "Los años del 540 al 550 fueron una década catastrófica... En
su reacción contra este resurgir de la amenaza persa, Justiniano dio muestras de
no ser un soñador... A finales del reinado de Justiniano, la exuberante y above-
dada fachada del estado romano tardío, cuyas generosas y pluriformes reservas
había ido explotando con gusto este emperador antes del 540, se había consumido totalmente con esta estructura férrea. A causa de esta drástica reparación, el
reinado de Justiniano no acabó en un completo fracaso", pero en el repaso que
da a la historia completa del periodo justinianeo destaca las enormes dificultades
bélicas, de catástrofes naturales, de conflictos religiosos, de continuos cambios
en el *limes* territorial que no permitían ni la más mínima ocasión del ensoñación
empírica del soberano bizantino.

[376]  Procopio, *Historia de las Guerras. Libros VII-VIII. Guerra Gótica*, introducción,
traducción y notas de F. A. García Romero, Madrid, 2007, 30. 4-5, p. 132: "Pero
la emperatriz Teodora había enfermado y desaparecido de este mundo, después
de haber sido emperatriz durante veintiún años y tres meses de su vida".

[377]  C. DIEHL, *Justinian's Government in the East*, cit., p. 26: "In the twenty years
during which Theodora reigned she had a hand in everything; in politics, and in
the Church; in the administration, she advised the reforms, and filled it with her
*protégés*; in diplomacy, concerning which the Emperor never decided anything
without her advice. She made and unmade popes and patriarchs, ministers and
generals, at her pleasure, not even fearing, when she considered it necessary,
openly to thwart Justinian's wishes. She was the active help- mate to her husband in all important matters.

[378]  E. STEIN, *Histoire du Bas- Empire. Tome II: de la disparition de l'empire
d'Occident à la mort de Justinien (476-565)*, cit., p. 275, rechaza la posibilidad
de que Teodora hubiera sido investida oficialmente como corregente del imperio
de Justiniano; vid. a favor de ese posible gobierno compartido por parte de la
emperatriz, E. KORNEMANN, *Doppelprinzipat und Reichsteilung im Imperium Romanum*, Leipzig- Berlín, 1930, p. 159, opinión devaluada por falta de
fuentes que apoyen la versión de una corregencia posible, que no puede constituirse en característica del reinado de Teodora; G. RAVEGNANI, *La corte di
Giustiniano, cit.*, pp. 47-48: "In caso di *vacatio imperii* o di minorita del sovrano
le imperatrici potevano anche esercitare il potere reale... Ma era anche consuetudine che in condizioni normali l'imperatrice non si occupasse di politica, almeno
apertamente. Su questa linea fu Lupicina-Eufemia che non fece mai parlare di sé.
Teodora al contrario volle dare un'impronta personale al governo dell'impero
occupandosi un po' di tutto e, come si è visto, usurpando spazi politici inconsueti
per una sovrana. Alcuni indizi sembrano perfino suggerire in proposito una sua
coreggenza".

patriarcado bizantino inamovible y secular[379], capacidad de aconsejar que motivará la polarización con respecto a su figura y la retroalimentación dividida en torno a su figura durante un largo periodo de tiempo.

Aún con todo, la dulcificación de su figura, demonizada cruelmente por Procopio, superará con creces la ácida crítica que la persiguió en vida, para convertirla en un modelo de santidad acorde con la lúcida metamorfosis protagonizada por Teodora a lo largo de su itinerario vital.

---

[379]　D. DAUBE, *The marriage of Justinian and Theodora*, cit. p. 397: "Theodora died in A. D. 548, so they had about twenty-five years of married life, during which she exercised an enormous and-if we make allowance for their historical setting-beneficial influence… From the moment of Theodora's departure, however, his government had declined: he lost his grip, or rather, he lost her grip".

# 3. TEODORA Y LA LEGISLACIÓN FEMENINA DEL *CORPUS IURIS CIVILIS*.

## 3.1. PROEMIO.

La codificación de las leyes llevada a cabo por Justiniano, le otorgó sólidamente un puesto de primera magnitud en la historia universal como recuerdo imborrable de su excelsa obra[380]. El imperio de la ley, facilitado mediante la compilación justinianea[381], convirtió al

---

[380] C. DIEHL, *Justinien et la Civilisation Byzantine au VI siècle*, cit., p. 247, afirma que Justiniano ha pasado a la posteridad no por sus campañas de conquista sino fundamentalmente por su obra legislativa, que un historiador no puede dejar de analizar por su profundo interés histórico: "C'est par ses ordres, sous son influence, avec son concours, qu'a été rédigé ce monument enorme de compilations juridiques et d'ordonnances, que les modernes appellent le *Corpus juris civilis* et dont les quatre parties: *Institutes, Digeste, Code Justinien, Novelles*, furent durant tout le moyen âge et demeurent aujourd'hui encore la base véritable de l'étude du droit romain. On n'entend raconter ici que l'histoire extérieure de cette grande réforme, sans prétendre en marquer, autrement que dans les traits les plus généraux, les caractères proprment juridiques. Mais si, pour en étudier l'évolution interne, il faut la compétence d'un juriste, l'historien cependant n'est point libre de passer sous silence cette part importante de l'activité de Justinien: et aussi bien l'oeuvre atelle un profond intérêt historique".

[381] La bibliografía sobre la compilación justinianea resulta ingente, y ajena al propósito del presente estudio de investigación. Con todo, sí podemos subrayar que el reconocimiento de la magna obra del *Corpus Iuris*, posteriormente denominado *Civilis* para diferenciarlo del *Corpus Iuris Canonici*, pone de manifiesto la admiración de Justiniano por el derecho clásico, el apego por el mundo romano y la necesidad de restaurar instrumentos jurídicos periclitados que para el emperador resultaban imprescindibles en el orden jurídico bizantino; vid. al respecto, B. RUBIN, *Das Zeitalter Justinians*, cit., p. 89, cuando declara que en las Novelas se enfatiza una y otra vez la renovación del pasado y la conexión con los modelos antiguos, y que además tanto en derecho privado como en derecho procesal, el legislador demuestra ser un restaurador anticuario romántico, "romantisch-antiquarischer Restaurator": "Er greift nicht nur bei jeder Gelegenheit auf das Recht der republikanischen und klassischen Zeit zurück, sondern legt eine spezielle Vorliebe für das unter seinen Vorgängern fast vergessene Zwölftafelgesetz an den

emperador en un magnífico legislador, reconocido como inspirador de un esfuerzo jurídico que se tradujo en una colección de *ius* perenne, con el objetivo de completar las lagunas legales perniciosas existentes, así como colegir el escenario legalmente más acorde con el mundo bizantino, completado con su propia colección de leyes imperiales, las Novelas.

La emperatriz Teodora, por su parte, conocía los desvelos codificadores de su esposo, y la intención de llevar a cabo una compleja recopilación normativa que diese respuesta a la necesaria juridicidad de los actos lícitos y la condena de los ilícitos, en ocasiones ocultos subrepticiamente mediante estrategias de dudosa legalidad.

La burocracia imperial adolecía de agilidad jurídica, y la corrupción de los funcionarios así como las corruptelas de los cargos administrando las más de las veces al borde de la concusión, convenció al emperador Justiniano de la necesidad de poner orden en el caos legislativo reinante. Y fue este propósito el que convirtió en mito al emperador insomne, enfrascado en la restauración legislativa necesaria en un imperio asolado por catástrofes varias, con una labor normativa compiladora ejemplar y ordenada, y una clara y rotunda intención de adaptar la legislación al cristianismo ortodoxo necesario para el resurgir del Imperio, así como innovar con una legislación propia en defensa de los súbditos bizantinos[382].

En medio de la terca rutina imperialista del soberano bizantino, Teodora calculaba la posibilidad de poder asesorar en materia femenina a su esposo, sin que podamos refrendar en las fuentes a nuestra disposición la influencia real[383]. Si bien es cierto que las leyes de

---

Tag. Auch die alten ämter leben dem Namen nach wieder auf, und es wimmelt in den Provinzen von wiedererstandenen Magistraten del alten Rom, den Prätoren, Moderatoren, Quästoren, Präfekten und Defensoren".

382   C. PAZDERNIK, *Justinianic Ideology and the Power of the Past*, en *The Cambridge Companion to the Age of Justinian*, cit., p. 201: "The Novels advertise his sleepness and burden of cares, his constant concern, and his foresight in providing for the needs of his subjects, improving their welfare, and enhancing the glory of the government".

383   G. RAVEGNANI, *La corte di Giustiniano*, cit., p. 48, recuerda que las mujeres en Bizancio no gozaban de una gran libertad y hasta Teodora parece haber respetado la tradición secular, por lo que se comportaba dentro de los cánones oficiales restrictivos a la presencia femenina. Así, Teodora no participaba en las

Justiniano abundan en la necesidad de proteger a las mujeres más vulnerables y en situación de exclusión social, no tendría por qué ser consecuencia directa de la influencia cotidiana e intensa de la emperatriz en favor del colectivo femenino, sino que podría resultar de una oportunista explotación del Basileo ante una aberrante condición desigual, que se evidenciaba muy negativamente en la autocracia inmóvil de un emperador que se autoproclamaba fervorosamente defensor del catolicismo.

Su política religiosa parecía favorecer el posicionamiento de las mujeres en un nuevo estatus de semiequivalencia con los hombres, si bien con una cierta supeditación reconocida como algo natural y propia de la *levitas animi* consustancial al género femenino ya publicitada por los *mores maiorum*. Y seguramente fue ese el principal motivo por el que se decidió a ampliar los límites de su éxito.

El conocimiento de la cruda realidad social bizantina por parte del soberano, conocedor de las tragedias cotidianas femeninas, con mujeres de los estratos ciudadanos más discriminados, muchas veces por motivos étnicos y culturales[384], que al llegar a un punto extremo

---

ceremonias públicas, ni en las carreras del Hipódromo, e incluso su propia coronación tuvo lugar separadamente de la reservada a Justiniano, en una sala palatina. Además, la soberana no formaba parte de las ceremonias civiles o religiosas, banquetes en palacio, consagraciones de iglesias u otras funciones religiosas, comportamiento que no se corresponde con el de una presencia directa en la obra legisladora del emperador, ya que su aislamiento correspondiente a su condición femenina sería vista como un escándalo en la elaboración jurídica del *Corpus Iuris Civilis*. Cuestión distinta es la influencia indirecta, a través de las conversaciones mantenidas con su esposo y que podemos plantear como una realidad probable, pero sus sugerencias, aunque intensas, repetitivas y continuas no están en modo alguno confirmadas por las fuentes. Más aún, de la enemistad manifiesta entre Juan de Capadocia y Teodora, podemos colegir como Justiniano tenía su propia convicción personal, puesto que a pesar del rechazo manifiesto de Teodora con respecto al Capadocio, el emperador tardaría muchos años en apartarlo de su lado, lo que no ayuda en absoluto a demostrar esa influencia segura y directa en el soberano legislador.

[384] La Novela 21. *pr.* resulta manifiestamente clarificadora con respecto a las desigualdades evidentes en materia sucesoria en lo que se refiere a las mujeres armenias, e incluso la posibilidad de la transmisión en un negocio jurídico de compra y venta de las mismas: "Queriendo que la región de los Armenios sea bien gobernada por las leyes, y que en nada difiera del resto de nuestra república... dispusimos que no hubiese entre ellos otras leyes que las que llaman tales los

María José Bravo Bosch

de carencias físicas, afectivas y sociales, debían traficar con su cuerpo como única herramienta para escapar del hambre inmisericorde, no supone que repudiase los probables consejos de su cónyuge Teodora, sopesados en su justa medida y dirigidos a la protección imprescindible de las mujeres, aunque todos los remedios jurídicos apuesten por la conversión y el arrepentimiento femenino, consustancial a la contrición cristiana[385], como parte ineludible para la seguridad jurídica del desdichado colectivo.

---

romanos. Y hemos estimado que convenía corregir por una ley expresa también esto en que malamente se delinquía por ellos, y que, según costumbre de los bárbaros, las sucesiones, tanto de los padres, como de los hermanos y de otros parientes, no fuesen ciertamente de los varones, y de ningún modo de las hembras, y que no fueran estas sin dote a poder de sus maridos, ni fuesen compradas por sus futuros maridos, cosa que bárbaramente se observaba hasta ahora entre ellos, no siendo ellos los únicos que abrigaban estos sentimientos con ferocidad, sino también otras gentes que de tal modo degradan a la naturaleza e injurian al sexo femenino, como si no hubiera sido creado por Dios, ni sirviera para la generación, sino como vil y despreciable, y excluido de todo el honor que le corresponde"; bien es cierto que la integración de la mujer en la familia de su marido podía realizarse de acuerdo con el derecho romano clásico mediante la *coemptio*, una compraventa ficticia de la mujer, *imaginaria venditio*, realizada por su futuro marido al padre de la futura esposa, para adquirir la *manus* sobre la mujer, pero también es verdad que su aplicación práctica dejó de ser efectiva a finales de la República, por lo que su traslación efectiva al pueblo armenio no se comprende en una época tan posterior, independientemente de que las formalidades subyacentes como instrumentos jurídicos fuesen evidentemente diferentes.

[385] C. PENNACCHIO, *Normazione imperiale e patrimoni femminili*, en *Legal Roots*, 3, 2014, p. 182: "Senza dubbio il cristianesimo giocò un ruolo fondamentale nel definire il status della donna e, successivamente, a livello giuridico il *corpus* legislativo di Giustiniano segnò un momento di svolta all'interno di questo periodo storico, poiché mise al centro la necessità di tutela e di protezione della donna, piuttosto che, soltanto, le sue incapacità e debolezze"; si bien compartimos este punto de vista, nos sorprende la siguiente afirmación en p. 183: "Le *mulieres* di cui si occupa la legislazione giustinianea sono tendenzialmente quelle di rango elevato, le *matronae* o *matres familiarum*…", puesto que quizás numéricamente la legislación referente a matronas respetables sea superior con respecto a las de inferior condición social, pero el impacto de la innovadora legislación rehabilitadora de determinadas mujeres creemos que supera con mucho cualquier otra expectativa legal.

Vamos a ver a continuación ejemplos reales de la legislación fe-menina atribuida a Justiniano como legislador[386], y a Teodora como inspiradora de las medidas jurídicas revolucionarias que se ofrecieron a las mujeres en el *Corpus Iuris Civilis*[387].

Seguramente la sensibilidad vital de la emperatriz influyese en una pragmática, hábil y silenciosa defensa de los derechos de las mujeres imbuida naturalmente a Justiniano, aunque por otro lado otorgar tal debilidad de carácter al soberano, o el ánimo influenciable de Justi-niano como excusa para arrogar a su esposa el papel de *iuris* pru-dente parezca desmesurado, ya que jamás tuvo la Basilisa el corpus

---

[386]　R. BONINI, *Note sulla legislazione giustinianea*, en AA.VV., *L'imperatore Gius-tiniano. Storia e mito*, cit., pp. 161 ss., en particular las referencias a sus leyes im-periales, las Novelas, y la bibliografía más relevante sobre el derecho bizantino.

[387]　P. NEVILLE URE, *Justiniano y su época*, cit., pp. 160 ss., alaba el resultado de la codificación justinianea, valorando tanto las dimensiones de 'esta obra masiva' (p. 160), gran parte impresa en dos versiones, latín y griego, como la reducción del ingente material jurídico a disposición de los compiladores, que convirtie-ron de 'una pavorosa acumulación de material a unas dimensiones más maneja-bles, eliminando al mismo tiempo las abundantes contradicciones que contenía' (p.161). La practicidad de la magna obra de compilación no se caracteriza por su originalidad, 'con indudable ausencia de toda innovación' (p. 164), pero preci-samente este 'tradicionalismo de anticuario', es uno de los méritos sobresalientes del *Corpus* (p. 165). Y otro de los méritos que otorga al Código de Justiniano es que 'se redactó para un Imperio que era inequívocamente, e incluso agresivamen-te, cristiano, de acuerdo con sus creencias' (p. 165), pero 'lo que da al Corpus su valor único es el hecho de no caer en la ilusión de que toda la sabiduría de Roma se encuentra en un período e época' (166), concluyendo que 'el imperio de la ley fue uno de los conceptos fundamentales del mundo romano-cristiano; pero no es una concepción limitada al Cristianismo. Muchas de las ideas aquí implicadas son comunes a todas las demás formas de civilización, y no hay motivo para pensar que el imperio cristiano rechazara el legado de sus predecesores paganos. Pero bien hubiera podido sucumbir a la tentación de hacerlo, y por ello hay que darle el crédito eterno que se merece, ya que los efectos favorables de esta gran negativa han sido más amplios de lo que pudieran haber vaticinado los hombres que la llevaron a cabo' (p. 167).

normativo a su disposición[388], ni tal ascendiente sobre su esposo[389], ni Justiniano un carácter predispuesto al influjo ajeno a la hora de acometer un proyecto[390].

---

[388] Hemos puesto ya de manifiesto las escasas referencias explícitas a la emperatriz Teodora contenidas en la magna obra jurídica justinianea, destacando sobre todas ellas la Novela 8.1: *Haec omnia apud nos cogitantes et hic quoque participem consilii sumentes eam quae a deo data nobis est reverentissimam coniugem...* con la alusión concreta por parte de Justiniano a los consejos de su 'reverendísima cónyuge', pero de ninguna manera, ni siquiera de forma subliminal, se encuentra remisión alguna a su loable tarea siquiera inspiradora de una incipiente legislación femenina bizantina en las Novelas dedicadas a condenar el lenocinio, la prostitución y todo tipo de ilícitos relacionados con la mujer. Si hubiera habido una mínima aportación, y dado el carácter autocrático del emperador, no sometido a potestad alguna, bien hubiera podido citar a Teodora, obliteración que no nos permite confirmar la participación directa de la emperatriz en el *Corpus Iuris Civilis* o en una mínima parte de la excelente codificación; vid, sobre la consideración de esta norma, C. HUMFRESS, *Law and Legal Practice in the Age of Justinian*, en *The Cambridge Companion to the Age of Justinian*, cit., p. 170: "An extraordinary section of Justinian's *Novel* 8 corroborates Procopius, to a certain extent; it says that while Justinian was mulling over how best to stamp out corrupt provincial magistrates, he sought the advice of Theodora. The law that resulted (*Novel* 8 itself) was to be read out by bishops to their congregations on festival days: "In order that all persons may regard their magistrates as fathers, rather than as thieves and persons plotting to deprive them of their property". The irony of this law, when seen in the context of Justinian and Theodora's own extensive confiscation of property for the imperial pocket, was not lost on their contemporaries".

[389] Si bien el reconocimiento explícito de su cónyuge se encuentra en algunas ocasiones, pudiendo traer a colación otro ejemplo, contenido en Nov. 30.11.1, dirigida al Procónsul de Capadocia el 15 de las calendas de abril del año 536: 1. *Subuitur autem legi huic et descriptio declarans, quid quidem eum de fisco percipere et qui circa eum sunt competat, quid autem occasione dare codicillorum, quid vero inferre piae domui sacratissimae Augustae nostrae coniugis, trifariam quippe quinquagenis libris auri inferendis, hoc quod olim et hactenus tenuit;* la ley deja clara la obligatoriedad de satisfacer pecuniariamente a la emperatriz Teodora, "Mas al pie de esta ley se pondrá también una nota, que declara qué es lo que ciertamente le corresponde a él y a los que están cerca de él percibir del fisco, y lo que se debe dar con ocasión de las credenciales, y lo que se debe pagar a la piadosa casa de la sacratísima Augusta, nuestra cónyuge, debiéndose satisfacer en tres partes cincuenta libras de oro, cosa que en otro tiempo y hasta ahora estuvo en vigor".

[390] C. PAZDERNIK, *Justinianic Ideology and the Power of the Past*, en *The Cambridge Companion to the Age of Justinian*, cit., p. 204, da cuenta de la determinación de Justiniano: "Just as Justinian's determination to make the law his own reveals

## 3.2. NOVELA 14. LENOCINIO.

La intervención atribuida a Teodora en la legislación justinianea, o mejor dicho, la influencia positiva de la emperatriz
en favor de las mujeres en las leyes promulgadas por el emperador bizantino[391], llegaría a su punto álgido en el edicto del año
535[392], *Novellae* 14, con el título *De Lenonibus*[393], referida a los

---

his character and his conception of the imperial office, so too the concerns his
subjects express about the standing of the law reflect their own priorities. The
fact that Justinian embraced the law as a means to express his vision of himself
and to offer a philosophy of legislative change attests to the continuing value of
law as the underpinning of civil life and as a vehicle of political legitimization; sin
embargo, añade, al identificarse tan estrechamente con la ley, Justiniano amenazó
con prescindir del último consuelo del tradicionalista romano frente al despotis-
mo imperial, el hecho de que las leyes podían ser buenas incluso si sus ejecutores
eran malvados. Mientras que el sometimiento nominal a la ley denotaba libertad
y recordaba algún vestigio de las normas republicanas, los gestos del emperador
para hacerse consustancial a la ley amenazaban con erosionar un parecido vivo al
pasado y dejar al descubierto la realidad autocrática del cargo imperial.

[391] B. BIONDI, *Il diritto romano cristiano: Orientamento religioso della legislazione*, Milán, 1952, p. 96, declara con respecto a Teodora: "Non possiamo esclude-
re che le leggi favorevoli alla donna ed alla sua redenzione siano dovute proprio
all'intervento personale" de la emperatriz, quién tendría ascendiente suficiente
sobre Justiniano como para pedirle una solución legal favorable al colectivo femenino más vulnerable.

[392] A. BRIDGE, *Theodora. Portrait in a Byzantine Landscape*, cit. p. 96: "On 14 November, 535, she caused an edict to be issued which made the activities of pimps
a crime, and which banished all brothel-keepers from the capital and from every
other major city throughout the Roman world".

[393] T. LEWIS, C. SHORT, *A new Latin Dictionary*, Nueva York, 1891, *s.v. Leno*,
p. 1049: "A pimp, pander, procurer"; *s.v. Lenocinium*, p. 1050: "the trade of a
pander, pimping, pandering"; W. SMITH, *Dictionary of Greek and Roman an-
tiquities*, Londres, 1891, s.v. *Leno, Lenocinium*, p. 30: "Justinian (*Nov.* 14) also
attempted to suppress the business by banishing lenones from the city, and by
making the owners of houses who allowed prostitution to be carried on in them
liable to forfeit the houses and pay ten pounds of gold: those who by trickery or
force got girls into their possession and gave them up to prostitution were punis-
hed with the 'extreme penalties', but it is not said what these were"; *Thesaurus
Linguae Latinae*, 7.2, Leipzig, 1979, *s.v. Leno*, col. 1149-1150: "*leno, -onis: qui
puellas comparat in prostibulo. seductor et praepositus meretricum. consciarius
meretricia. lecator. Mediator. venenosi vel suasores*; *s.v. Lenocinium*, col., 1151:
*lenocinium, -i; a lenocinari*, en donde trae la definición como *crimina*, además de
contener varios ejemplos al respecto.

proxenetas[394], infames personajes que obtienen una ganancia económica mediante la venta de los servicios sexuales de otra persona[395], en este contexto legal referido a la condición de mujer, al tráfico sexual de mujeres con fines lucrativos.

Una explotación sexual obtenida además con engaño manifiesto, y a través de la negociación desigual con familias de campesinos en una situación económica al límite, que se veían compelidos a permitir la transacción de sus féminas descendientes a cambio de unas monedas[396], que les ayudasen a sobrellevar el hambre y la miseria durante

---

[394]   G. RAVEGNANI, *La corte di Giustiniano*, cit., p. 37: "Conserviamo ancora la legge che nel 535 proibí il lenocinio, con ogni probabilità emessa per suggerimento di Teodora, adoperatasi sempre a favore delle donne la cui condizione a Bisanzio era tutt'altro che fortunata", añadiendo que el mismo emperador recurrió a su esposa en la elaboración de la ley, afirmación que ayudaría a corroborar la presencia jurídica de Teodora en la legislación justinianea, pero como hemos insistido prudentemente, sin fuentes que estimen cierta tal aseveración.

[395]   Vid. al respecto, la definición proporcionada por Ulpiano en D. 23.2.43.6-9 (*Ulpianus libro primo ad legem Iuliam et Papiam*): 6. *Lenocinium facere non minus est quam corpore quaestum exercere. 7. Lenas autem eas dicimus, quae mulieres quaestuarias prostituunt. 8. Lenam accipiemus et eam, quae alterius nomine hoc vitae genus exercet. 9. Si qua cauponam exercens in ea corpora quaestuaria habeat (ut multae adsolent sub praetextu instrumenti cauponii prostitutas mulieres habere), dicendum hanc quoque lenae appellatone contineri*, en el que se contiene la opción de un proxenetismo femenino; vid. en relación con la expresión *alterius nomine* presente en la definición de Ulpiano, J. F. GARDNER, *Women in Roman Law and Society*, Bloomington, 1986, p. 250: "under someone else's name"; y por lo que se refiere al concepto de lenocinio, T. J. MCGINN, *Prostitution and Julio-Claudian legislation in early imperial Rome*, Ann Arbor, 1986, p. 420: "To pimp is nothing less than to earn money through the sale of (someone else's) sexual services"; A. M. RIGGSBY, *Lenocinium: Scope and Consequences*, en *Zeitschrift der Savigny-Stiftung für Rechtsgeschichte: Romanistische Abteilung*, 112, 1, 2013, p. 423, afirma que la elipsis planteada por MCGINN de 'otra persona' le parece bastante difícil, si tenemos en cuenta lo previsto en *FIRA* 1.13.122-3, *queive corpore quaestum fecit fecerit*, en donde pareciera referirse a prostitutas y quizás a gladiadores.

[396]   C. DAUPHIN, *Brothels, Baths and Babes Prostitution in the Byzantine Holy Land*, en *Classics Ireland*, cit., p. 57, revela como los campesinos del interior vendían a sus hijas por unas pocas monedas de oro, concluyendo -después de una comparación de precios reveladora- que el hecho de que las mujeres pudiesen ser degradadas hasta el punto de estar clasificadas con bestias de carga nos dice mucho sobre la sociedad bizantina: "Three types of prices should be taken into consideration: the price for buying, the price for redeeming and the price for hiring. The peasants of the Constantinopolitan hinterland sold their daughters

algún tiempo, creyendo que sería mejor para sus hijas el traslado a la capital para escapar de la carestía permanente sin saber o querer conocer el destino real de su descendencia femenina.

Esta trata brutal, que obligaba a las mujeres a prostituirse sin contar para nada su anuencia o rechazo al ejercicio de un oficio envilecedor de la condición femenina *in aeternum*, no encontró el consuelo y la comprensión necesaria en la iglesia[397], que lejos de compadecerse de la inmisericorde situación forzosa de las prostitutas sometidas al terror del proxeneta, condenó abiertamente a esas mujeres, mostrando una total indiferencia con respecto a los motivos que pudieran haber inducido a las mujeres al proceloso suburbio de la prostitución.

---

to pimps for a few gold coins (*solidi*). Thereafter, clothes, shoes and a daily food-ration would be these miserable girls' only 'salary'. To redeem a young prostitute in Constantinople under the reign of Justinian was cheap (*Novell*. 39.2). It cost 5 *solidi*, thus only a little more than the amount needed to buy a camel (41/3 *solidi*) and a little less than for a she-ass (51/3 *solidi*) or a slave-boy (6 *solidi*) in Southern Palestine at the end of the sixth century or in the early seventh century. That women could be degraded to the extent of being ranked with beasts of burden tells us much about Byzantine society".

[397]  S. PULIATTI, *Condizione femminile, prostituzione e lenocinio nella Roma tardoimperiale*, en *Prostituzione e diritto penale*, A. Cadoppi (ed.), Roma, 2014, p. 19: "Scarso in particolare è lo sforzo che emerge dalla letteratura patristica verso la comprensione delle cause sociali del fenomeno. Lo stato di povertà che costringe la donna a *pudorem suum profanare ut victum sibi oscenissimum quaerat* (Lactant., *Div. inst.*, 5.8.7) non è sufficiente, per i Padri della Chiesa, a giustificare la scelta verso la prostituzione. Giovanni Crisostomo (*In ep. ad Hebr. hom.* 15.3 = PG. 63.12-121), che pure mostra grande comprensione verso poveri ed emarginati, ammonisce che questa non è l'unica strada possibile dato che resta pur sempre l'alternativa del duro lavoro. E' questa l'unica opzione di condotta che la dottrina cristiana offre a chi non vuole, profanando se stesso, recare offesa a Dio. I corpi dei cristiani sono divenuti, attraverso il battesimo, membra di Cristo e tempio dello Spirito, dunque, secondo S. Paolo (*Ep. ad Cor.* 1.6.15-20), non è ammissibile alcun rapporto al di fuori delle legittima unione coniugale perché esso costituirebbe profanazione del proprio corpo e peccato contro lo Spirito".

Por eso resulta indudable el infinito valor de esta ley imperial, de considerable extensión[398], que contiene un prefacio clarificador[399], en lo que se refiere a la conducta ilícita de los alcahuetes[400], desprecia-bles y siniestros proxenetas que recorrían las provincias engañando a chicas jóvenes de humilde condición[401], a cambio de míseras y ficticias promesas, para luego recluirlas en sus habitaciones y entregarlas a la lujuria de los que pagaban por ellas, quedándose con la miserable ganancia obtenida después de obligarlas a firmar contratos abusivos y vinculantes para que cumpliesen con tan indigno trabajo:

> *Praefatio. Et antiquis legibus et dudum imperantibus satis odibile visum est esse lenonum nomen et causam, in tantum ut etiam plurimae contra talia delinquentes scriberentur leges.*

---

[398]   W. G. HOLMES, *The Age of Justinian and Theodora*, 2, cit., p. 725, en donde pone de manifiesto la gran amplitud de las novelas: "Still, however, Justinian found an unlimited field for his legislative proclivities, and every year saw the promulgation of new Acts, until his energy began to succumb to senility. Most of the new enactments were called Novels, and many of them were elaborated at great length. For these compositions the Greek language was almost invariably used, but a contemporary Latin translation was made".

[399]   El objetivo principal presente en los prefacios de las Novelas de Justiniano, es promulgar nuevas leyes necesarias, como resalta C. HUMFRESS, *Law and Legal Practice in the Age of Justinian*, en *The Cambridge Companion to the Age of Justinian*, cit., p. 174: "The prefaces to Justinian's *Novellae* frequently refer to the fact that new laws are necessary because concrete cases keep throwing up imperfections and complexities in the existing legislation... Justinian's Novellae thus offer a unique window through which to view the concrete circumstances that prompted most imperial legislation".

[400]   J. BEAUCAMP, *Le statut de la femme à Byzance I. Le droit imperial*, París, 1990, p. 128: "Le prologue de la Novelle décrit longuement, en effet, comment les pró-xenètes attirent des jeunes femmes, leur font remplir des contrats et exigent des garants, pour leur faire conserver leur métier et les empêcher eventuellement de se marier".

[401]   *Malalas*, 18.71, *Ioannis Malalae Chronographia,Corpus Fontium Historiae Byzantinae*, cit., 18.24, pp. 440 ss., describe la decadencia de las costumbres de la época, incidiendo en la amplia presencia de proxenetas que para enriquecerse explotaban a mujeres jóvenes de baja extracción social, aprovechándose de sus miserables condiciones de vida, que las empujaban a creer que era posible una mejor situación vital.

Este proemio esclarecedor refiere como las antiguas leyes[402], y los

---

[402]     Podemos traer a colación como contexto anterior a la propuesta justinianea de la Novela 14 la definición de derecho clásico brindada por Juliano en D. 3.2.1, *Iulianus libro primo ad edictum: Praetoris verba dicunt: "infamia notatur qui ab exercitu ignominiae causa ab imperatore eove, cui de ea re statuendi potestas fuerit, dimissus erit: qui artis ludicrae pronuntiandive causa in scaenam prodierit: qui lenocinium fecerit...*, afirmando que el Pretor condena con la infamia al que hubiera cometido lenocinio, así como la referencia de Ulpiano, contenida en D. 3.2.4.2 (*Ulpianus libro sexto ad edictum*): *Ait praetor: "qui lenocinium fecerit". Lenocinium facit qui quaestuaria mancipia habuerit: sed et qui in liberis hunc quaestum exercet, in eadem causa est. Sive autem principaliter hoc negotium gerat sive alterius negotiationis accessione utatur ( ut puta si caupo fuit vel stabularius et mancipia talia habuit ministrantia et occasione ministerii quaestum facientia: sive balneator fuerit, velut in quibusdam provinciis fit, in balineis ad custodienda vestimenta conducta habens mancipia hoc genus observantia in officina), lenocinii poena tenebitur*; aquí podemos ver como la declaración del Pretor: "el que hubiere hecho lenocinio", aclara que lo comete el que tuviera esclavos para lucrarse con su prostitución, estando en la misma condición el que ejerza ese comercio con personas libres. Pero bien realice tal negocio directamente, o se valga de otra industria para cometerlo, como por ejemplo, el que fue mesonero o bodegonero y tuvo esos esclavos para tal servicio, o encargado de los baños, como pasa en algunas provincias, y tuviera en los baños para la custodia de los vestidos a esclavos alquilados dedicados a este tipo de tráfico, estará sujeto a la pena de lenocinio; con posterioridad, en el siglo III d.C., Alejandro Severo declaraba en C. 4.56.3: *Imperator Alexander Severus. Eam, quae ita venit, ne corpore quaestum faceret, nec in caupona sub specie ministrandi prostitui, ne fraus legi dictae fiat, oportet*, en donde convenía que la mujer vendida con la condición de no hacer comercio con su cuerpo, no fuera prostituida en una hospedería, so pretexto de servicio, para evitar el fraude de la condición impuesta; en la misma dirección, los emperadores Teodosio y Valentiniano, en el año 428, acordaban en C. 1.4.12: *Imperatores Theodosius, Valentinianus . Si lenones patres vel domini suis filiabus vel ancillis peccandi necessitatem imposuerint, liceat filiabus vel ancillis episcoporum implorato suffragio omni miseriarum necessitate absolvi*, que si los padres proxenetas y los dueños, hubieran impuesto a sus hijas o esclavas la necesidad de pecar, fuera lícito a las hijas y esclavas, implorado el auxilio de los obispos, ser liberadas de toda necesidad de tales miserias, tal y como se reproduce ampliamente en Código Teodosiano 15.8.1: *Lenones patres et dominos, qui suis filiis vel ancillis peccandi necessitatem imponunt, nec iure frui dominii nec tanti criminis patimur libertate gaudere. Igitur tali placet eos indignatione subduci, ne potestatis iure frui valeant neve quid eis ita possit adquiri. Sed ancillis filiabusque, si velint, conductisve pro paupertate personis, quas sors damnavit humilior, episcoporum liceat, iudicum etiam defensorumque implorato suffragio omni miseriarum necessitate absolvi, ita ut, si insistendum eis lenones esse crediderint vel peccandi ingerant necessitatem invitis, non amittant solum eam quam habuerant potestatem, sed proscripti poenae mancipentur exilii*

emperadores anteriores, juzgaron odiosos tanto el nombre como la condición de los proxenetas, por lo que estimaron necesario promulgar distintas leyes contra tales delincuentes, considerando sus actos ilícitos como graves delitos, *crimina*, con considerables consecuencias penales como consecuencia de su conducta ilegal.

Y no se dictaron solo nuevas normas para condenar el ilícito, sino para aumentar las penas establecidas con anterioridad contra los impíos que así actúan, y si alguna cuestión había sido olvidada por los predecesores de Justiniano, él lo corregiría mediante otras leyes, por lo que, ante la denuncia de actuaciones ilegales en tales negocios ejecutados en la 'muy grande ciudad', en referencia a Constantinopla[403], el emperador había decidido atender legalmente ese asunto, demostrando con su denuncia pública y condena legal la implicación personal del soberano bizantino[404], en un tema tan complicado, escabroso, antiguo como difícil de resolver desde la más remota antigüedad:

---

*metallis addicendi publicis, quae minor poena est, quam si praecepto lenonis cogatur quispiam coitionis sordes ferre, quas nolit.*

[403] J. L. ZAMORA MANZANO, *La industria del sexo en la época romana: Categorización social de la prostituta, medidas fiscales y control de la administración*, Madrid, 2019, p. 146, declara en relación a los constantinopolitanos: "Habitantes de la magna metrópolis en la cual existe corrupción y conflictos sociales,", desorden por el cual Justiniano dirigirá la Novela 14 "tratando de concienciar a la población, como expresa el texto de la novela, ante una serie de denuncias que se presentan en relación a una serie de comportamientos ilícitos e impíos, *rerum impiarum pro talibus negotiis*, en los que el comercio clandestino de los proxenetas debía ocupar, en Constantinopla, uno de sus problemas centrales".

[404] S. PULIATTI, *Condizione femminile, prostituzione e lenocinio nella Roma tardoimperiale*, cit., pp. 18-19: "Ma la denuncia più forte contro la diffusione del fenomeno in ambito cittadino proviene da Giustiniano. La sconcertante attualità del sistema di reclutamento delle prostitute –una vera e propria tratta– emerge con evidenza dal quadro tracciato con dovizia di particolari dal legislatore, sulla base di informazioni e di inchieste eseguite. Anzitutto, in termini di diffusione del fenomeno, suscitano allarme l'impatto sociale e l'incidenza della prostituzione sul tessuto oltretutto urbanistico della città senza riguardo nemmeno dei luoghi sacri. Per quanto riguarda i soggetti, sono motivo di indignazione l'età giovanile e in certi casi addirittura infantile (*puellas ne decimum quidem agentes annum*) dei soggetti da prostituire, le loro condizioni di indigenza, l'infimo livello economico dello strato della loro appartenenza, l'indifferenza morale di chi ne ha la potestà, le situazioni di necessità che determinano il cedimento alle manovre ricattatorie di chi intende procacciarsi scellerati lucri. Dall'altro lato sono allarmanti, dalla parte dei lenoni, la ricerca territorialmente estesa –una vera e

*Nos autem et dudum posita contra eos qui sic impie agunt supplicia auximus, et si quid relictum est a nostris praecessoribus, etiam hoc per alias correximus leges, et nuper interpellatione nobis facta rerum impiarum pro talibus negotiis in hac maxima civitate commissis causam non despeximus.*

De este modo, el emperador demuestra conocer que algunos viven de una manera ilícita, y que por crueles y odiosas causas hallan para sí ocasión de nefandos lucros, y que viajan por las provincias y muchas localidades, engañando a mujeres en situación de miseria[405], prometiéndoles calzado y algunos vestidos, y que así las atraen hasta conducirlas a la 'felicísima' ciudad, en donde las recluyen en establecimientos destinados a tan execrable función[406], oscuros, turbios, in-

---

propria «caccia»– dei soggetti da prostituire, l'adescamento con illusorie promesse di indumenti (scarpe e vestiti), il trasferimento nella capitale, la chiusura in alloggi predisposti a postribolo, l'offerta di misero mantenimento, l'avviamento alla prostituzione publica", añadiendo en n. 24 que a ello se suman como motivos de especial aversión la apropiación de la ganancia obtenida con los servicios sexuales, la compulsión por contrato para realizar actividades por el tiempo deseado, la solicitud de fiadores, la extrema dificultad de las redenciones si no se realizaba a costes desorbitados (*pecunia non modica data aegre inde miseras illas redemisse*), o la imposibilidad de liberarse de la "profesión" con fines matrimoniales.

[405] R. RODRÍGUEZ LÓPEZ, *Trata de blancas y redes de prostitución forzosa*, en *No tan lejano. Una visión de la mujer romana a través de temas de actualidad*, M. J. Bravo Bosch, A. Valmaña Ochaíta, R. Rodríguez López (eds.), Valencia, 2018, p. 265: "La miseria, tanto en la prostitución voluntaria como en el tráfico de blancas, es generalmente el prerrequisito que sitúa a las personas en estas especiales situaciones de vulnerabilidad", recordando que en las sociedades de la antigüedad la pobreza era una realidad tangible en buena parte de la población.

[406] R. FLEMMING, *Quae Corpore Quaestum Facit: The Sexual Economy of Female Prostitution in the Roman Empire*, en *JRS* 89, 1999, p. 43, apunta los diferentes lugares tradicionalmente destinados al ejercicio de la prostitución, regentados por *lenones*, y con menos frecuencia, por una *lenae*, mujer: "These different ways of entering prostitution are connected with the different forms the institution took. The prostitution of slaves was paradigmatically based in brothels- *lupanaria* and *fornices*, *porneia* and *ergasteria* - but also in a range of other establishments, such as inns, taverns, and bath-houses. These places were managed by *lenones*, *pornoboskoi* or, less frequently, *lenae*, who were in the business of making their denizens sexually available; the verb describing this causative activity being 'prostituere', literally 'to place before', 'to set out' (of wares)", continuando su reseña negativa en p. 45, con respecto a las condiciones del lupanar: "The more general construction of the *lupanar* or *fornix* as a place

salubres[407], fuera de toda legalidad urbanística y social, incumpliendo los sueños que sirvieron de ilusión canalizante a un futuro todavía peor.

La comida y la vestimenta prometidas se transforma en una frugalidad extrema de mísera calidad, entregándolas sin embargo a un frenético intercambio de lujuria con todo hombre que pueda permitirse pagar por poseerlas y satisfacer su libido, quedándose los proxenetas con los réditos obtenidos con el comercio carnal y obligándolas a firmar un contrato, leonino en su totalidad, que las fuerza a cumplirlo hasta que al alcahuete le parezca necesario, desempeñando este impío y reprobado servicio:

> *Agnovimus enim quosdam vivere quidem illicite, ex causis autem crudelibus et odiosis occasionem sibimet nefandorum invenire lucrorum, et circuire provincias et loca plurima et iuvenculas miserandas decipere promittentes calciamenta et vestimenta quaedam, et his venari eas et deducere ad hanc felicissimam civitatem et habere constitutas in suis habitationibus et cibum eis miserandum dare et vestem et deinceps tradere ad luxuriam eas volentibus, et omnem quaestum miserabilem ex corpore earum accedentem ipsos accipere et celebrare conscriptiones, quia usque ad tempus, quod eis placuerit, observabunt impiam et scelestam hanc functionem implentes.*

---

where contemptible female behaviour and creditable, though not unproblematic, male behaviour, meet, with the acceptance of the latter dependent on the unacceptability of the former, is also apparent in the more moralistic descriptions of the establishments themselves. On the one hand, these are sordid places, smelly and sooty, degraded and unsavoury - places of vice and venality, of soft pleasures and hard deceit. On the other hand, the brothel maintains a certain propriety as a locus of prostitution, a certain status as a structured, even controlled, site of sexual availability; what goes on here is properly concealed behind closed doors, and there is a straightforward simplicity about what is on offer, an honesty to the pretence".

[407]  C. DAUPHIN, *Brothels, Baths and Babes Prostitution in the Byzantine Holy Land*, en *Classics Ireland*, cit., p. 50, aclara que proporcionar vivienda era parte del trato que los proxenetas de Constantinopla hacían con los padres de las jóvenes campesinas que compraban en el interior de la capital, pero que esa vivienda no significaba necesariamente una casa, sino que con frecuencia era solo una choza o una mísera habitación. Añade además que las prostitutas bizantinas eran relegadas a 'distritos de luz roja' de la misma manera que las prostitutas de Roma vivían y trabajaban predominantemente en Suburra y cerca del Circo Máximo, por lo tanto al norte y al sur del Foro.

En el mismo prefacio, dirigido a los ciudadanos de Constantinopla, *Imp. Iustinianus A. Constantinopolitanis*, el soberano añade que estos actos ilícitos[408], se extienden por todas partes, no sólo por la ciudad, mostrándose escandalizado por su expansión incluso en los Santos Lugares, sin reparo ni recato alguno.

Además, añade, en ocasiones se postula la exigencia de fiadores, *fideiussores*[409], para esta ilegítima y execrable actividad, lo que impide

---

[408] D. MATTIANGELI, *The Legal Aspects of the Personality of the Leno*, en *Teoria e Storia del Diritto Privato*, 4, 2011, pp. 9-10, trae a colación la definición de lenocinio contenida en D. 48.5.2.2: *Lenocinii quidem crimen lege Iulia de adulteris praescriptum est, cum sit in eum maritum poena statuta, qui de adulterio uxoris suae quid ceperit, item in eum, qui in adulterio deprehensam retinuerit*, declarando al respecto: "Here the *lenocinium* is defined as '*crimen*' and is accomplished if the husband allows his wife to commit adultery in order to gain money from it. The law provides for different cases of *lenocinium*, for example the marriage of a women condemned for adultery in precedent, the husband discovering that his wife committed adultery and keeps silent in change of money, the landlord who loans his house to someone committing adultery or rape (*stuprum*), and many another possibilities. This law marks an 'evolution' of the crime of *lenocinium*, that gains additional cases and possibilities and new punishments, even stronger than those of classical infamy. The *lenocinium* is being enriched, thanks to the moralizing law of *Augustus*, with punishments and serious penal consequences, differing from the normal consequences of the infamy, and more similar to those of adultery and rape". Queda claro que el delito se comete incluso cuando el marido permite a su esposa cometer adulterio para ganar dinero con ello, en caso de prestar la vivienda para que se cometa allí el delito de adulterio o violación y muchas otras posibilidades. Su conclusión señalando que las leyes moralizantes de Augusto incrementaron las penas en caso de lenocinio con castigos y graves consecuencias penales, distintas a las consecuencias derivadas de la infamia, demuestra la tendencia imperial a condenar como un delito muy grave el proxenetismo; vid., un análisis crítico sobre los casos de lenocinio propuestos por esta ley de Augusto en A. METTE-DIETMANN, *Die Ehegesetze des Augustus*, Stuttgart, 1991, p. 67, y T. J. MCGINN, *Prostitution, Sexuality, and the Law in Ancient Rome*, Oxford-Nueva York, 1998, pp. 171 ss. En este sentido, podemos colegir que Justiniano tuvo a su disposición la condena impuesta por *lenocinium* desde las leyes de Augusto hasta su propia época para, con el conocimiento y la exégesis de la legislación precedente, proceder con una nueva ley, la Novela 14, que describiese el ilícito coetáneo y condenase todas las formas de realización del mismo.

[409] La *fideussio*, institución jurídica relevante en el ámbito de las obligaciones, se diferenciaba de la *sponsio y fideipromissio* -figuras en las que el fiador asumía una obligación idéntica y por tanto de carácter no accesorio-, en que en la fianza establecida el garante o *fideiussor* asumía todo o parte de la deuda ajena, pero sin

que si alguien compadecido de alguna mujer, quisiera tomarla en legítimo matrimonio, pueda llevar a cabo su propósito rehabilitador femenino por esa garantía imposibilitante prestada en situación de extrema vulnerabilidad:

> *Quasdam vero earum etiam fideiussores expetere. Et in tantum procedere illicitam actionem, ut omni paene in hac regia civitate et in transmarinis eius locis et (quod deterius est) iuxta sacratissima loca et venerabiles domos tales sint habitationes, et causae sic impiae et iniquae sub nostris temporibus praesumantur, ita ut etiam quosdam miserantes earum et abducere a tali operatione crebro volentes et ad legitimum deducere matrimonium non sinerent.*

Para resaltar la ilicitud y crueldad de estos delitos[410], añade que algunos han llegado a corromper a niñas menores de diez años[411], en ocasiones rescatadas con dificultad y altas sumas de dinero:

---

prometer una prestación idéntica a la promesa de lo debido por el otro, si bien esta diferencia no se podía constatar claramente en la época postclásica; vid. al respecto, M. TALAMANCA, s.v. *Fideiussione*, en *Enciclopedia del Diritto*, 7, Turín, 1961, p. 328, sustentando la opinión de que la *sponsio* y la *fideipromissio* eran obligaciones solidarias, al igual que la *fideiussio* hasta que con Justiniano se introdujo el *beneficium excussionis*, innovación justinianea por la cual el *fideiussor* o fiador podía rechazar la demanda entablada por un acreedor -sobre el crédito que garantizaba-, si el demandante no se había dirigido con anterioridad contra el deudor principal, salvo que éste fuera insolvente o ausente; vid. sobre la *fideiussio*, M. J. REYES LÓPEZ, G. BUIGUES OLIVER, *Notas para un estudio histórico-crítico de la fianza*, en *Anuario de derecho civil*, 49, 4, 1996, pp. 1473 ss., en donde al margen de referir la primigenia naturaleza verbal de esta fianza, transformada en institución escrita en el derecho postclásico, con ella se podía garantizar cualquier tipo de obligación, incluso la derivada de un delito (p. 1476), como se desprende de las actividades ilícitas relacionadas con la explotación forzosa, independientemente de la prestación (forzosa) por parte de la mujer explotada y no del proxeneta en cuestión; N. COCH ROURA, *La forma estipulatoria. Una aproximación al estudio del lenguaje directo en el Digesto*, Madrid, 2017, pp. 250 ss.

[410]   Que deben ser castigados de forma ejemplar como ejemplo colectivo para evitar conductas corruptas; vid., al respecto, B. BIONDI, *Giustiniano primo, príncipe e legislatore cattolico*, Milán, 1936, p. 41: "Giustiniano dichiara che egli intende preferire '*non luxuriantibus, sed caste viventibus*'... La repressioni dei reati contro il buon costume diventa sempre più completa", poniendo como ejemplo el contenido legal de la Novela 14 y las prescripciones establecidas con respecto al lenocinio.

[411]   C. DAUPHIN, *Brothels, Baths and Babes Prostitution in the Byzantine Holy Land*, en *Classics Ireland*, cit., pp. 60-61: "Some of the peasant girls recruited by

*Quosdam autem sic scelestos existere, ut puellas nec decimum agentes annum ad periculosam deponerent corruptionem; et quosdam aurum dantes non parvum vix inde redemisse miseras, et nuptiis copulasse castis.*

En este extenso prólogo, el soberano declara, además de aseverar que hay diez mil maneras, que ninguno puede abarcar con palabras, ya que el ilícito que persigue se ha extendido a infinitas crueldades, que antes se limitaban a puntos determinados de la ciudad pero ahora se han extendido por toda ella[412], que ha conocido esa realidad por alguien que lo denunció en secreto[413], *nobis secrete denuntiavit,* y más recientemente por los pretores, *deinde etiam nuper magnificentissimi pretores,* a quienes ordenó que inquiriesen tales cuestiones, que así le fueron confirmadas, por lo que el Basileo juzgó que era conveniente encomendar a Dios el asunto[414], para librar rápidamente de tal maldad a la ciudad[415]:

---

　　　pimps in the hinterland of Constantinople, were not even ten years old. St Mary the Egyptian admits that she left her parents and her village at the age of twelve and went to Alexandria where she lost both her virginity and her honour by prostituting herself", y disfrutando del sexo, lo que a los ojos de los mojigatos bizantinos era el pecado máximo.

[412]　J. A. EVANS, *The Empress Theodora. Partner of Justinian,* cit., p. 33: "By 535, in spite of Theodora's efforts, Justinian learned that prostitution was flourishing once again in the capital and procurers were going about the provinces enticing young girls"; L. GARLAND, *Byzantine Empresses: Women and Power in Byzantium AD 527-1204,* cit., pp. 16-17: "Prostitution was a fact of life in the capital and, as a number of emperors, had previously attempted to legislate to control it", añadiendo que no parece que Teodora fuera la impulsora de tal disposición legal. Aún así, reconoce que precisamente por el mísero pasado de la emperatriz, seguramente se interesaría personalmente en esos escabrosos asuntos, obteniendo un claro reconocimiento en la historiografía posterior, conjuntamente con su esposo, por su defensa del colectivo de mujeres sometidas a prostitución forzosa.

[413]　C. DIEHL, *Théodora, impératrice de Byzance,* cit., p. 226, sugiere que es Teodora la persona a la que se refiere Justiniano en esta discreta alusión, quién le habría advertido en secreto de la corrupción moral de Constantinopla, motivo por el que ordena una investigación oficial que se tradujo en leyes favorables a las mujeres en situación de vulnerabilidad y exclusión social.

[414]　B. BIONDI, *Il diritto romano cristiano,* cit., p. 135: "L'elemento religioso é ciò che da il tono a tutta la legislazione di Giustiniano".

[415]　Resulta muy interesante la teoría de J. L. ZAMORA MANZANO, *La industria del sexo en la época romana: Categorización social de la prostituta, medidas fiscales y control de la administración,* cit. p. 156, con respecto a la facilidad

*Esse etiam decies milies modos, quos nullus praevaleret sermone com-*
*prehendere, cum ad infinitam crudelitatem perductum sit tale malum:*
*ita ut primum quidem in ultimis partibus civitatis esset, nunc autem et*
*ipsa et quae circa eam sunt omnia plena talium sint malorum. Haec igi-*
*tur dudum quidem aliquis nobis secrete denuntiavit, deinde etiam nu-*
*per magnificentissimi praetores a nobis talia, requirere praecepti haec*
*eadem ad nos retulerunt: moxque audivimus et iudicavimus oportere*
*deo huiusmodi commendare causam et velociter liberare tali scelere*
*civitatem.*

Después de esta introducción, y de una forma contundente, Justiniano dispone lo siguiente en esta Novela 14.1:

*Sancimus igitur omnes quidem secundum quod possint castitatem*
*agere, quae etiam sola deo cum fiducia possibilis est hominum ani-*
*mas praesentare. Quia vero plurima sunt humana, cum arte et dolo et*
*necessitate quaslibet ad talium luxuriant deduci omnibus prohibemus*
*modis, et nulli fiduciam esse pascere meretricem et in domo habere*
*mulieres aut publice prostituere ad luxuriam, et pro alio quodam ne-*
*gotio talia mercari, neque conscriptiones super hoc percipere neque*
*fideiussores exigere nec aliquid tale agere, quod cogat miseras et invi-*
*tas suam castitatem confundere, neque sperare quia licebit de cetero*
*eis vestium donatione aut ornamentorum forsan aut alimenti decipere,*
*ut etiam invitae sustineant.*

*Sancimus*, el imperativo imperial, con el que Justiniano declara:
Mandamos, pues, que todos, en cuanto les sea posible, vivan con castidad[416], que aún ella sola es poderosa a presentar confiadamente a

---

de los agricultores para evitar los controles migratorios en las fronteras, ya que
gozaban de un trato preferencial. De este modo, podían mantener ocultas las
verdaderas intenciones de su traslado, por lo que la pretendida vigilancia de las
mafias de proxenetas no resultaba eficaz si los agricultores y sus familias referen-
ciaban motivos de emigración a la ciudad como motivo de su desplazamiento.

[416]  La castidad, como conducta de templanza intrínsecamente femenina, en la que la
mujer controla sus deseos sexuales y eleva su energía espiritual, es exigida como
virtud por Justiniano ya en una Constitución anterior, 5.17.11.2, promulgada el
15 de las calendas de diciembre del año 533, dirigida bajo el tercer consulado
del Augusto perpetuo (a Hermógenes, *Magistro officiourum*), en la que penaliza
a las mujeres que no se prostituyen por dinero sino por placer. A las culpas de
la mujer, ya enumeradas en otras constituciones, añade la conducta lujuriosa de
la que se baña voluntariamente con hombres, *vel ita luxuriosa est, ut commu-*
*ne viris libidinis causa habere audeat*, o mientras vive en matrimonio hubiera

Dios las almas de los hombres. Mas como son muchas las cosas de los hombres, *prohibemus*, prohibimos de todos modos que con artificio y dolo y por necesidad sean arrastradas algunas mujeres a la lujuria de algunos, y que nadie tenga el atrevimiento de mantener meretrices, y de tener mujeres en casa, o de prostituirlas públicamente para la lujuria, o de comprarlas para otro cualquier negocio[417], ni de admitir sobre esto contratos, ni de exigir fiadores, ni de hacer alguna cosa semejante, que obligue a míseras mujeres a manchar contra su voluntad su castidad[418], ni a esperar que en lo sucesivo les será lícito engañarlas dándoles vestidos, o acaso adornos o alimentos, de suerte que ellas aun contra su voluntad perseveren[419].

Estamos ante un denso párrafo legal, en el que se contienen las disposiciones previstas y exigidas por el emperador[420]. Bien es cierto que parece pontificar con la necesidad de vivir en castidad, pero de inmediato vuelve a la realidad, y prohíbe la prostitución forzosa a

---

intentado procurarse otro marido, *vel, dum est in matrimonio, alium maritum sibi fieri conata fuerit,* sancionando tal conducta con efectos negativos en tema de dote y donación, citando expresamente la pérdida de la cuarta parte que le hemos atribuido por esta ley, *in quartam partem...ex hac lege destinavimus,* en referencia a las Instituciones de Justiniano, 2.27, en donde se contiene la reserva legal prevista por la *lex Falcidia.*

[417]    J. BEAUCAMP, *Le Statut de la Femme à Byzance (4e-7e siècle). II. Les pratiques sociales,* cit., p. 128, destaca que la intención de Justiniano en este denso párrafo legal es concretar todas las formas posibles de proxenetismo para no dejar ninguna al margen de lo prescrito en la ley, y poder así reprimir con dureza cualquier situación directa o indirectamente relacionada con la explotación sexual de las mujeres.

[418]    R. RODRÍGUEZ LÓPEZ, *Trata de blancas y redes de prostitución forzosa,* cit., p. 264: "No obstante, con esta disposición Justiniano no pretende reprimir la prostitución, sino fundamentalmente subrayar y perseguir el nefando crimen del alcahuete o proxeneta que atenta contra la castidad femenina, forzando a las víctimas a tener relaciones carnales con terceros en calidad de clientes".

[419]    *Cuerpo del Derecho Civil Romano,* trad. esp. I. L. GARCÍA DEL CORRAL, *Tercera Parte, Novelas,* cit., p. 80.

[420]    L. SANDIROCCO, *Giustiniano e le mulieres scaenicae. Una rilettura della Novella 14 del 535,* cit., p. 170: "L'editto è di tutta evidenza permeato di critica moralistica sulla rilassatezza dei costumi, ma lo stesso Giustiniano richiama gli antichi valori romani e impetra i celesti favor sull'impero e su un rinnovato censo etico a Bisanzio... Un elemento certamente innovativo consiste nello sforzo di superare le ambiguità di genere nella configurazione della responsabilità sul *lenocinii* crimen".

mujeres de ínfima condición social, que se ven empujadas a ejercer tan vil profesión para poder subsistir. También se pronuncia sobre el engaño, el dolo, la acción deliberada de causar un daño en otra persona, aquí identificada con la mujer desprovista de lo material y espiritual, con las necesidades más básicas aún por cubrir, que se ve obligada a ensuciar su reputación contra su voluntad, y a someterse a un proxeneta que va a ejercer sobre ella violencia sexual y física para satisfacer sus intereses más primarios, económicos y carnales.

> Non enim permittimus quicquam fieri tale, sed etiam nunc omnia talia breviter competenti cura disposuimus, statuentes etiam reddi eis omnem quam contigit cautionem occasione sceleris huius exponi; et neque permisimus scelestos lenones, si quid dederunt eis, hoc ab eis auferre: sed etiam ipsos lenones iussimus extra hanc fieri felicissimam civitatem tamquam pestiferos et communes vastatores castitatis factos, et liberas ancillasque requirentes et deducentes ad huiusmodi necessitatem et decipientes et habentes educatas ad universam confusionem. Praeconamus itaque quia, si quis de cetero praesumpserit invitam puellam sumere et habere ad necessitatem nutritam et fornicationis sibi deterentem quaestum, hunc necesse est ab spectabilibus praetoribus populi huius felicissimae civitatis comprehensum omnium novissima sustinere supplicia.

La intención de reprimir legalmente esta conducta ilícita se aprecia de nuevo en 'Non enim permittimus', con el tono categórico del emperador, en el que no permite que se haga nada semejante, conminando a la devolución obligatoria de toda caución que se hubiera prestado con ocasión de tal acto ilícito, sin permitir que los abyectos alcahuetes, si les dieron alguna cosa, se la puedan quitar, exigiendo además la expulsión de los proxenetas de la ciudad[421], como infames y pestilentes, *pestíferos*, por ser corruptores de la castidad, que no solo

---

[421]  J. BEAUCAMP, *Le Statut de la Femme à Byzance (4e-7e siècle). II. Les pratiques sociales*, cit., p. 129, explica que Justiniano abandona la distinción realizada por León I, entre las penas impuestas a los que son de condición humilde y los que pertenecen a clases superiores, y si bien la represión inmediata es menos atroz al no estar contemplada la condena *ad metalla*, a las minas, tuvo una eficacia mucho mayor al retirarle a los proxenetas los medios de presión que podían utilizar con sus víctimas: "Mais le caractére le plus neuf de sa législation est de rechercher une efficacité plus grande, en retirant aux proxénètes les moyens de pression qu'ils pouvaient utiliser".

explotan a esclavas, sino también a mujeres libres, a las que someten y engañan reduciéndolas a un estado de total perdición.

Bien es cierto que en este caso, la referencia a la prostitución no es insultante ni condenatoria con respecto al comportamiento femenino[422], ya que no se establece sanción penal alguna con respecto al trabajo desempeñado por las prostitutas[423], sino que la fuerza de la ley recae en los explotadores de mujeres, que sin ningún atisbo de arrepentimiento ni contrición alguna, obtienen un pingüe beneficio económico mediante el trabajo sexual llevado a cabo por la mujer vejada.

Con la misma contundencia y con respecto al futuro, el mismo edicto refiere que si en lo sucesivo un proxeneta[424], tomase a una joven en contra de su voluntad, manteniéndola por necesidad y quedándose con sus ganancias, sea hecho preso por los pretores de la ciudad[425], y sometido a soportar los últimos suplicios, *corporis castigatio*.

---

[422]   J. L. ZAMORA MANZANO, *La industria del sexo en la época romana: Categorización social de la prostituta, medidas fiscales y control de la administración*, cit., p. 153, destaca correctamente la intención del emperador de no castigar el comportamiento de las mujeres sometidas y explotadas: "La Novela criminaliza las conductas que se vertebran en torno a la industria del sexo en cualquiera de sus formas pero sin penalizar a las personas vulnerables que la practican, tratando de limpiar la plaga de los burdeles".

[423]   S. PULIATTI, *Malum immensum importune auctum. La disciplina del prossenetismo nelle fonti giuridiche postclassiche*, en *Iuris vincula, Studi in onore di Mario Talamanca*, 6, Nápoles, 2001, pp. 419-463, cuya fundamentación última con respecto a la ausencia de represión de la práctica de la prostitución, en principio susceptible de condena como acto ilícito, es que elude la pena puesto que se trata de un evento no público que por lo tanto no es objeto de proscripción.

[424]   Aquí se habla del proxeneta masculino, porque era el predominante en el turbio negocio de la explotación sexual de las mujeres, pero, como señala S. PULIATTI, *Incesti crimina. Regime giuridico da Augusto a Giustiniano*, Milán, 2001, pp. 282-286, por lo que se refiere a las mujeres proxenetas aunque no aparezcan explícitamente reseñadas en las fuentes ni tampoco sancionadas, lo cierto es que las normas hablan de forma genérica de *lenones*, sin distinguir entre hombres y mujeres, por lo que no se excluye necesariamente la represión de la conducta ilícita de las mismas.

[425]   L. SANDIROCCO, *Giustiniano e le mulieres scaenicae. Una rilettura della Novella 14 del 535*, cit., p. 170: "Dal punto di vista procedurale viene istituita un'apposita commissione di pretori e fissato l'*iter* da seguire nel caso di denunce anonime".

196 María José Bravo Bosch

La justificación de Justiniano es que si ha sido elegido como corrector de hurtos y latrocinios pecuniarios el *praetor plebis*[426], como no va a poder castigar con mucho más motivo el hurto y latrocinio de la castidad:

> *Si enim pecuniarum eos furtorum et latrociniorum emendatores elegimus, quomodo non multo magis castitatis furtum et latrocinium eos cohercere permittimus? Si quis autem patiatur in sua domo quendam lenonem et huiusmodi praepositum operationis habere et haec denuntiata cognoscens non de domo sua expulerit, sciat etiam decem librarum auri sustinere poenam et circa ipsam periclitaturum habitationem. Si quis autem conscriptionem de cetero in talibus praesumpserit aut fideiussorem accipere, sciat nullam quidem se utililatem huiusmodi fideiussionis aut conscriptionis habere. Etenim fideiussor quidem obligatus non erit, conscriptio vero omnino invalida manebit; et ipse, sicut praediximus, in corpore supplicium sustinebit et magna hac longissime civitate expelletur.*

Y a mayor abundamiento, el emperador extiende el imperio de la ley a las conductas contrarias a derecho, como sucede en el caso de quién no comete directamente ningún acto de lenocinio, pero permite que resida en su casa un proxeneta dedicado al tráfico de mujeres[427]. A este propietario, antes a salvo de la condena a pesar de su conducta impropia, verá cómo le afecta directamente la norma justinianea, y si quiere salvar no solo su honor sino su propia culpa, deberá expulsar al proxeneta de inmediato, ya que si no lo hace tendría que pagar la pena de diez libras de oro, corriendo riesgo con la misma habitación. Y si se hicieran contratos, o se recibieran fiadores, la utilidad será nula de tal fianza o escritura, porque el fiador no estará obligado, la escritura será invalidada, y él alcahuete sufrirá una pena corporal además de ser expulsado de Constantinopla[428].

---

[426] Vid. sobre el *praetor plebis*: E. FRANCIOSI, *Riforme istituzionali e funzioni giurisdizionali nelle Novelle di Giustiniano: studi su nov. 13 e nov. 80*, Milán, 1998, pp. 57-102.

[427] D. MATTIANGELI, *The Legal Aspects of the Personality of the Leno*, cit., p. 11: "Also the Justinian legislation extends the cases of *lenocinium* and the connected penal punishments that become more and more serious, even for the landlord who loans the houses to the lenones in order to exercise a brothel".

[428] J. BEAUCAMP, *Le Statut de la Femme à Byzance (4e-7e siècle). II. Les pratiques sociales*, cit., p. 129, en donde extiende el ámbito de aplicación de esta ley, al

La intención del legislador busca el aislamiento del proxeneta así como la obstaculización de sus actividades ilícitas, regulando preventivamente cualquier opción favorable en su entorno que deba ser castigada duramente como advertencia de abstención conductual por parte de cualquiera que quisiera prestarle ayuda, onerosa o gratuita con respecto a su denigrante ocupación.

> *Mulieres itaque caste quidem vivere volumus et oramus, non autem invitas ad luxuriosam vitam deduci nec impie agere cogi. Omnino enim lenocinium et fieri prohibemus et factum punimus, praecipue quidem in hac felicissima civitate et in eius circuitu, nihilominus autem et in locis foris positis omnibus, et quae ab initio nostrae sunt reipublicae et quae nunc a domino deo donata sunt nobis, et maxime in illis, eo quod dei dona, quae circa nostram fecit rempublicam, volumus conservari pura ab omni tali necessitate, et domini dei circa nos munere esse et permanere digna. Credimus enim in domino deo etiam ex hoc nostro circa castitatem studio magnum fieri nostrae reipublicae incrementum, deo nobis omnia prospera per talia opera conferente.*

Para finalizar[429], acabamos de ver un ruego dirigido a las mujeres para que vivan castamente, y que no sean llevadas en contra de su voluntad a una vida lujuriosa, prohibiendo todo proxenetismo también en las localidades fuera de la ciudad, pero pertenecientes a la República, y proclamando a Dios que por el empeño en preservar la castidad también concederá prosperidad por tales trabajos, *deo nobis omnia prospera, per talia opera conferente.*

El análisis textual de esta instructiva disposición legal de Justiniano que sirvió de referente contra la explotación sexual femenina, puesto que la prioridad legislativa es la protección de la mujer, tutelando sus intereses, y rehabilitando social y jurídicamente a la *mulier*

---

declarar que si bien parece limitada a Constantinopla, su contenido se considera válido para todo el imperio, añadiendo que tanto los pretores como los gobernadores son los responsables de hacer cumplir la ley.

[429] En realidad, la última parte oficial de la Novela está conformada con un Epílogo, *Epilogus*, en el que Justiniano declara que se vale del sacro edicto para que los ciudadanos disfruten de esa casta disposición, a fin de que conozcan el interés del emperador por sus súbditos, así como sus esfuerzos por la castidad y la piedad, virtudes por las que espera que se conserve la república en total plenitud.

explotada[430], no permite atisbar de forma alguna la inspiración de la emperatriz en el soberano legislador. Nosotros lo consideramos posible, pero el influjo directo de Teodora en esta innovadora legislación no lo podemos acreditar de acuerdo con las escasas fuentes, fragmentarias, y en ocasiones subjetivamente despectivas, como se aprecia en el testimonio de Procopio, con las que contamos para la verificación de su femenina intervención[431].

La evidencia del desamparo de las mujeres de diferentes segmentos de edad y condición, sometidas a la desoladora vida en un burdel, consideradas como objetos de uso y lujuria con fecha de caducidad ante la decadencia física que sin duda sería temprana a la vista de las deplorables condiciones de los recintos en los que las sometían y despreciaban, es tenida en cuenta por Justiniano como piedra angular de una legislación dirigida a la protección de este colectivo silenciado y vulnerable necesitado de amparo jurídico urgente para intentar revertir la execrable situación, pero no podemos afirmar sin prueba alguna que Teodora sea la inspiradora silente del Basileo en su condena del lenocinio y la consecuente represión legal.

---

[430] Vid. sobre la innovadora legislación de Justiniano, dirigida a la restitución de la dignidad personal femenina, S. PULIATTI, *Quae ludibrio corporis sui quaestum faciunt. Condizione femminile, prostituzione e lenocinio nelle fonti giuridiche dal periodo classico all'età giustinianea*, en U. Criscuolo (ed.), *Da Costantino a Teodosio il Grande. Cultura, Società, Diritto, Atti del Convegno Internazionale, Napoli 26-28 aprile 2001*, Nápoles, 2003, pp. 31-83.

[431] L. SANDIROCCO, *Giustiniano e le mulieres scaenicae. Una rilettura della Novella 14 del 535*, cit., p. 168: "Forse non è del tutto casuale, al di là del convincimento religioso e dell'estrinsecazione dell'autocrazia di un imperatore che credeva convintamente nel proprio ruolo di monarca e di codificatore del corpus giuridico romano, che Giustiniano abbia mostrato interesse ad affrontare la prostituzione e le sue tematiche in chiave normativa", manteniendo que probablemente el pasado de Teodora influyese en el interés de Justiniano por regular convenientemente la prostitución, criminalizando la intervención masculina, y procurando la rehabilitación femenina; en p. 172 insiste de nuevo en el ascendiente de Teodora sobre el emperador, como "possibile forza di propulsione dell'azione legislativa dell'imperatore, per quanto limitatamente ai settori che rivestivano un interesse diretto o indiretto, come le questioni in materia di fede, i rapporti interni ed esterni al matrimonio, e la prostituzione alla quale la sua professione di attrice era socialmente assimilata".

## 3.3. PROTECCIÓN LEGAL A LAS ACTRICES.

La loable consideración jurídica de la Novela 14 no significa que el Basileo ignorase con anterioridad la nefasta condición social de las mujeres pertenecientes a los estratos sociales más bajos de la pirámide ciudadana bizantina. De hecho, ya en el año 533 había dirigido una constitución a las autoridades civiles, con la reforma de la incapacidad y la equiparación jurídica de las *mulieres scaenicae*, reflejada en C. 5.4.29, en donde declara que hizo una sacra constitución no permitiendo a nadie que arrastrase contra su voluntad a una mujer[432], esclava o libre, a la escena o a la orquesta, ni que prohibiese que abandonase la que así lo deseara, y que demandase a sus fiadores que hubieran prometido para este caso una cierta cantidad de oro.

En caso de haberse llevado a cabo una obligación semejante, *syngraphae*, Justiniano dispuso que fuera prohibida, tanto por los *clarissimis provinciarum praesidibus*, máximas autoridades a nivel provincial, como por los obispos de las ciudades, concediéndoles licencia para hacer comparecer ante ellos a los que las compelieran a realizar tales actos, o les prohibieran el abandono de ese comercio, obligando a los cargos civiles y eclesiásticos a la confiscación de los bienes de los proxenetas y la expulsión de los mismos de la ciudad[433].

Poco después, en las calendas de noviembre del año 534, en una disposición normativa singular que parece aludir indirectamente al

---

[432] S. PULIATTI, *Condizione femminile, prostituzione e lenocinio nella Roma tardoimperiale*, cit., p. 33, insiste en que la elección voluntaria no está sujeta a restricciones, lo que se persigue es la coacción forzosa contra las mujeres y la restricción de su libertad: "L'oggetto specifico è la coazione alla prostituzione nelle forme dell'avviamento e della ritenzione forzati. La scelta volontaria dell'attività non è, invece, sottoposta a restrizioni".

[433] C. 5.4.29: *Sacram fecimus constitutionem, nemini permittentes neque invitam mulierem, ancillam aut liberam, in scenam aut orchestram pertrahere, neque discedere volentem prohibere et eius fideiussores, qui super hoc ipso certum auri modum promiserint, convenire. Sed si quid tale factum fuerit, prohiberi haec et a clarissimis provinciarum praesidibus. Et a civitatum religiosissimis episcopis una cum clarissimo provinciae praeside, etiam invitos trahere ad se eos, qui compulerint, aut qui discedere ab eo quaestu prohibuerint, et pubicare quidem eorum substantiam, ipsos vero civitate expelere,* añadiendo a continuación las prescripciones relativas a la responsabilidad del gobernador provincial que cometiese dichos ilícitos, que veremos a continuación en relación con los obispos.

atroz pasado como actriz de Teodora[434], Justiniano dirige a la autoridades eclesiásticas, los obispos 'constituidos por todo el orbe de la
tierra', una sacra constitución en la que prohíbe la explotación femenina en las artes escénicas[435], si no media una clara autonomía

---

[434] C. DIEHL, *Justinian's Government in the East*, cit., p. 27, incide en el inspirador feminismo de Teodora, quizás derivado de sus vivencias: "In the legislative
reform her feminism inspired the measures which dealt with divorce, adultery,
the sanctity of the marriage-tie, and those meant to assist actresses and fallen
women. In the government of the East her lucid and keen intelligence discovered
and advised a policy more suited to the true interests of the State than that actually pursued, and if it had been carried out, it might have changed the course
of history itself by making the Byzantine Empire stronger and more durable".

[435] Podemos traer a colación como antecedentes legislativos las disposiciones de
Teodosio II, previstas en *C.Th.* 15.8.2 del 428: *Lenones patres et dominos, qui
suis filiis vel ancillis peccandi necessitatem imponunt, nec iure frui dominii nec
tanti criminis patimur libertate gaudere. Igitur tali placet eos indignatione subduci, ne potestatis iure frui valeant neve quid eis ita possit adquiri. Sed ancillis
filiabusque, si velint, conductisve pro paupertate personis, quas sors damnavit
humilior, episcoporum liceat, iudicum etiam defensorumque implorato suffragio omni miseriarum necessitate absolvi, ita ut, si insistendum eis lenones esse
crediderint vel peccandi ingerant necessitatem invitis, non amittant solum eam
quam habuerant potestatem, sed proscripti poenae mancipentur exilii metallis
addicendi publicis, quae minor poena est, quam si praecepto lenonis cogatur
quispiam coitionis sordes ferre, quas nolit*; también debemos recordar lo dispuesto en la *Nov. Theod.* 18 del 439: ...*Nam cum lenonum calliditate damnabili
circumventam veterum videret incuriam, ut sub cuiusdam lustralis praestationis
obtentu corrumpendi pudoris liceret exercere commercium, nec iniuriam sui ipsam quodammodo ignaram cohibere rem publicam, pio circa omnium verecun-
diam proposito mansuetudini nostrae amore pudicitiae castitatisque suggessit ad
iniuriem nostrorum temporum pertinere, si aut lenones in hac liceret urbe versari
aut eorum turpissimo quaestu aerarium videretur augeri...* así como lo dispuesto
por el emperador León I incluido en el código de Justiniano en dos versiones: La
primera, epítome de la constitución griega de León dirigida al pueblo tomada de
las Basílicas, contenida en C. 11.40 (41). 7, con el título *De spectaculis et sce-
nicis et lenonibus: Nemo deinceps lenocinium exerceat, neque quidquam ex eo
quaestu largitionibus inferatur. Itaque nemo ancillam aut liberam prostituat; et
enim humilior, qui id fecerit, poenis subiectus et in metalla datur ut extra limites
relegatur, militiam autem vel honestum officium habens etiam hoc amittat simul
cum bonis suis. Similiter etiam thymelici hisce abstineant. Quodsi mancipium
prostitutum sit, a quocunque vindicetur gratuito, sive vir sive femina sive clericus
aut monachus vindicet. Haec autem observent magistratus, sive maiores sive minores, et officia eorum, poena et in corpus et viginti librarum imminente,* en donde queda claro que no ejerza nadie la alcahuetería en lo sucesivo, ni se pague por
este comercio cosa alguna. Además, no prostituya nadie a una esclava o mujer

de la voluntad que acepte dicho vínculo contractual[436], prevista en C.1.4.33, condenando la explotación   forzosa de las mujeres en el mundo del teatro[437]:

libre, porque el de condición humilde que hubiera hecho esto, será condenado a las minas o relegado más allá de las fronteras, y si desempeñase un cargo en la milicia o un oficio honesto lo perdería conjuntamente con sus bienes, añadiendo que se abstengan de estas cosas los músicos del teatro; si hubiera sido prostituida una esclava, sea reivindicada gratuitamente por cualquiera, sea varón o mujer, o clérigo o monje el que la reivindique, ordenando que observen esas disposiciones los magistrados, sean superiores o inferiores y sus oficiales, amenazándoles con una pena corporal y multa de veinte libras de oro; y una segunda, con el título *De Episcopali Audientia, et de diversis capitulis, quae ad ius curamque et reverentiam pontificalem pertinent*, en C. 1.4.14: *Neque servum neque liberum corpus quisquam audeat in meretriciam vitam producere aut prostituere, sive thymelicus fuerit, sive alio modo scenica persona. Si autem mancipium sit, quod prostat, in libertatem vindicetur a quocunque sine ullis sumtibus apud eius oppidi magistratum aut episcopum. 1. Quibus curae erit, ne invitam mulierem, liberam aut ancillam, coniungi patiantur mimis aut choris, aut aliud spectaculum in teatro agere invitam*; el emperador León dice así a su pueblo que nadie se atreva a llevar a la vida de las meretrices, o a prostituir, a ninguna persona, ni esclava, ni libre, ya fuere músico de teatro, o dedicada a las artes escénicas. Y si el prostituido fuera esclavo, sea reivindicada su libertad por cualquiera sin gasto alguno, ante el magistrado o el obispo de su ciudad. A continuación refiere la prohibición de que una mujer, libre o esclava, sea agregada a una compañía de mímica o de coros, o represente algún espectáculo en el teatro, en relación con el trabajo de las actrices, en contra de su voluntad; vid. sobre la legislación de León I, A. S. SCARCELLA, *La legislazione di Leone I*, Milán, 1997, pp. 81-93.

436   C. DAUPHIN, *Brothels, Baths and Babes Prostitution in the Byzantine Holy Land*, en *Classics Ireland*, cit., pp. 54-55, describe el círculo cerrado y opresivo del trabajo de actriz, desempeñado por madres que luego se lo transmitían a sus hijas, en una especie de tradición maldita que no permitía la libre elección por parte de las mujeres de una familia tradicionalmente dedicada a las artes escénicas, poniendo como ejemplo lo sucedido con Teodora y su herencia laboral materna: "The *scenicae* were involved in a craft aimed primarily at theatregoers. It has been described as a 'closed craft', since daughters took over from their mothers. The classic example is that of the mother of the future Empress Theodora who put her three young daughters to work on the stage of licentious plays".

437   J. A. EVANS, *The Empress Theodora. Partner of Justinian*, cit. p. 36: "A clutch of laws deal with women in the theater. Justinian acted to improve their condition. In 534 he forbade anyone to force a woman, slave or free, into the life of the theater if she was unwilling. Nor could they prevent her if she chose to leave the stage. Should anyone try to stop her, the governor of the province and the bishop were to step in and prevent it. Then the law makes an interesting caveat that

*Sacram fecimus constitutionem, nemini permitentes neque invitam
mulierem, ancillam aut liberam, in scenam aut orchestram pertrahere, neque discedere volentem prohibere et eius fideiussores, qui super
hoc ipso certum auri modum promiserint, convenire.*

En esta disposición legal, semejante a la dirigida a las autoridades
civiles, por lo que podemos considerar ambas constituciones como un
único acto legislativo, Justiniano impide la reclusión forzada de una
mujer, esclava o libre, en contra de su voluntad, para trabajar en el
mundo de las artes escénicas[438], aludiendo también a los fiadores que
por su aval monetario quieran impedir el abandono de dicho oficio
sometido por la mujer que quiera abandonarlo.

*Sed si quid tale factum fuerit, prohiberi hace et a clarissimis provincia-
rum praesidibus, et a civitatum religiosissimis episcopis constituimus,
dantes licentiam religiosissimis episcopis una cum clarissimo provinciae praeside, etiam invitos trahere ad se eos, qui compulerint, aut
qui discedere ab eo quaestu prohibuerint, et publicari quidem eorum
substantiam, ipsos vero civitate expelli.*

Así, impone la prohibición tanto por parte de los gobernadores
provinciales[439], como los obispos de las ciudades, otorgándoles la li-

---

seems to bear the signature of Theodora, who had learned from her experience
as Hecebolus'mistress. What if it is the governor of the province himself who
prevents an actress from abandoning the stage? The it is the duty of the bishop
alone to vindicate the rights of the actress"; R. RODRÍGUEZ LÓPEZ, *Trata
de blancas y redes de prostitución forzosa*, cit., p. 270: "en el 534 d.C. ya había
abordado, sin éxito, parte del problema, al emitir una disposición en la que se
advertía de la existencia de mujeres esclavizadas para el desempeño de trabajos
forzosos en el mundo del teatro, y por ende indirectamente en el de la prostitución femenina, sin distinguir en las víctimas su condición jurídica o social.

[438]  B. RUBIN, *Das Zeitalter Justinians*, cit., p.100, explica que en ocasiones no se
trata de una obligación impuesta mediante castigos sino por la tradición familiar,
imponiendo dicho yugo a las descendientes femeninas sin posibilidad de escoger
otro camino, vetado por la tradición de continuar con un oficio devastador, el de
mimo y actriz, para el honor de la mujer, coaccionada a desempeñar un trabajo
que se trasmite de generación en generación.

[439]  C. HUMFRESS, *Law and Legal Practice in the Age of Justinian*, en *The Cambridge Companion to the Age of Justinian*, cit., p. 177, resume la jurisdicción
y el cargo de estos magistrados: "The next level of courts were those of the
provincial governors. Justinian's judicial reforms granted all his new proconsuls
and praetors the rank of *spectabiles*, and all magistrates of this rank were given

cencia necesaria para llevar a su presencia, aun contra su voluntad, a los responsables de compelir a las mujeres, o de impedir su separación de la prostitución, condenándolos con la confiscación de sus bienes y la expulsión de la ciudad.

La única cuestión que no aclara la disposición legal es si nos encontramos ante una jurisdicción conjunta o un órgano dúplice con la posibilidad otorgada al solicitante de la elección alternativa del foro secular o el religioso, aunque de tal preterición podamos deducir que se tratase de un único tribunal[440].

> *Si vero qui provinciam regit*[441], *ipse sit, qui eas compulerit, aut a praedicto quaestu conversionem prohibuerit, damus licentiam, ad solos religiosissimos episcopos accedere eam, quae talia patitur, aut eius fideiussorem; hic vero episcopus sese opponat magistratui, et non permittat iniuriam, aut, si minus fuerint ad id idonei, indicent id nostro imperio, ut a nobis competens exerceatur poena, fideiussionibus simul solvendis, et fideiusslorIbus indemnibus conservandis; et liccntiam damus conversis huiusmodi mulieribus, liberis et ingenuis, ad matrimonium transire legitimum, neque, si gravissimis dignitatibus qui illas du-*

---

the right of final judgment in cases involving fewer tan five hundred *solidi*, a number quickly raised to 750. Some were also given appellate jurisdiction over a neighboring province. Individuals petitioned provincial magistrates for the resolution of private law disputes, as well as cases involving criminal accusations. The magistrates were also responsible for maintaining public order and apparently relied upon a much-feared crew of informers to aid them in their task".

440   Cfr. S. PULIATTI, *Condizione femminile, prostituzione e lenocinio nella Roma tardoimperiale*, cit., p. 33: "Più probabilmente la corte di giustizia forma unico collegio giudicante, almeno per quanto lascia supporre l'uso che il testo della legge fa di locuzioni congiuntive (*praeside et episcopo ea executuris*). La funzione iniziale di questo organo giurisdizionale è interlocutoria, con finalità di prevenzione, limitandosi il suo compito nella prima fase procedurale, dopo la citazione in giudizio, alla dissuasione degli autori dal loro proposito. I suoi poteri decisionali concretano però una vera e propria giurisdizione criminale con il potere di irrogare al resistente sanzione patrimoniale e personale.

441   Con el mismo contenido legal que la segunda parte de C. 5.4.29, *Si vero qui provinciam regit, ipse sit, qui eas compulerit, aut a praedicto quaestu conversionem prohibuerit, damus licentiam...* Justiniano condena la conducta ilícita de los gobernadores provinciales que compelen a las mujeres obligándolas a la prostitución forzada, o negándoles la posibilidad de abandonar ese infame modo de vida, reiteración que abunda en la tesis de condenar sin paliativos toda actuación ilícita de los servidores públicos, en recuerdo de la terrible experiencia de su cónyuge Teodora con un cargo provincial.

*xerint decorati sint, indigeant imperialibus rescriptis, sed ex suo arbitrio*
*nuptias celebrent, nuptialibus nimirum instrumentis omnimodo inter*
*ipsos factis; eademque et de filiabus scenicarum constituimus.*

Este párrafo resulta revelador a los efectos de un análisis exegético del subconsciente del emperador. Conocedor de los extremos sinsabores del pasado de la Basilisa, alude a una posibilidad que nos recuerda el primer itinerario vital de la emperatriz[442], cuando se convirtió en la concubina de un gobernador provincial llamado Hecébolo[443], cuya tóxica relación tendría escasa duración y un final infeliz. Justiniano refiere que si el que gobierna la provincia es el responsable de inducir a la mujer o impidiese su conversión alejándose de la prostitución, da licencia para que la agraviada se dirija únicamente a los obispos, o su fiador.

Concede así una relevancia jurídica expresa y consciente a las autoridades eclesiásticas[444], estando obligado el obispo a no permitir la

---

[442]  Vid. con más detalle, el capítulo 1.2. del presente libro, dedicado a la juventud de Teodora.

[443]  PWRE, cit., *s.v. Theodora*, col. 1777: "Plötzlich verschwand T. aus der Haupstadt. Sie folgte einem nicht näher bekannten Tyrier Hekebolos oder Hekebolios auf seinem Amtsposten in die afrikanische Pentapolis.Doch dauerte dieses Verhältnis nicht lange"; W. G. HOLMES, *The Age of Justinian and Theodora*, 1, 2ª ed., Londres, 1912, p. 343: "Theodora was induced to quit the capital by a Tyrian named Hecebolus, who was proceeding to North Africa to occupy the seat of government in the Pentapolis. In a short time, however, she alienated this lover by her petulant temper until, provoked by her insolence, he expelled her from his establishment without making any provision for her future. This consummation was assuredly a valuable lesson by which she did not fail to profit at a later date".

[444]  Vid. sobre la progresiva ampliación de la jurisdicción eclesiástica en asuntos civiles permitida por Justiniano, C. HUMFRESS, *Law and Legal Practice in the Age of Justinian*, en *The Cambridge Companion to the Age of Justinian*, cit., p. 179: "Justinian made use of Christian clerics in many different legal contexts. Bishops were expected to ensure that Christian slaves were released withour price by Jewish, pagan, or heretical masters; they were ordered to hear (certains) cases where the provincial judge's neutrality or trustworthiness had been questioned. Likewise, they could sit in judgment over provincial judges themselves and report to the emperor where necessary; they were also expected to judge cases in cities or towns where there were no magistrates"; de hecho, era de tal envergadura la confianza del emperador en la jurisdicción eclesiástica, que en caso de tener que permanecer una mujer en prisión mientras esperaba el juicio

injuria, e incluso a denunciarlo ante la autoridad imperial, para que sea el propio emperador el que decida la pena que se debe imponer, cancelando al mismo tiempo las fianzas impuestas y quedando indemnes los fiadores.

Y el premio a la conversión femenina, ya sean libres o ingenuas, será el de poder contraer legítimo matrimonio, y para evitar la prescripción obligatoria de rescriptos imperiales, si los que se casen con ellas están revestidos de supremas dignidades, podrán celebrar las nupcias a su arbitrio, aunque después de otorgados los instrumentos nupciales, estableciendo lo mismo con respecto a las hijas de los cómicos en idéntica situación.

Posteriormente, en la Novela 51, ley dirigida por Justiniano a Juan, por segunda vez Prefecto del Pretorio, en las calendas de septiembre del año 537, año undécimo del imperio del Augusto, poco tiempo después de la promulgación de la ley contra los proxenetas, explicita

---

por la comisión de un delito grave, debería ser confinada -en el periodo de espera- en un convento o monasterio, como se prevé en la Novela 134.9: *Necessarium vero credimus et illud competenti adiutorio emendare, ut nulla mulier de qualibet re includatur aut custodiatur. Sed si quidem pro fiscalibus debitis aut privatis pulsetur secundum legem mulier, aut per virum suum aut per se aut per quam voluerit personam legitime respondeat et transigat rem. Si vero vidua sit aut non a principio viro coniuncta, liceat similiter mulieri aut per se aut per quos voluerit propria iura proponere secundum legem. Eum vero qui praeter haec praesumpserit agere aliquid praedictorum iubemus, si quidem maiores iudices sint, XX auri librarum, si vero minores sunt, X auri librarum poenae subiacere, oboedientes autem eis in praedictis causis spoliatos cingulo poenis subici et in exilium destinari. Si vero mulier post legitimam admonitionem noluerit instituere aliquem, qui pro ea respondeat, aut litigans addicta sit, nec sic includi aut custodiri eam, sed legitima in competentibus ei rebus procedere. 1. Si vero crimen sit quod infertur mulieri, in quo necessarium est ipsam custodiri, si quidem fideiussorem personae potest praestare, ipsi credatur, si vero iuraverit non posse se dare fideiussorem. iuratoriam cautionem faciat de observatione iudicii. Si vero gravissimum inveniatur crimen in quo accusatur, in monasterium aut in asceterium mittatur, aut mulieribus tradatur, per quas potest pudice et libere custodiri donec causa eius manifestetur, tunc autem illa procedant in ea quae legibus definita sunt. Nullam enim mulierem pro pecuniaria fiscali sive privata causa aut pro criminali quolibet modo aut in carcerem mitti concedimus aut a viris custodiri, ut non per huiusmodi occasiones inveniantur circa castitatem iniuriatae. 2. Monastriam quidem aut ascetriam per nullam actionem trahi concedimus de propriis monasteriis aut asceteriis.*

que las mujeres dedicadas a las artes escénicas[445], puedan separarse
de ella sin riesgo, no solamente si presentaran fiadores, sino también
si dieran juramento, *scenicas non solum si fideiussores praestent, sed
etiam si iusiurandum dent, sine periculo discedere.*

En el Prefacio, no previsto como breve prólogo introductorio sino
estatuido como emblema de la disposición legal, recuerda que con
anterioridad ya había dictado una ley, que prohibía la exigencia de
fiadores, a mujeres retenidas para las artes escénicas, que asegurasen
el ejercicio de tan impía ocupación sin tener tiempo para arrepentirse,
condenando con graves penas tal exigencia de *fideiussores*, avalando
la retirada de los fiadores exentos de obligación, y sin que quedase impuesta necesidad alguna de presentar a estos garantizadores jurídicos:

> <Praefatio> *Novimus pridem facientes legem interdicentem nulli li-
> centiam esse <in> scena detentas mulieres fideiussores exigere, quia
> observabunt et impiam complebunt operationem paenitentiae tempus
> non habentes, et poenas interminantes novissimas his qui tales fideius-
> siones exigunt, insuper et ipsos fideiussores sine obligatione recedere
> et nullam inferri eis necessitatem personarum harum praesentationis.*

La cuestión que abunda en el motivo legislador estriba en el descubrimiento actual, *in praesenti*, de que se comete una cierta y cruel
insoportable calumnia contra la castidad, virtud cristiana relevante
que el emperador considera debe ser defendida sin ambages por él
mismo[446]. Y refiere una estratagema legal para circundar la prohibi-

---

[445] J. BEAUCAMP, *Le statut de la femme à Byzance (4e-7e siècle). II. Les pratiques
sociales*, cit., pp. 131-132, afirma que la Nov. 51 presenta algunos elementos
ambiguos, ya que estando expresamente dirigida a las actrices, parece aludir a
las prostitutas en cuanto toma expresiones similares a las enunciadas en la Nov.
14 y hace continuas referencias a deber de preservar la castidad; esta confusión
terminológica puede constituir un reflejo de la intercambiabilidad existente entre los dos oficios de acuerdo con la percepción común de aquella época: así,
del mismo modo que las actrices se muestran en público antes una multitud de
espectadores, las prostitutas lo hacían ante un gran número de clientes.

[446] M. MARINELLI, *La società degli attori sotto Giustiniano: Coricio di Gaza e l'
Apologia dei mimi*, en DIONISO. *Rivista di Studi sul Teatro Antico*, 6, 2016,
pp. 79-80: "Nella N LI si descrive la professione scenica in maniera del tutto as-
similabile a quella della prostituzione: questo aspetto risponde agli intenti mora-
lizzatori di Giustiniano, frutto di un legame forte con le istanze di controllo della
morale e della persona di matrice cristiana e anche della presenza ingombrante

ción anterior de los fiadores, ya que ahora la exigencia a las mujeres se realiza mediante juramento de que nunca dejarán ese indefendible e impío trabajo, "y las mujeres que son míseras, y que de este modo fueron malamente seducidas, juzgan obrar piadosamente, si obran con impiedad, y para guardar el juramento prostituyen su castidad, siendo así que convendría que supieran que a Dios le agradan tales transgresiones, más bien que la observancia del juramento"[447], legalizando el incumplimiento del juramento prestado, como contrario a las leyes de Dios:

> *Sed in praesenti comperimus crudelem quandam et inportabilem calumniam contra studendam a nobis fieri castitatem. Quia enim eos fideiussorem accipere prohibuimus, invenisse illos aliam viam ad impietatem deducentem maiorem: iusiurandum enim eas exigere, quia numquam ab impia illa et turpi operatione cessabunt, mulieres autem existentes miseras et sic male seductas pie agere se putare, si impie egerint, et ut custodiant iusiurandum propterea suam prostituere castitatem: cum oporteret agnoscere quia huiusmodi transgressiones magis placent deo quam iurisiurandi observationes.*

Y para ayudar a comprender el mensaje confuso e intrincado que supone la infracción por un motivo superior a la legalidad, contenido en la moral cristiana, el emperador trae a colación ejemplos mucho más extremos, pero ciertamente comprensibles como enseñanza: Si alguno hubiere recibido de otro un juramento de que matará, o de que cometerá adulterio o cualquier otro acto ilícito, deberá preterir tal voto, puesto que de otro modo le llevará a la perdición. Y por lo tanto, considera lícito que la mujer que hubiera prestado juramento, pueda apartarse del mismo sin peligro de perjurio, para vivir castamente y gratamente a los ojos de Dios, imponiendo la pena del perjurio, si la hubiera, al que defiera tal juramento:

> *Non enim si quis ab aliquo iusiurandum acceperit, quia occidet forsan aut adulterabitur aut aliquid aget tale illicitum, oportet servari iusiurandum, utpote cum sit ita turpe et illicitum et ad perditionem deducens.*

---

dell'imperatrice Teodora che era stata in passato un'attrice, figlia di circensi, e chiacchieratissima in ambienti imperiali proprio per la sua trascorsa condotta sessuale, accusata degli usi lussuriosi che si attribuivano alle attrici".

447    *Cuerpo del Derecho Civil Romano*, trad. esp. I. L. GARCÍA DEL CORRAL, *Tercera Parte, Novelas*, cit., p. 219.

*Ideoque liceat mulieri, licet huiusmodi iusiurandum iuraverit, recedere*
*a iurisiurandi huius amaritudine et caste vivere sine periculo, magis*
*autem deo amabiliter, poena periurii (si qua omnino est poena) contra*
*eum qui iusiurandum exigit convertenda.*

En el capítulo I dispuesto inmediatamente después, Justiniano impone como pena diez libras de oro, una cantidad nada desdeñable,
exigible a quién se hubiera atrevido a recibir tal juramento. Y se estima conveniente la entrega de dicha cifra a la infeliz mujer para la
rehabilitación de su vida, debiendo ser exigida y a ella otorgada por la
administración provincial. Y si el juez hubiera desatendido esta obligación, seguirá vinculado a ella aún cuando cese en la administración,
así como sus herederos, sucesores, y sus bienes, por no haber ejecuta-
do esta piadosa acción:

*Unde etiam nos repente inferimus X. librarum auri poenam exigentes*
*eum qui praesumpserit omnino tale iusiurandum accipere. Et hanc sci-*
*licet quantitatem ipsi infelici dari mulieri sancimus ad reliquam bonae*
*figurae vitam, exigendam per administrationem provincialem et dan-*
*dam ei; sciente iudice quia. si neglexerit, tenebitur ab ea deponens*
*administrationem, heredesque eius <et> successores et eius substantia,*
*eo quod actionem piam agere neglexerit.*

En la Novela 51.1.1 se alude de nuevo a la posibilidad que nos
recuerda el primer itinerario vital de la emperatriz, y su antigua relación sentimental con un alto cargo provincial, reiteración legislativa
que resulta cuando menos curiosa, ya que Justiniano plantea como
probable que un gobernador provincial, *provinciae praeses*, exija el
juramento, demanda ante la que se impondría al cargo público la pena de diez libras de oro, que serían entregadas a la mujer por el juez
militar de la provincia si allí lo hubiera. En caso de no existir cargo
togado militar provincial, debería proveer el obispo de la metrópoli a
nivel provincial[448], "dándonos también a nosotros cuenta del caso, si

---

[448]   C. CAPIZZI, *Sul Cesaropapismo di Giustiniano*, en *Studi Salentini* 69, 1992,
        p.104, destaca el delicado papel otorgado a los obispos con respecto a las acti-
        vidades de los gobernadores provinciales, señalando la Novela 51 como una de
        las normas específicas referidas por Justiniano: "La legislazione di Giustiniano
        attribuisce ai vescovi l'incarico quanto mai delicato di vigilare su tutta l'attività
        dei governatori di provincia, di ammonirli frequentemente perché compiano il

bien le pareciere, y además, donde quiera que viva el que hace esto, ya sea juez, ya particular, sea castigado por los magistrados superiores de las cercanías con la mencionada pena, que será dada a aquella, la cual no podrá ni vivir castamente en lo sucesivo con él para que no parezca como que fue perjura":

> 1. *Si autem ipse provinciae praeses iusiurandum exegerit, ipse etiam memoratam decem librarum auri poenam exigatur, si quidem militaris iudex sit in illa provincia, per illum danda, sicuti dictum est, mulieri; si vero non habet militarem iudicem, metropoleos illius provinciae episcopus hoc provideat, causam etiam ad nos, si probaverit, referens, et insuper ex vicinis maioribus cingulis: et undique hoc agentem, sive iudex sive privatus sit, memorata castigari poena et dari hanc ei quae quantum ad illum neque caste vivere valet ulterius, ut non videatur quasi periurasse.*

La *damnatio memoriae* impuesta con respecto a la vida anterior de Teodora[449], vuelve a aflorar en estas normas, pero con la preterición total del nombre de la emperatriz por deseo expreso del emperador, que no permite que en caso de omisión de ese ejemplo en concreto, otra mujer, en similar situación a la de su real cónyuge, pueda sufrir las consecuencias de una fatal decisión con el juramento prestado.

La similitud se presta para proponer la insinuación siquiera de Teodora con respecto al control necesario, por ejemplo, de las actividades privadas de un gobernador provincial, pero no es menos cierto que los abusos de los administradores en las provincias eran algo habitual, por lo que también podría tratarse de una legislación necesaria

---

proprio dovere, e di mandare all'imperatore rapporti scritti ed orali sui loro misfatti ed abusi non temendo di peccare di delazione o denigrazione", si bien añade que es fácil suponer el odio que podían generar al realizar estos encargos del emperador

[449] C. CAPIZZI, *Giustiniano I: tra politica e religione*, cit., p. 30, sobre el pasado de Teodora, se refiere a ella en su juventud como una auténtica actriz porno de la época: "La sua immagine era oscurata da una pesima fama di donna publica, spudoratamente pervertita ed esibizionista, in quanto notissima per i suoi frequenti spettacoli d'una scostumatezza estrema e provocatoria. La figura di quell'attrice era divenuta ormai un 'mito' non certo luminoso: ricorrendo a un neologismo più tollerabile di vari altri, ormai in voga nel settore, oggi Teodora si sarebbe definita una 'porno-diva'".

para terminar con la corrupción de los cargos públicos, exacerbada en los destinos más lejanos del imperio bizantino.

A mayor abundamiento, esta reiteración legislativa del emperador Justiniano demuestra una vez su sensibilidad específica con respecto a las mujeres dedicadas a las artes escénicas, necesitadas de protección imperial ante los perpetuos abusos sufridos secularmente, de la que podríamos colegir la intervención decidida de Teodora emperatriz[450], si bien convenida única y exclusivamente con su cónyuge el emperador, para no ser denostada como una ignominiosa manipuladora de la legalidad vigente mediante su relación personal con el *Basileus*, con el fin de blanquear su oficio pasado infame como una obscena actriz.

## 3.4. PROSTITUCIÓN.

Es evidente la íntima relación entre el lenocinio y la prostitución, y de ambos con la profesión de actriz dedicada a las artes escénicas. Aun así, hemos estimado conveniente, el realizar apreciaciones separadas, para evidenciar los testimonios más relevantes atinentes a cada condición, y subrayar los matices identificadores que incidan más pormenorizadamente en cada uno de los aspectos de la explotación sexual.

---

[450] C. DIEHL, *Théodora, impératrice de Byzance*, cit., p. 226, afirma que Teodora utilizó su influencia para conseguir las medidas implantadas por Justiniano con respecto a las actrices y mujeres de 'mala vida': "Telle elle apparaît surtout dans les mesures qu'elle inspira à Justinien à l'égard des comédiennes et des femmes perdues. Elle connaissait, pour les avoir traversés, les bas-fonds de la capitale, et savait tout ce qu'ils enfermaient de misères et de hontes; de trés bonne heure, elle usa de son influence pour y porter reméde"; J. E. SPRUIT, *L'influence de Théodora sur la législation de Justinien*, en *RIDA* 24, 1977, p. 406, señala que Teodora no se olvidó nunca de sus excompañeras, por lo que parece aceptable la hipótesis de que fue la impulsora de las reformas legislativas favorables a las actrices: "Elle n'a jamais oublié non plus ses anciennes compagnes de travail et, bien que les indications formelles nous manquent, l'hypothèse paraît acceptable que Théodora ait été le moteur des réformes législatives en faveur des actrices".

Por eso ahora le corresponde el protagonismo a la prostitución[451], oficio denostado desde la más remota antigüedad, pero a la par protegido y defendido como necesario, siempre con la excusa de la utilidad para calmar la libido masculina, y también con el reiterativo mensaje de la supervivencia de algunos colectivos que no podrían sobreponerse en su itinerario vital si no fuese mediante la prostitución.

La ausencia de reflexión alguna con respecto a las consecuencias morales, físicas, sicológicas de los destinados a tal oprobio han puesto de manifiesto secularmente la prioridad del aprovechamiento económico de los recursos humanos destinados a tan innoble profesión.

No se trataba únicamente de un lucro privado para los extorsionadores de la infamia, sino también de un provechoso beneficio económico público, puesto que las exacciones fiscales impuestas a los negocios destinados a la práctica de tal indecoroso oficio suponían unos importantes ingresos para las arcas del Imperio[452], por lo que

---

[451]    C. DAUPHIN, *Brothels, Baths and Babes Prostitution in the Byzantine Holy Land*, en *Classics Ireland*, cit., p. 54: "There were two categories of Byzantine harlots: on the one hand, actresses and courtesans (*scenicae*), on the other, poor prostitutes (*pornai*) who fled from rural poverty and flocked to the great urban centres such as Constantinople and Jerusalem. There, even greater destitution pushed them straight into the rapacious hooks of crooks and pimps.

[452]    R. FLEMMING, *Quae Corpore Quaestum Facit: The Sexual Economy of Female Prostitution in the Roman Empire*, cit., p. 56, en donde afirma que el emperador también participaba de la explotación sexual por medio de los impuestos exigidos: "This was not just how the elite viewed the institution of prostitution, it was also how the state, their state, shaped it. The law penalized the meretrix and the leno, or lena, diminishing their standing in society, their ability to act as members of the imperial community; but it protected, in various implicit and explicit ways, the customer and the investor, the less direct profiteer from prostitution. It enabled women to be forcibly prostituted, to have their bodies repeatedly sold under them their owner being the one who gained, as all monies legally accrued to him and from which he provided her livelihood as he chose. The emperor also participated in, even deepened, this exploitation, with his tax on prostitutes' earnings. The impact of this tax on the historical record, however exaggerated in places, indicates the economic significance of prostitution; and it may also stand as a symbol of the more generally integral position of this institution in imperial society"; además, en nota 93, recuerda los argumentos de quienes se oponen a la abolición de la prostitución precisamente por su impacto económico, puesto que no se podría pagar al ejército o servir a Dios, como trae a colación el mismo Evagrio, aspecto crematístico del que no se puede prescindir sin atenerse a las consecuencias; vid. al respecto, *The Ecclesiastical History of*

la práctica de la prostitución era una realidad en las calles de Constantinopla[453], sin que hubiese una represión efectiva por parte de los
poderes públicos, ni una contestación ciudadana al ejercicio de la misma, ni siquiera cuando los excesos de la carne resultaban visualmente
deplorables.

A mayor abundamiento, el colectivo de mujeres dedicadas a la
prostitución no estaba evidenciado en su vestimenta de forma clara,
para distinguirlas en su falta de pudor y decoro de las matronas respetables bizantinas, por lo que su vaga diferenciación tampoco ayudaba a ofrecerles una salida digna a su denostado servicio, al desco-
nocer la condición socio-jurídica de la mayor parte de las mujeres de
Constantinopla[454].

De acuerdo con el testimonio de Malalas[455], cronista bizantino de
convicción monofisita, y por lo tanto próximo a Teodora, la emperatriz fue sensible desde un primer momento con la condición de las
prostitutas sometidas a explotación sexual por parte de los proxenetas, *lenones*. Reconociendo la labor de la piadosa Teodora[456], declaró

---

*Evagrius: A History of the Church from AD 431 to AD 594*, cit., 3.39-41, en
donde pone el énfasis en el hecho de que ningún emperador omitió jamás cobrar
ese impuesto.

[453]    R.C MCCAIL, *The Erotic and Ascetic Poetry of Agathias Scholasticus*, cit., p.
215, evoca como Agatías Escolástico describía en sus epigramas eróticos bizantinos encuentros con prostitutas en la calle, recogidos en *Antología Palatina*, 5.46,
5.101, 5.302 y 5.308, versión bilingüe inglesa, *The Greek Anthology*, cit., pp.
127 ss.

[454]    Horacio, *Sat.* 1.2.63, refiere como las prostitutas romanas sí debían utilizar una
vestimenta representativa de su vil condición, obligándoles la ley a usar la toga
que era estrictamente para los hombres; al respecto, C. DAUPHIN, *Brothels,
Baths and Babes Prostitution in the Byzantine Holy Land*, en *Classics Ireland*,
cit., p. 70, evidencia que sin embargo, las prostitutas bizantinas, manchadas por
los pecados de la lujuria, del disfrute sexual y el asesinato, nunca fueron 'marca-
das', siendo la descripción de las mismas poco clara.

[455]    *Joannis Malalae chronographia*, en *Corpus scriptorum historiae Byzantinae*, ed.
L. DINDORF, Bonn, 1831, 1. 7-14, pp. 440-441.

[456]    La religiosidad de Teodora, reconocida y alabada por Malalas, no tiene porqué
estar en contradicción con el hecho de su profesión anterior de actriz, oficio
relacionado e incluso identificado frecuentemente por la doctrina con la prostitución; con todo, la duda sobre si Teodora fue o no prostituta persiste, como se
plantea por ejemplo T. J. MCGINN, *Legal definition of Prostitute in Late Antiquity*, en *Memoirs of the American Academy in Rome*, 42, 1997, p.102: "First, it

que entre sus buenas obras podemos reconocer la disposición generosa y altruista demostrada con respecto a las prostitutas. Los que eran conocidos como proxenetas solían ir a casi todos los barrios en busca de hombres de condición humilde que tuvieran hijas jóvenes y ofreciéndoles, juramentos y algunas monedas, las tomaron como si estuvieran bajo contrato, y las prostituyeron en público, obteniendo un magro ingreso de su cuerpo.

Enterada Teodora de esta oprobiosa caza y captura de muchachas indigentes, ordenó que todos los proxenetas fueran detenidos sin demora, y una vez capturados ordenó que cada uno de ellos declarara bajo juramento qué suma había pagado a los padres de las menores. Informada de la cantidad entregada por los *lenones* a los padres, cinco monedas a cada uno, la piadosa emperatriz devolvió el dinero y liberó a las muchachas del yugo de su miserable esclavitud[457], ordenando

---

is far from clear that Theodora was indeed a prostitute. Second, even if she was, is it at all likely that Justinian molded his compilation to suit this fact? ... To be clear, I do not argue that Theodora was not a prostitute, only that the evidence for this is not as certain as often assumed", poniendo también en duda que la modificación legislativa del emperador con respecto a este tema fuera realizada por el pasado dudoso de su real cónyuge; aun así, hemos puesto de manifiesto a lo largo del presente libro la tendencia mayoritaria doctrinal que atribuyó cuando menos la condición de actriz de reputación dudosa a Teodora, constituyendo uno de los últimos ejemplos la obra de A. K. STRONG, *Prostitutes and Matrons in the Roman World*, Cambridge, 2016, p. 197, al traer a colación 'The whore label in Western culture', traducida como 'la etiqueta de prostituta en la cultura occidental', poniendo como primer ejemplo a Teodora de Constantinopla: "The Empress Theodora, is one of the most famous historical women who might have been an actual prostitute".

[457] No cabe duda que la predisposición sumamente favorable de la emperatriz hacia las mujeres explotadas sexualmente la demuestra no solo con palabras sino también con estos actos, aunque algún autor esgrima como motivo la intención moralizante de la emperatriz más que la *pietas* cristiana o misericordia como guía de sus buenas obras; vid. al respecto, C. DIEHL, *Théodora, impératrice de Byzance*, cit., pp. 228-229: "Mais surtout, gardienne sévère de la morale publique, Théodora eut à cœur de moraliser sa capitale. On sait déjà quelle place y tenait la criminelle industrie des *lenones*, et combien de malheureuses ils entraînaient par de belles promesses en des métiers infâmes... Par ses ordres, on réunit, avec leurs victimes, les *lenones* de la capitale et l'impératrice leur fit demander de déclarer, sous serment, combien ils avaient donné d'argent aux parents de ces malheureuses. Sur leur réponse qu'ils avaient en moyenne payé cinq sous d'or par tête, l'impératrice, de ses propres deniers, rachetat toutes ces infortunées ; et

que a partir de entonces no hubiera más explotadores de prostitutas. Y para ayudarlas inmediatamente, les dio ropa y una moneda a cada joven para poder comenzar con su rehabilitación social[458].

Otro testimonio acreditativo de la participación decidida de Teodora en la rehabilitación de las mujeres dedicadas a la prostitución nos los encontramos en una obra de Procopio, la dedicada a las obras públicas del emperador, en la que se contiene una espléndida documentación epigráfica, geográfica y económica de la época justinianea, con un relato favorecedor, al hablar acerca de una edificación, sobre la protección de la pareja imperial dirigida a las mujeres sometidas a la prostitución forzada:

> "Sobre esta costa también se encuentran casualmente desde antaño un palacio digno de verse. Por entero, el emperador Justiniano lo consagró a Dios, intercambiando el disfrute del momento por el fruto de la piedad que se derivaba de ello, de la siguiente manera. Había en Bizancio un grupo de mujeres libertinas en un burdel, no por su voluntad, sino por una forzada lujuria. Porque en una situación de extrema pobreza, y mantenidas por un rufián, se las obligaba constantemente, y sin excluir a ninguna, a llevar una vida desenfrenada, uniéndose con hombres extraños, que se presentaban ocasionalmente, y sometiéndose a sus abrazos. Pues había allí desde tiempo una nutrida asociación de rufianes, que manejaban en burdeles el negocio del desenfreno carnal, poniendo a la venta públicamente en el mercado a gente joven ajena y sometiendo a la esclavitud a personas sensatas. Pero el emperador Justiniano y la emperatriz Teodora (porque todo lo hacían con el acuerdo común de aplicar la piedad) idearon lo siguiente. Limpiaron el estado de la plaga de los burdeles, eliminando el nombre de rufia-

---

ayant fait remettre en outre à chacune un vêtement propre et un sou d'or, elle les renvoya dans leurs familles"; la redención de las víctimas con el propio dinero de la emperatriz da cuenta de la intención de liberar de cualquier obligación a las mujeres explotadas, ofreciéndoles una nueva oportunidad, independientemente del cariz moral o compasivo de los actos realizados.

458   D. POTTER, *Theodora: Actress, Empress, Saint*, cit., p. 138, pone de relieve la ayuda de Teodora a estas jóvenes, pero planteando el interrogante del destino de las muchachas a las que rescató del yugo proxeneta, por cuanto no se sabe el itinerario posterior de ellas, si regresaron a sus casa, si para evitar un nuevo negocio ilícito de venta por parte de sus padres evitaron el regreso, si consiguieron realmente insertarse adecuadamente en la sociedad... Sin duda sería gratificante poseer dicha información, pero habida cuenta de las escasas fuentes que tenemos a nuestra disposición, tales datos son imposibles de conocer.

nes, y a las mujeres que padecían una extrema pobreza las liberaron de su servil prostitución, al proporcionarles medios de vida propios y la sensatez que se da en un estado de libertad. Y ello, pues, lo llevaron a cabo de la siguiente manera. En la orilla justamente del estrecho, la que se encuentra a la derecha, según se navega en dirección al llamado Ponto Euxino, transformaron un antiguo palacio en un grandioso monasterio, para que sirviera de refugio a las mujeres arrepentidas de su vida pasada; con este objetivo, con su futura consagración a Dios y a la piedad podrían limpiar las faltas de su existencia en el burdel. Por ello también, sin duda, a esta residencia de mujeres la denominaron, en justa correspondencia, Arrepentimiento[459]. Estos monarcas han obsequiado a este monasterio con abundantes aportaciones crematísticas, y construyeron muchas edificaciones que destacaban singularmente por su belleza y suntuosidad para que sirvieran de alivio a las mujeres, a fin de que, por presión ajena, en modo alguno se apartaran de la práctica de la virtud. Más o menos, estos son los hechos en este tema"[460].

Este Monasterio, *Metánoia*, cuyo nombre identificado con el arrepentimiento tampoco lo podemos asumir como propio de las exprostitutas, por cuanto fueron forzadas mediante explotación a realizar sus servicios sexuales, no por convicción o deseo de vender voluntariamente su cuerpo, es un ejemplo edificante de la intención de la emperatriz de ayudar al colectivo de mujeres más vulnerables y excluidas por mor de su 'profesión' dentro del estatus social bizantino, pero ello no demuestra la promoción legislativa de Teodora en las disposiciones referentes a la prostitución, por cuanto la regulación

[459]   R. JANIN, *Constantinople byzantine. Développement urbain et répertoire topographique*, cit., p. 151, habla de los edificios suntuosamente espléndidos que se encontraban en los alrededores del monasterio en el que se recluía a las exprostitutas, relatando como este centro de reclusión todavía estaba en pie en el siglo XI; J. A. EVANS, *The Empress Theodora. Partner of Justinian*, cit., p. 31: "This 'Convent of Repentance' was given an endowment and adorned with costly buildings so that none of its inmates would want to return to her old life or have to do so for financial reasons"; creemos que la dotación económica otorgada debió ser generosa a fin de evitar que las reclusas quisieran volver a su antigua vida, o tuvieran que hacerlo por motivos económicos.

[460]   Procopio, *Los edificios*, cit., 1.9.1-10, en donde resulta sorprendente la alabanza a Justiniano y Teodora sobre la intervención decidida para terminar con la lacra de los burdeles en Constantinopla.

de este colectivo estuvo presente en la legislación romana desde el derecho más arcaico.

Debemos diferenciar, en aras de la solvencia intelectual necesaria en este tema, la caridad, misericordia, compasión, propias de un actitud cristiana comprometida, en esos tiempos combinada por parte de las élites ciudadanas con el ejercicio de la limosna, de la iniciativa legislativa, cuestión distinta y sumamente importante, pero propia del esfuerzo de los compiladores al servicio del emperador Justiniano. Además, Procopio no revela ningún detalle con respecto a la posición jurídica de las mujeres liberadas de burdel, o de la nueva cualificación en las normas bizantinas, ya que únicamente explicita una solución redentora en forma de asilo domiciliar, y ayudas económicas cuantiosas[461], que podían ayudar a la rehabilitación integral de ese colectivo, pero sin concretar mucho más.

En relación con este colectivo tenemos también otra crónica de Procopio, como fuente que acredita el interés de Teodora en la protección del colectivo femenino sometido a prostitución, aunque en este caso difiere de la *pietas* atribuida a la emperatriz, considerando que la inclinación de la emperatriz en favor de las prostitutas no surgió por su innata caridad cristiana sino -como viene siendo habitual en el tono de libelo procopiano-, para castigar conductas contra la moral:

> "Pero también Teodora se preocupaba de buscar castigos contra los delitos de la carne. Reunió por ejemplo a más de quinientas prostitutas

---

[461] M. MEIER, *Justinian. Herrschaft, Reich und Religion*, cit., p. 59: "Zwar finanzierte Theodora grosszügig karitative Einrichtungen, darunter das Kloster Metánoia (Reue) für ehemalige Huren, doch stellt dies nur einen besonderen Teil der Justinianischen Baupolitik dar. Im Gegensatz zu anderen Kaiserinnen erscheint sie im übrigen nicht auf Münzen, dem wichstigsten Propagandaträger der Zeit, wird aber in einigen offiziellen Dokumenten neben dem Kaiser gennant", da cuenta del papel real de la emperatriz, al señalar que aunque Teodora financió generosamente instituciones benéficas, incluido el monasterio del arrepentimiento para conversión de exprostitutas, esto solo representa una parte especial de la política de Justiniano. Y como un aspecto importante, destaca que, a diferencia de otras emperatrices, no aparece en las monedas, el vehículo de propaganda más importante de aquella época. Por lo tanto la relevancia de Teodora queda circunscrita a la vida privada, pero no se aprecia en los gestos de Justiniano la intención de conceder una mayor espacio público a su cónyuge, y si la omisión de su efigie en las monedas resulta un gesto inequívoco, con mayor razón no podemos colegir su intervención paritaria legislativa en materia femenina.

de las que ganaban su salario en medio del ágora por tres óbolos[462], lo necesario para sobrevivir, y las envió a la otra orilla, encerrándolas en lo que se llama un monasterio para obligarles a cambiar de vida[463]. Algunas de ellas se arrojaron de noche desde lo alto[464], y de este modo escaparon a un cambio que ellas no habían deseado"[465].

Estas dos versiones no tienen por qué resultar contradictorias[466], puesto que si tenemos en cuenta la fuerte personalidad y el férreo temple de Teodora[467], bien pudiera haberse decidido por tomar medidas

---

[462]　N. G. WILSON, *An Anthology of Byzantine Prose*, Berlín- Nueva York, 1971, p. 21, critica el uso de este término por parte de Procopio: "The prepositional usage does not seem to be classical, and the mention of obols is an anachronism, as they were no longer a unit of currency"; en un tono más cordial, B. BALDWIN, *Three obol girls in Procopius*, en *Hermes* 120, 1992, pp. 255-257: "Obols may have been defunct in Procopius' time, but this does not mean he is guilty of a silly anachronism. People commonly reckoned in purely notional units of currency... Procopius, then, is not guilty of a gross, mindless anachronism. Obols featured in a notional system of reckoning common in his time and later", considerando que el óbolo es el término utilizado por Procopio para referirse al *follis* de bronce.

[463]　L. SANDIROCCO, *Giustiniano e le mulieres scaenicae. Una rilettura della Novella 14 del 535*, cit., p. 188, resalta esta acción de Teodora, que puede ser asimilada al protofeminismo, si bien engañoso, al haber utilizado todos los medios a su alcance para retirar a las prostitutas de la calle, incluso con medios expeditivos: "Il ruolo *lato sensu* della donna diventa cosí giocoforza un elemento distintivo dell'azione dell'imperatore che viene esplicata giuridicamente e in parallelo all'impegno fattuale di Teodora nel riscatto delle prostitute, persino con método coercitivi, tanto da farle valere l'etichetta -generosa quanto fuorviante- di protofemminista".

[464]　G. RAVEGNANI, *Teodora. La cortigiana che regnò sul trono di Bisanzio*, cit., p.150: "Un'altra violenza gratuita di Teodora sulle persone o veramente un atto di cristiana pietà? chi lo sa; sta di fatto che ogni caso non deve essersi trattato di un'azione sistematica da parte sua perché sei anni piú tardi era tutto come prima e questa volta intervenne Giustiniano con una legge, forse suggerita dalla moglie".

[465]　Procopio, *Historia Secreta*, cit., 17.5-6.

[466]　J. E. SPRUIT, *L'influence de Théodora sur la législation de Justinien*, cit. p. 406: "Les deux versions ne sont pas entièrement inconciliables, et l'on pourrait même être tenté, compte tenu du caractère autoritaire de l'impératrice, qui ne reculait devant rien pour arriver à ses fins", dando crédito a la versión más radical con respecto a la erradicación de la prostitución.

[467]　G. RAVEGNANI, *Teodora. La cortigiana che regnò sul trono di Bisanzio*, cit., p. 152, destaca el carácter impulsivo de la emperatriz, que pudo haber intervenido en la abolición de la prostitución, sin demasiado éxito, por lo que el autor desecha la posibilidad de que Teodora pudiera ser la real inspiradora de

cada vez más autoritarias con respecto a la desaparición de los proxenetas y el cambio vital de las prostitutas, necesitadas de un espacio de reflexión, para poder alejarse física y mentalmente del espacio de opresión al que habían estado sometidas.

La reinserción social de las prostitutas parece el objetivo de la pareja imperial, focalizando sus esfuerzos en una clara tentativa de redención de la mujer sometida a la prostitución, dentro de un proyecto integral de rehabilitación humana, ética y jurídica de la mujer, si bien la duda de una motivación esencialmente moral[468], de protección de la moralidad acorde con los valores cristianos y no en razón de la vulnerabilidad y protección de las mujeres esté siempre presente en la legislación justinianea.

## 3.5. OTRA LEGISLACIÓN EN FEMENINO.

Justiniano siguió innovando en varias leyes relativas a la condición de la mujer. No se trata de hacer un elenco exhaustivo con respecto a todas las normas que recogen situaciones legales cuyos efectos afecten al colectivo femenino, sino destacar algunas que pudieran ser relacionadas con la vis feminista de la emperatriz Teodora. Al fin y al cabo, nuestro empeño se dirige a los desvelos de la real consorte en

---

la legislación femenina del *Corpus Iuris Civilis*: "La mancanza di sistematicità d'altronde era tipica dell'imperatrice, tendencialmente sensibile piú a impulsi momentanei che a progetti razionali, e anche in questo campo pare comportarsi come in altri precedenti. L'unico suo intervento sicuro riguarda poi l'abolizione dello sfruttamento della prostituzione a Costantinopoli, che alla fine è soltanto un episodio per cui è necessario il sostegno di una legge, la cui efficacia peraltro è dubbia. Per il resto, lo si è visto, Teodora si muoveva in ordine sparso, combinando o rovinando matrimoni, proteggendo le adultere e via elencando: il problema è però una volta in piú se chi si comporta cosí è la vera Teodora, ed è probabile che almeno in parte lo sia stata, magari senza la cattiveria attribuitale, o la Teodora caricaturale inventata da Procopio a uso di chi la detestava visceralmente".

[468]  J. BEAUCAMP, *Le statut de la femme à Byzance (4e-7e siècle). II. Les pratiques sociales*, cit., p. 132, afirma que el objetivo de la legislación es sobre todo moralizante: "Donc, bien que les mesures prises cherchent surtout à empêcher qu'une contrainte s'exerce sur les actrices ou les prostituées, leur but final, comme dans le cas du rapt, est la protection de la moralité des femmes plus que celle des femmes elles-mêmes".

favor de las mujeres, y su traducción en preceptos legales de obligado cumplimiento, no en el reconocimiento en positivo de la legislación en femenino postulada por el emperador bizantino, aceptado mayoritariamente por la doctrina romanística[469], independientemente de los matices con respecto a la motivación de la innovación justinianea en esta materia.

En el derecho de las personas, la concepción arcaica de la familia fue finalmente desapareciendo. Gracias al contacto con la realidad cotidiana demostrado por Justiniano, la mujer recuperó posiciones en su relación con el hombre, y al sometimiento silencioso y sin protesta de tiempos anteriores, le sucedió una época de mayores privilegios[470], aunque la paridad no existiese en absoluto en una sociedad eminentemente patriarcal.

En primer lugar, podemos destacar la disciplina justinianea relativa al matrimonio y contenida en el *Corpus Iuris Civilis*, ya que postula una nueva tendencia en favor de la conservación del matrimonio, priorizando la permanencia del mismo frente a la disolución, si bien los matices serán muy importantes, por ejemplo, a la hora de juzgar el ilícito cometido por la adúltera, por lo que Justiniano distingue los

---

[469]    Resulta una notable tentación para una jurista enfrentarse a la legislación femenina de Justiniano y enumerar taxativamente todas las referencias legislativas atinentes al universo de la mujer. Con todo, sabemos de la necesidad de abstraernos de la figura del soberano legislador para concentrarnos en su real cónyuge, Teodora, y su proyección socio-jurídica, otorgándole todo el protagonismo que su excursus vital se merece, destacando únicamente la normativa indiciaria de la influencia de la emperatriz en la legislación justinianea.

[470]    C. DIEHL, *Justinien et la Civilisation Byzantine au VI siècle*, cit., p. 258: "La femme devient l'égale de l'homme et presque la privilégiée"; creemos que esta confirmación de la igualdad femenina con el hombre, con privilegios añadidos, debe ser tenida en cuenta en la época que escribe el autor francés, etapa histórica en la que aún quedaba mucho camino que recorrer por parte de las mujeres en pro de la igualdad. No dudamos de la posición igualitaria de Diehl, puesto que en su puesta en escena con respecto a Teodora, destaca su rehabilitación integral, desacreditando las vilezas que los cronistas de aquel tiempo dedicaron a la emperatriz. Con todo, la historiografía ha tildado siempre las referencias del autor francés como un movimiento romántico en favor de Teodora, y no como un verdadero impulsor de la igualdad entre sexos.

diferentes supuestos posibles de una forma pormenorizada en aras de conseguir una normativa integral en materia matrimonial[471].

A mayor abundamiento, hemos concentrado el análisis de la legislación justinianea en sus Novelas, de acuerdo con la síntesis efectuada por SITZIA en lo que respecta a la propedéutica de dichas disposiciones legislativas: "Com'è universalmente noto, numerose Novelle giustinianee riguardano temi che l'imperatore aveva già affrontato nel corso dei primi anni di regno con interventi normativi che avevano generato dubbi e problemi di carattere interpretativo e che, comunque, si erano mostrati inadeguati a realizzare i propositi di riforma enunciati dal legislatore. Nel presentare le nuove norme il più delle volte Giustiniano tende a difendere il suo precedente operato, affermando che la necessità di un nuovo intervento normativo deriva da immotivati cavilli della prassi; non mancano però dei casi in cui egli prende atto della circostanza che, a livello di prassi applicativa, la norma contenuta nel Codex ha ingenerato inconvenienti di un certo rilievo e che occorre quindi mutarla radicalmente"[472].

### 3.5.1. Novela 22.

En el prefacio de la Novela 22, fechada el 15 de las calendas de abril del año 536, resalta los beneficios del matrimonio[473], como institución eterna y de máxima relevancia:

---

[471]   F. GORIA, *Studi sul matrimonio dell'adultera nel diritto giustinianeo e bizantino*, Turín, 1975, p. 99: "Stupisce che Giustiniano, il quale pure, a detta di Procopio, mirava ad imporre quanto più possibile una rigida uniformità anche nell'interpretazione giudiziale, non abbia sentito la necessità di dare dei chiarimenti su tutti questi punti nella novella 22 che, pubblicata nel 536 e quindi poco dopo la chiusura della compilazione, riguarda integralmente la materia delle nozze trattando ampiamente anche dei divorzi e della loro regolamentazione"; el autor confirma la emanación de la ley el 18 de marzo del 536, en p. 24, añadiendo: "Il testo dell'Autentico la assegna al 535. La data del testo greco è però confermata dall'epitome di Teodoro e da quella di Atanasio".

[472]   F. SITZIA, *Riflessioni in tema di arbitrato in diritto giustinianeo e bizantino*, en *AUPA* 57, 2014, p. 241.

[473]   Vid. al respecto, R. ORESTANO, *La struttura giuridica del matrimonio romano dal diritto classico al diritto giustinianeo*, en *BIDR* 55-56, 1952, pp. 185 ss.

*Praefatio. Plurimae quidem iam variaeque positae sunt leges a nobis unicuique parti prius a nobis sancitorum aut dispositorum quidem, visorum autem nobis habere non recte, ad meliora dantes viam et exponentes subiectis, quo competat degere modo. Hoc autem quod nunc a nobis fit, lex quaedam est communis, omnibus propria rebus competentem ordinem ponens. Si enim matrimonium sic est honestum, ut humano generi videatur immortalitatem artificem introducere, et ex filiorum procreatione renovata genera manent iugiter, dei clementia, quantum est possibile, nostrae immortalitatem donante naturae, recte nobis studium de nuptiis est.*

"Ya ciertamente se promulgaron por nosotros muchas y diversas leyes, que introducían mejoras en cada una de las cosas antes sancionadas o dispuestas por nosotros, pero que nos parecieron que no se hallaban bien, y que exponían a los súbditos de qué modo se debe vivir; pero la que ahora se hace por nosotros es una ley común y propia para todos, que pone en las cosas el orden que corresponde. Porque si el matrimonio es cosa tan hermosa que parece que artificialmente le da la inmortalidad al género humano, y por virtud de la procreación de hijos subsisten renovados los linajes, donándole al mismo tiempo la clemencia de Dios, en cuanto es posible, la inmortalidad a nuestra naturaleza, con razón nos preocupamos de las nupcias"[474].

Tratándose de una constitución muy extensa, con 48 capítulos, estimamos conveniente resaltar únicamente las cuestiones susceptibles de relacionarse con una nueva política matrimonial que pueda considerarse en cierto modo beneficiosa para la mujer[475], y así, po-

---

[474] *Cuerpo del Derecho Civil Romano*, trad. esp. I. L. GARCÍA DEL CORRAL, *Tercera Parte, Novelas*, cit., p. 107, en donde añade: "Porque todas las otras disposiciones, que han sido sancionadas por nosotros, no competen para todos los hombres, ni cosas, ni tiempos, pero el culto de las nupcias es, por decirlo así, de toda la humana descendencia, por el que solamente también se renueva, y es digno de mayor cuidado que las demás cosas", recordando a continuación que la antigüedad no investigaba lo suficiente sobre las primeras o segundas nupcias, sino que era lícito tener varias, y no ser privados de ningún lucro, con lo que era confuso en su simplicidad. Pero en época del emperador Teodosio, se consagró una mayor atención a esta materia hasta llegar a León, con especiales disposiciones sobre este tema. Como final del prefacio, Justiniano afirma que incluso algunas de sus propias disposiciones al respecto pueden ser objeto de corrección por parte de él mismo, algo de lo que no se avergüenza si debe sancionarlo, sin esperar a una corrección posterior de su legislación.

[475] La política legislativa del emperador Justiniano oscila entre la comprensión, la condena, el perdón, y la imposición, como en el caso previsto en la Novela 22.14,

demos reseñar el contenido de la Novela 22.3, en donde Justiniano afirma que el mutuo afecto constituye las nupcias sin que necesite la agregación de instrumentos dotales, destacando, entre otras cuestiones, la resolución justinianea en caso de disolución de los matrimonios indotados, en los que se erige como el primero que ha establecido la consiguiente pena al marido:

> *Nuptias itaque affectus alternus facit dotalium non egens augmento. Cum enim semel convenerit seu puro nuptiali affectu sive etiam oblatione dotis et propter nuptias donationis, oportet causam omnino sequi etiam solutionem aut innoxiam aut cum poena, quoniam horum quae in hominibus subsequuntur, quidquid ligatur, solubile est. Ut autem etiam super indotatis matrimoniis distractione facta poena merito subsequatur, hoc nos adinvenimus primi.*

A continuación, tenemos a nuestra disposición y en relación con la posible influencia de la emperatriz en cuanto a la perceptible mejoría de los derechos de las mujeres en lo que respecta al matrimonio, la cuestión del repudio, ahora sensiblemente más sensato jurídicamente hablando, puesto que se permite el repudio efectuado por la mujer con respecto a su marido si puede probar la conducta lujuriosa del mismo, el intento de acabar con su vida con armas, envenenándola, o con cualquier otro medio semejante, y también en caso de maltrato[476].

---

en la que el soberano bizantino decide que, en el caso de un marido desplazado en una expedición bélica, la mujer no pueda contraer nuevo matrimonio hasta que transcurra un periodo de diez años, y no de cuatro como había previsto Constantino en una ley anterior, que a Justiniano le parece una constitución muy poco meditada, *vehementer autem nobis inmature habere illa constitutio videtur*. El argumento esgrimido por Justiniano reside en que imponerle al marido ocupado en actos de la guerra la privación de su mujer es una pena no menor que ser apresado por los enemigos, *actibus enim bellicis occupato marito uxoris inferre privationem non minor est poena quam ab hostibus capi*. Ciertamente no estamos ante un protofeminismo legislador, pero hemos querido evidenciar también esta argumentación ciertamente controvertida de Justiniano, que recuerda el arcaico derecho y el icono femenino inmóvil y sereno que espera el regreso de su cónyuge como modelo conductual de una matrona respetable, en aras de la objetividad necesaria en lo que respecta a la legislación propia del Basileo, todo ello sin olvidar la defensa de la moral y las costumbres efectuada por Teodora en cuanto estuvo revestida por la púrpura imperial.

476   C. DIEHL, *Théodora, impératrice de Byzance*, cit., en el capítulo X, titulado "Le féminisme de Théodora", p. 221, después de tildar de calumnia la biografía

Si la mujer puede probar tales actos, la ley le da licencia para utilizar el repudio, y para separarse de las nupcias, -protagonismo femenino que dista mucho de la condición de las mujeres en el derecho clásico, equiparadas con la *levitas animi, imbecillitas sexus,* que por dicha debilidad de espíritu les otorgaba minúsculas cuotas de capacidad de obrar- gesto inequívocamente legal como se puede comprobar en la Novela 22.15.1:

> *1.Si igitur secundum Theodosii piae memoriae constitutionem valuerit mulier ostendere maritum aut adulterio delinquentem, aut reum homicidii, aut veneficiis aut seditionibus occupatum, aut quod pessimum omnium peccatorum est communicantem delicto, dicimus autem machinatum aliquid contra ipsum imperium, aut condemnatum falsitatis, aut sepulcra effodientem, aut ex aliqua sacrarum domuum aliquid rapuisse, aut latrocinii sectantem vitam aut latrocinantes suscipientem, aut unum eorum qui appellantur abigei (quibus est cura. alienis insidiari animalibus aut iumentis et ea transponere alibi), aut probet plagiarium esse, aut ita luxuriose viventem ut inspiciente uxore cum aliis corrumpatur (quod maxime mulieres utpote circa cubile stimulatas exasperat, et praecipue castas), aut si insidias se passam a viro probet circa ipsam salutem aut venenis aut gladio aut per alium aliquem talem modum (multae namque hominibus ad malitiam viae sunt), aut etiam si flagellis super ea utatur: si igitur mulier tale aliquid ostendere potuerit, licentiam ei dat lex repudio uti et nuptiis abstinere dotemque percipere et antenuptialem donationem totam, non solum si omnes simul probaverit causae, sed etiam si secundum se unam.*

Debemos destacar de este fragmento la condena que se hace de la execrable conducta masculina si el hombre vive tan lujuriosamente, *aut ita luxuriose viventem,* que viéndolo su mujer se envicia con otras, *ut inspiciente uxore cum aliis corrumpatur,* lo que principalmente exaspera a las mujeres, y singularmente a las castas, como estimuladas en lo que respecta al lecho conyugal, *(quod maxime mulieres utpote*

---

realizada por Procopio sobre Teodora, otorga a la emperatriz un admirado reconocimiento por su influencia en la legislación justinianea, destacando la mejora de los derechos de la mujer en la legislación matrimonial, y poniendo como ejemplo la protección femenina en caso de maltrato: "Elle fut protégée contre les mauvais traitements et les caprices de l'homme", si bien reconoce que el influjo de Teodora no fue suficiente para doblegar la preocupación extrema de Justiniano acerca de la protección de la moral pública y la santidad del matrimonio.

*circa cubile stimulatas exasperat, et praecipue castas)*, aunque esta última se trate de una afirmación que evidencia que si bien la legislación busca favorecer a la mujer jurídicamente hablando, ello no obsta para que de vez en cuando se hagan consideraciones desacertadas en cuanto a una pretendida igualdad evidentemente no sustanciada.

A mayor abundamiento, *aut etiam si flagellis super ea utatur*, la utilización de la fuerza contra la esposa, el azotarla, no está permitido de ningún modo, y se tiene en cuenta a la hora de conceder el permiso legal para repudiar al hombre que haya maltratado a su mujer, sin duda un avance en materia jurídica en femenino, aunque el siguiente fragmento refiera la impecable conducta de toda mujer si no quiere ser a su vez rechazada y repudiada por su marido. Así, en Novela 22.15.2, se da licencia al marido para que repudie a la mujer[477], si ésta

---

[477] Procopio, *Historia de las Guerras. Libros VII-VIII. Guerra Gótica*, 31.11-16, cit. pp. 136-137, relata la historia de Artabanes y Preyecta, sobrina de Justiniano con la que quiere contraer matrimonio y cree que es su derecho por cuanto la había liberado de las garras del usurpador Gontaris. Con todo, Teodora intervendrá en esta cuestión y Artabanes no conseguirá su propósito, puesto que el repudio que había hecho a su mujer no se considera legal de acuerdo con las leyes de Justiniano, y se ve abocado a renunciar a esa unión: "Con Preyecta, sin embargo, no logró unirse en matrimonio dado que con anterioridad había tenido una esposa, que era de su misma familia y que ya de niña se había casado con él. Ya hacía mucho que la había repudiado, probablemente por alguna de esas razones que se presentan y por las que vienen a chocar mujeres y hombres. Por su parte ella, mientras a Artabanes no le habían ido bien las cosas, se había quedado en casa sin meterse en nada, a lo suyo y sin que nadie la escuchara. Pero cuando Artabanes ya se había convertido en alguien famoso por sus hazañas e importante por mor de la fortuna esta mujer no soportó más su deshonra y vino a Bizancio. Acudió, entonces, ante la emperatriz suplicándole lo que creía merecer, que era recobrar a su marido, y la emperatriz (inclinada como estaba por su forma de ser a ponerse de parte de mujeres desdichadas) decidió que se uniera en matrimonio con Artabanes, a pesar de la firme oposición de éste, mientras a Preyecta fue Juan, el hijo de Pompeyo y nieto de Hipacio, el que la hizo su legítima mujer. Artabanes no se tomó con tranquilidad este chasco, sino que se enfureció e iba diciendo que él, de haberles prestado tantos y tan buenos servicios a los romanos [se arrepentía ya si] nadie le permitía casarse, como él deseaba, con una mujer que era su prometida y que también deseaba este matrimonio; y, por el contrario, se le obligaba a cohabitar para siempre con quien era su mayor enemiga, cosa que es, sin duda, el tormento por excelencia para el alma de un ser humano. Fue así que sin ningún reparo, no mucho después, nada más morir la emperatriz, la repudió de inmediato y se quedó tan contento"; J. A. EVANS, *The Empress Theodora. Partner of Justinian*, cit., p. 33:"Whatever the customs were

fuese adúltera, o envenenadora, u homicida, o plagiaria, o violadora de sepulcros, o sacrílega, o encubridora de ladrones, o que sin saberlo su marido, o habiéndoselo prohibido, se regocija en convites de otros hombres, o que contra la voluntad de su marido pernocta fuera de casa sin una causa razonable, o que sin su permiso se divierte en los juegos del circo, espectáculos, teatro, o luchas de fieras contra hombres.

Aquí ya vemos el diferente nivel de exigencia femenino con respecto al obrar masculino. La *pudicitia* exigida a las mujeres es infinitamente superior a la conducta esperable de los hombres, por lo que la mujer debe comportarse de acuerdo con la honorabilidad de su condición y rango, y demostrar su excelente comportamiento, el pudor de toda matrona respetable, en todo momento:

> 2.*Et rursus licentiam dat viro mulierem abicere. si adulteram inveniat, aut veneficam, aut delinquentem homicidium, aut plagiariam, aut sepulturum violatricem, aut sacrilegam existentem, aut faventem latronibus, aut viro nesciente vel etiam prohibente gaudentem conviviis aliorum nihil sibi competentium vel etiam invito viro circa rationabilem causam foris pernoctantem aut extra eius voluntatem circensibus congaudentem et spectaculis inhaerentem aut theatris advenientem (dicimus autem, ubi scenae et talia sunt, aut etiam ubi bestiis adversus homines pugna est), aut insidias sibi facientem ex venenis aut gladio aut alio factas modo, ex quibus circa vitam periculum est, aut etiam consciam tyrannidem meditantibus, aut falsitatis ream constitutam, aut audaces eius manus inferentem sibi: scilicet tali aliquo facto dat lex haec viro abicere mulierem, vel si unam harum et solam probaverit causam, et lucrari quidem dotem, antenuptialem vero habere donationem.*

Además, acabamos de ver como la envenenadora, o la que quiere terminar con la vida del marido con otros medios, o es cómplice de los que pretenden tiranía, o ha puesto sus manos sobre el hombre, es motivo suficiente para que la ley permita al hombre rechazar a la mujer, lucrándose con la dote y teniendo a su favor, por la revocación de la misma, de la donación antenupcial.[478]

---

in Armenia, under Roman law Artabanes did not have grounds to repudiate his wife".

[478] Vid. sobre donación *ante nuptias*, C. 5.11.7.2, constitución de Justiniano promulgada con anterioridad a esta Novela, ya en el 530, en la que precisa algunas

Aún así, el legislador prevé posibles causas falsas para conseguir el repudio ansiado, en Novela 22.15.3, siendo condenado por ello la persona que lo haga, y en el caso de la mujer que realice un repudio no justificado, se le prohíbe durante cinco años pasar a un segundo matrimonio, con las consecuencias gravosas en caso de conculcar lo dispuesto en la ley:

> *3.Si vero altera harum persona irrationabiliter repudium miserit, et hoc ipsum solvendi matrimonium sine ratione, subdita erit dudum a nobis dictis poenis. Insuper etiam uxor rea omnino ex memoratis causis pro irrationabilis repudii missione facta et in quinquennium totum ad secundum venire prohibetur matrimonium, et ante quinquennium nuptias non esse sine reatu neque legitimas vocari, sed omnis volens adeat et accuset factum tamquam contra legem praesumptum.*

---

dudas sobre supuestos de la *donatio*: *Utramque igitur dubitationem certo fini tradentes sancimus, si quidem nihil addendum existimaverit, sed simpliciter dotem vel ante nuptias donationem dederit vel promiserit, ex sua liberalitate hoc fecisse intellegi, debito in sua figura remanente. Neque enim leges incognitae sunt, quibus cautum est omnimodo paternum esse officium dotes vel ante nuptias donationes pro sua dare progenie*; G. SCHERILLO, *Studi sulla donazione nuziale*, en *Rivista di Storia del Diritto Italiano* 2, 1929, pp. 457-506; L. ARU, *Le donazioni fra coniugi in diritto romano*, Padua, 1938, pp. 330 ss.; B. MALAVÉ, C. ORTÍN, *Pretium pudicitiae y donación nupcial*, en *Revista de estudios histórico-jurídicos*, 26, 2004, pp. 61-84, destacan como Justiniano ordena en C. 5.3.20 enmendar el nombre de la donación nupcial de la siguiente forma: *Cum multae nobis interpellationes factae sunt adversus maritos, qui decipiendo suas uxores faciebant donationes, quas ante nuptias antiquitas nominavit, insinuare autem eas actis intervenientibus supersedebant, ut ineffectae maneant et ipsi quidem commoda dotis lucrentur, uxores autem sine nuptiali remedio relinquantur, sancimus nomine prius emendato ita rem corrigi et non ante nuptias donationem eam vocari, sed propter nuptias donationem.* denominándose desde entonces, 'donación por causa de las nupcias', en lugar de la antigua 'donación antenupcial', por la analogía existente entre donación nupcial y dote; lo más importante no es su enunciado sino su propia existencia, por cuanto el derecho clásico prohibía las donaciones entre cónyuges (en un texto conocido de Ulpiano, *libro 32 ad Sabinum*, en D. 24.1.1: *Moribus apud nos receptum est, ne inter virum et uxorem donationes valerent. Hoc autem receptum est, ne mutuo amore invicem spoliarentur donationibus non temperantes, sed profusa erga se facilitate*); ahora bien, la identificación del *'pretium pudicitiae'* con la donación permitida como liberalidad que hacía el marido a la mujer después de comprobar su virginidad tras la noche de bodas, transforma ese acto jurídico en una *donatio propter nuptias* legal como gesto de infinito reconocimiento al pudor demostrado por la esposa.

## 3.5.2. Novela 61[479].

Esta ley, con respecto a la dote[480], refuerza los derechos que la mujer tiene sobre su dote, reduciendo la capacidad de gestión del marido durante el matrimonio, al simplificar los medios para recuperarla en caso de disolución del matrimonio. Además, para incrementar la independencia de la mujer, la ley obligará al futuro esposo, a cambio y como contraparte de la dote prometida, a constituir para la mujer la *donatio propter nuptias*, una provisión que seguirá siendo de su propiedad en el día que sobrevenga la ruptura matrimonial, como se recoge en la Novela 61, promulgada el día de las calendas de diciembre del año 537, con el título: *Ut immobilia antenuptialis donationis neque hypothecae dentur neque omnino alienentur a viro nec consentiente uxore, nisi postea satisfieri possit uxori ; haec vero valere etiam in dote*:

> *Praefatio. Causam miserandam fieri cognoscentes coram nobis ipsis negotio moto illud quidem correximus competenti modo, lege autem generali emendamus huiusmodi negotia, hoc quod moris est nostri.*

El prefacio resulta esclarecedor, por cuanto Justiniano declara conocer el mismo el negocio, que considera algo deplorable, por lo que procede a su corrección legal, proponiendo una enmienda con esta

---

[479]  Vid. al respecto, M. P. NOAILLES, *L'inaliénabilité dotale et la Novelle 61*, en *Annales de l'Université de Grenoble*, 30, 1, 1918, pp. 451 ss.

[480]  C. A. CANNATA, s.v. *Dote, Enciclopedia del diritto*, 14, 1965, pp. 1-8; M. GARCÍA GARRIDO, *Ius Uxorium*, Madrid, 1958, p. 76, señala el hecho de que la introducción de nuevas reglas cuya tendencia es la de favorecer a la mujer y destacar el destino de la dote a los *onera matrimonii*, es consecuencia del *favor mulieris* que inspira toda la legislación justinianea; F. GORIA, *Azioni reali per la restituzione della dote in età giustinianea: profili processuali e sostanziali, Diritto e processo nella esperienza romana*, Nápoles, 1984, *passim*; L. BERNAD SEGARRA, *La restitución dotal en Derecho justinianeo*, en *Glossae* 14, 2017, p. 170: "Es en este marco en el que han de situarse toda una serie de modificaciones y novedades que Justiniano introduce con relación a la regulación de la situación y los intereses de la mujer, puesto que su situación jurídica ha ido cambiando a lo largo de los siglos, haciéndose merecedora de una mayor protección. Esta idea le llevará a establecer toda una nueva regulación en materia de restitución dotal con la finalidad de procurar que, en caso de disolución del matrimonio, la mujer pueda recuperar los bienes dotales, ante la perspectiva de que de ellos dependa su subsistencia".

ley general, como es su costumbre. A continuación, en el Capítulo 1, *sancimus*, en el sentido de que el emperador manda, ordena, con lo que ello implica de obligado cumplimiento, que si alguno hubiera otorgado una donación antenupcial o por motivo de nupcias, por sí mismo, o mediante otra persona, o su padre o madre, o cognados[481], o incluso extraños, y hubiera escrito donación, en la que se encuentre algún inmueble, le está prohibido someter el bien consignado en la donación antenupcial a un derecho de obligación, y menos aún a una posible enajenación.

---

[481] B. ALBANESE, *Le persone nel diritto privato romano*, Palermo, 1979, p. 212, recuerda como en derecho justinianeo la antigua familia agnaticia patriarcal ya no tiene el vigor legal de antiguo, predominando ya claramente la familia cognaticia, unida por vínculos de sangre; muy didáctico con respecto al concepto de parentesco de sangre, *cognatio*, y el civil, *agnatio*, predominante en el primer derecho clásico, R. MENTXACA ELEXPE, *Nota mínima sobre algunos modelos familiares en los tres primeros siglos del Imperio Romano*, en *Iura Vasconiae*, 10, 2013, pp. 520-522: "La familia romana, originariamente, estuvo constituida por un conjunto de personas a cuyo frente se encontraba el *pater familias* que ejercía de jefe respecto de las personas sometidas a su poder doméstico: su esposa –siempre y cuando fuera *uxor in manu*–, sus hijos –en tanto no hubieran sido emancipados–, sus clientes y sus esclavos. El hecho de ser miembro del grupo familiar sometía a sus componentes al poder pleno e ilimitado del *pater familias*, llamado *potestas* cuando se ejercitaba sobre los hijos y *manus* cuando se ejercía sobre la mujer casada. Bajo el poder del *pater familias* se hallaban inicialmente los hijos legítimos concebidos en un *matrimonium iustum*; pero junto a los hijos biológicos era factible que personas extrañas se incorporaran voluntariamente a la familia y, en consecuencia, acataran el poder paterno por *adoptio* de un *homo alieni iuris* (*adoptio* en sentido estricto) o, *adoptio* de un *homo sui iuris* (*adrogatio*). Este modelo de familia agnaticia tuvo consecuencias en el orden sucesorio: a la muerte de su jefe resultaban tantas familias como personas se hallaran sometidas al poder del padre por lo que sólo los *alieni iuris* eran considerados sucesores para el *ius civile* en la sucesión intestada; la esposa *sine manu* y los hijos emancipados que hubieran dejado de estar sometidos a la patria potestad paterna no tenían la condición de *sui heredes*. Ahora bien, junto a este tipo de familia propia del *ius civile*, para finales de la República el pretor había establecido otro modelo llamado cognaticio, en el que se tenían en cuenta los parientes consanguíneos en la sucesión intestada; en otras palabras, el pretor consideraba legitimados para solicitar la posesión de los bienes del causante que hubiera muerto intestado no sólo los *sui heredes* del derecho civil sino también los descendientes que por emancipación hubieran quedado libres del poder paterno"; A. SÁNCHEZ DE LA TORRE, *Un elemento arcaico del derecho de familia: la cognatio*, en *RIDROM*, 2018, pp. 157 ss.

El motivo de tal proscripción lo explica de inmediato, considerando que no sería conveniente que lo que una vez se entendió obligado mediante los vínculos de la liberalidad esponsalicia pueda ser enajenado, de modo que la mujer, al corresponderle el lucro que le confiere la donación antenupcial, se encuentre con dificultades puesto que el bien haya sido enajenado a otros o sometido a obligación, quizás con personas más poderosas, que supongan una mayor dificultad a la hora de la reivindicación, y por ello necesite litigar, cuando el bien debería suponer un medio de ayuda y no un obstáculo añadido:

> *Caput I. Et sancimus, si quis conscripserit antenuptialem vel propter nuptias donationem (sic enim eam oportere magis vocari decrevimus), sive ipse pro se hoc faciens sive etiam altero scribente, aut patre aut matre aut cognatis aut extraneis forte, si quis igitur tale aliquid fecerit et scripserit donationem, in qua etiam aliquid immobilium est, interdicimus ei aut supponere de cetero rem conscriptam in antenuptiali donatione aut alienare omnino. Quod enim semel vinculis sponsaliciae largitatis obligatum est, non erit conveniens alienari, ut mulier veniente forsitan lucro quod ei confert antenuptialis donatio, difficultatem patiatur non inveniens rem in viri substantia, cum sit alienata aliis aut supposita, et potentibus forte personis, quatenus illi propter huiusmodi causas aut sit modis omnibus inadibilis vindicatio aut difficilis et litibus egeat, dum ex hoc ipso sit adiuvanda.*

La sensatez jurídica del emperador se conduce con igual agilidad y contundencia a lo largo de toda la ley, resolviendo todos los posible perjuicios a la mujer en su favor, sin dejar ningún resquicio que pueda darse para evitar el desequilibrio económico al sexo femenino, mucho más vulnerable en caso de disolución del vínculo matrimonial, como refiere en Novela 61.1.1-3[482]. De este modo, el emperador tiene en

---

[482] 1. *Quapropter hoc observetur, et qui post haec contraxerit sciat quia, sive emptionem sive hypothecam habeat, nihil horum utilitatis habebit omnino, sed aequalia erunt non scriptis nec dictis quae super hoc scripta sunt aut convenerunt, et servetur uxori lucrum. Non enim videntur nobis immoderate fecisse quidam nostrorum iudicum, qui etiam ipsam in rem mulieribus post matrimonii transactionem in sponsalicia largitate dederunt, quod recte incohatum deinde a posteris iudicibus quasi pro supervacanea quadam subtilitate contemptum est. Et non quaslibet vias inveniant artificiosas sumentes hypothecas praeparando mulieres consentire et ita proprio cadere iure. Consensus enim in talibus aut in hypothecam aut in venditionem aut in aliam alienationem conscriptus percipienti*

cuenta incluso la posibilidad de que el marido quiera contraer una hipoteca sobre los bienes, convenciendo a las mujeres para que acepten y decaigan en su derecho, obligando a "que sea menester, que transcurrido el tiempo de un bienio se escriba de nuevo otra declaración que confirme el consentimiento[483], y sea entonces válido lo que se hizo",

---

*omnino non proderit, si semel consensus fiat, sed sicut in intercessionibus scripsimus, ut oporteat biennii tempore existente rursus aliam professionem scribi confirmantem consensum, et tunc ratum esse quod factum est, sic et in hoc fiat. 2. et si consentiat mulier, secundum speciem in intercessionibus sit omnino idemnis, nisi etiam secundum, sicuti praediximus, celebraverit consensum. Plurima namque ex primo mox auditu delinquuntur, muliere quippe mariti seductionibus facile decepta et propria neglegente iura, cum vero in plurimo tempore cogitaverit pro negotio, fiet forsitan cautior. 3. Verumtamen neque hoc simpliciter damus, sed tunc mulierem ex secundo consensu damno summittimus, dum sunt aliae res, ex quibus possibile est ei satisfieri pro re vel rebus immobilibus quae in antenuptiali donatione continentur et quae ab alio detinentur propter alienationem aut suppositionis modum : alioquin si nihil aliud supersit, neque sic laesionem sustinere mulierem permittimus, sed licet secundo vel si frequenter consentiat, causa ad intercessionis feratur rationem, et sit omnino ei lucrum sub cautela positum, nisi apparuerit relictum aliud sufficiens ad antenuptialis largitatis quantitatem. Et haec dicimus non solum parcentes mulieribus, sed multo potius viris talia facientibus, siquidem ex multis et paene plurimis casibus communibus filiis antenuptialis donationis servantur res, et rursus eae manent apud substantiam viri eiusque successionem ex hac observatione, ideoque utilis lex est et uxori et marito secundum has satisdationes. Et multo potius haec in dote valebunt, si quid dotis aut alienetur aut supponatur: iam enim haec sufficienter delimata atque sancita sunt.*

[483]   J. BEAUCAMP, *Le statut de la femme à Byzance I. Le droit imperial*, cit., p. 76, considera que en esta Novela no estamos ante una normativa favorable al desarrollo de las intercesiones femeninas sino todo lo contrario: "Cette deuxième constitution de 530 ne témoigne nullement d'une volonté de favoriser le développement des intercessions féminines, bien au contraire: alors que le Digeste faisait seulement jouer l'exception du sénatus-consulte contre les obligations contractées de n'importe quelle façon, Justinian, bien plus radicalement, les frappe de nullité; les intercessions faites dans les formes requises ne sont pas pou autant valables immédiatement, mais tombent sous le coup de l'exception; elles seules peuvent être validées après deux ans, si les femmes les renouvellent"; en p. 77, insiste en que a pesar de que Justiniano afirma que su pretensión es proteger a las mujeres, el hecho de que el consentimiento se valide después de un bienio, sin hacer la más mínima alusión a la incapacidad femenina, demuestra que era válido desde un principio, y tales restricciones no parecen hechas en beneficio de la mujer, sino todo lo contrario, al restarle validez a los actos jurídicos que pueda llevar a cabo, sometiéndoles a un plazo largo que puede en realidad perjudicar sus intereses personales.

en prevención de la malicia o engaño en perjuicio de los derechos de la esposa. A este respecto, encontramos realmente receptivo al colectivo femenino la consideración imperial que afirma que si la mujer consintiera para una especie de afianzamiento, quede absolutamente indemne, a no ser que hubiera prestado el segundo consentimiento al que acabamos de hacer referencia. "Porque se cometen muchos yerros inmediatamente después que por primera vez se oye una cosa, siendo, a la verdad, fácilmente engañada la mujer por las seducciones de su marido y descuidando ella sus propios derechos, cuando si pensare sobre el negocio mucho tiempo, acaso se hará más cauta"[484].

La protección extrema deferida por Justiniano a la *mulier* llega a su máxima consideración cuando aún en virtud del segundo consentimiento, no permite que la mujer sea perjudicada si no existiesen otros bienes contenidos en la donación antenupcial. Ante la posibilidad de no obtener satisfacción económica alguna, no permite la lesión jurídica en los derechos femeninos[485], por lo que aunque consintiera varias veces, no serían lesivas para la conservación de su lucro, suficiente para el importe de la liberalidad antenupcial, añadiendo que con más razón estas disposiciones regirán también para la dote, si se enajenase o contrajese alguna obligación con respecto a la misma.

Por último, en Novela 61.1.4, anterior al epílogo, refiere la atención prestada a los contratantes, ordenando que los maridos se obliguen con respecto a sus bienes, con motivo de enajenación o hipoteca, conservando para sus mujeres su derecho inalterable sobre los mismos bienes inmuebles de la liberalidad esponsalicia, concluyendo que a nadie, sino a la mujer, le otorgó antes, ni le concederá ahora, tales privilegios:

> 4.*Sed neque ipsos contrahentes omnino negleximus. Nam si etiam super his obligationem quantum ad mulieres neque dictam neque scrip-*

---

[484] *Cuerpo del Derecho Civil Romano,* trad. esp. I. L. GARCÍA DEL CORRAL, *Tercera Parte, Novelas,* cit., p. 243.

[485] Ni tampoco masculinos, a decir de Justiniano, que declara guardar consideración con estas medidas legales no solo a las mujeres sino también a los maridos, explicando que en muchos casos los bienes de la donación antenupcial se conservan para los hijos comunes, que quedan en virtud de esta observación jurídica en la sucesión de los bienes del marido, por lo que este razonamiento será útil para ambos.

*tam esse volumus, et ipsos viros in aliis eorum rebus obligari volumus
occasione alienationis aut hypothecae, mulieribus quidem servantes
in ipsis immobilibus rebus sponsaliciae largitatis ius innovatum, viris
autem competens ius ex documentis, quantum in aliis rebus suis, omnibus privilegiis doti datis iam a nobis in sua firmitate manentibus, quando mulier moverit. Aliis enim omnibus praeter mulierem huiusmodi
privilegia nec ex antiquo dedimus neque nunc damus.*

### 3.5.3. Novela 74[486].

Promulgada en Constantinopla el 1 de las nonas de junio del año
538, se refiere a los modos de legitimar los hijos naturales[487], ofrecien-
do distintas opciones de extender la legitimación, concretando en el
capítulo 5 la solución legal prevista para las mujeres seducidas bajo
promesa de matrimonio[488], que puedan compelir al varón al cumplimiento del contrato, o en su defecto, a la entrega de una cuarta parte
de su herencia:

*Quoniam autem interpellationibus quae nobis fiunt semper omnium
assidue mulieres audimus ingemiscentes et dicentes, quia quidam earum concupiscentia detenti ducant in domibus suis, sacra tangentes
eloquia aut in orationis domibus iurantes habituros se eas legitimas
uxores, taliter eas habentes tempore multo et forte suscipientes filios,
deinde dum se satiaverint earum desiderio, aut extra filios aut cum filiis
proicientes de suis domibus, iudicavimus etiam hoc oportere sanare:
ut si mulier ostendere potuerit modis legitimis, quia secundum hanc*

---

486 C. FAYER, *La familia romana. Aspetti giuridici ed antiquari. Sponsalia. Matrimonio. Dote*, 2ª parte, Roma, 2005, p. 625, n. 1177: "La *Nov.* 74 è stata ritenuta
una delle elaborazioni più dotte e di più alta riflessione dottrinale della intera
legislazione giustinianea".

487 R. ASTOLFI, *Studi sul matrimonio nel diritto romano postclassico e giustinianeo*, Nápoles, 2012, pp. 34 ss.; en p. 36 afirma que la ideología cristiana es la
que motiva las reformas justinianeas contenidas en la Novela 74; sin embargo,
G. LANATA, *I figli della passione: Appunti sulla Novella 74 di Giustiniano*, en
*AARC* 7, 1988, pp. 487-493, explica que las principales influencias deben bus-
carse en la tradición del Platonismo y Neoplatonismo.

488 W. G. HOLMES, *The Age of Justinian and Theodora*, 2, cit., p. 719: "Justinian
extended the principle by a decree that a woman seduced under promise of marriage could compel her lover to complete the contract, or, in default, to endow
her with a quarter of his property".

*figuram vir eam accepit domi ut uxorem legitimam haberet et filiorum legitimorum matrem, nequaquam penitus licentiam ei esse hanc de domo praeter ordinem legis expellere, sed habere eam legitimam et filios suos ei esse.*

El emperador Justiniano refiere como ha escuchado con muchísima frecuencia en interpelaciones, a mujeres que gemían y contaban que algunos, poseídos de concupiscencia con respecto a ellas, las llevaban a sus propias viviendas, poniendo la mano sobre las sagradas escrituras, o jurando en casas de oración, declarando que las tomarían como legítimas esposas, teniéndolas de esta forma durante mucho tiempo, incluso procreando hijos con ellas, pero cuando saciaban su deseo las echaban de casas sin hijos o con ellos, por lo que el soberano juzga que es menester disponer sobre esta cuestión[489]. Así, resuelve que si la mujer puede probar por modos legítimos, que el hombre la había recibido de ese modo en su casa, para tenerla como mujer legítima, y como madre de hijos legítimos, no tenga el hombre de ninguna manera licencia para echarla de casa prescindiendo de lo que ordena la ley, debiendo mantenerla como legítima, igual que a sus hijos.

Por lo que se refiere a la cuestión de la dote de la mujer, el *Basileus* estima que si estuviera indotada, disfrute de los beneficios de 'nuestra' constitución, percibiendo la cuarta parte de los bienes del marido, ya si hubiera sido expulsada de la casa, o si antes falleciese el marido, sin investigar 'nosotros' si la echó utilizando el repudio, o aún sin este, puesto que no resulta verosímil que enviase el repudio quién deniega las propias nupcias. Con todo, si la echase de casa sin motivo, por esto podrá la mujer enviar el repudio y exigir la cuarta, si se probase que ella fue su mujer, aunque se hubiera unido sin dote, dando crédito al

---

[489] L. SANDIROCCO, *Giustiniano e le mulieres scaenicae. Una rilettura della Novella 14 del 535*, cit., pp. 186-187, trae a colación diversas constituciones de Justiniano con respecto a las uniones matrimoniales ilícitas, o en las que se viola el principio monogámico: "Di cui una sola di portata generale: la Novella 12, *De incestis nuptiis* (535). Hanno invece il carattere della specialità la Novella 139 *Remissio poenae illicitarum nuptiarum* (535-536) e la Novella 154 *De iis qui in Osroena illicitas nuptias contrahunt* (535-536)... Degna di nota è una disposizione, particolarmente articolata, che tra i propri *capita* contiene ipotesi di diseredazione testamentaria in ragione di relazioni incestuose: é la Novella 115.3-4 del 542".

juramento. Porque ¿qué podrá hacer la que no tiene para dotarse, más que entregarse ella misma en dote?:

> *Et illam quidem, siquidem indotata sit, nostrae constitutionis uti bonis, quartam substantiae viri percipiens, sive expellatur sive prius moriatur vir, non perscrutantibus nobis sive repudio utens dimittat eam sive etiam sine hoc: neque enim verisimile est eum mittere repudium qui et ipsas nuptias denegat. Sed si eam inrationabiliter expellat de domo, hoc ipsum sit adversus virum iusta causatio, et mulier hoc facto repudium ei mittat et exigat quartam, si uxor ostensa fuerit extitisse, licet extra dotem convenerit iuriiurando credens. Quid enim agat aliud quae ad dotem non est idonea, quam ut semet ipsam sub omni dote contradat?*

### 3.5.4. Novela 117.

En diciembre del año 542 emana la Novela 117, en cuyo capítulo 8, después de una introducción en la que se recuerda que en la antigua legislación y en otras actuales se encuentran muchas causas de divorcio[490], que permiten la disolución de las nupcias con facilidad, se determina que algunas de ellas, indignas para constituirse en motivo de

---

490   Como síntesis del contenido de la Novela, S. TROIANOS, *El divorcio en el derecho bizantino y posbizantino,* en *Ius Fugit* 20, 2017, pp. 443-444: " La libertad absoluta para la disolución unilateral del matrimonio, que caracterizó inicialmente al derecho romano, comenzó a ser seriamente cuestionada por los emperadores cristianos, quienes se vieron bajo la influencia del principio (cristiano) sobre el carácter excepcional de la disolución del matrimonio. Después de sucesivas regulaciones, suyas y de sus antecesores, Justiniano promulgó su Novela117 en la que enumera restrictivamente las causas de divorcio para varones y mujeres separadamente. Como causas de divorcio para el varón señala: a) crimen de alta traición que conocía la mujer y que no reveló, b) que la mujer sea convicta de adulterio c) atentado directo o indirecto contra la vida del marido, d) actos moralmente sospechosos contra la voluntad del marido (como pasar la noche fuera del hogar, participar en banquetes o baños colectivos con otros hombres, etc.) (Novela 117.8). Las causas de divorcio para la mujer son: a) la participación del marido en crimen de alta traición, b) atentado directo o indirecto contra la vida de la mujer, c) atentado contra la personalidad moral de la mujer si el marido la provocó (o promovió) o si la acusó falsamente de adulterio, d) relación extraconyugal estable del marido en la misma ciudad, si persiste en ella a pesar de las repetidas recomendaciones de los padres o terceros (Novela 117.9).

disolución, sean separadas, concretando en la presente norma[491], solo las que con razón puede la mujer o el marido, enviar el repudio[492], concretándolas a continuación, en Nov. 117.8.1:

> 1. *Si contra imperium cogitantibus aliquibus conscia est mulier aut etiam suo viro non iudicet. Si autem vir hoc a muliere denuntiatum tacuerit, liceat mulieri: per quamcumque personam hoc declarare imperio, ut vir nullam ex hac causa repudii inveniat occasionem.*

Así, en caso de conjura contra el imperio, siendo la mujer conocedora, o no se lo hiciera saber al marido, el marido podrá enviar sin peligro el repudio. Ahora bien, si el esposo hubiera callado la información de alta traición facilitada por su mujer, le será lícito a ésta declararlo ella misma o por medio de otra, quedando vetado el repudio al hombre.

En Novela 117.8.2, observamos el impedimento legal del marido con respecto al repudio de la mujer adúltera a la que planteó la

---

[491]	C. FAYER, *La familia romana. Aspetti giuridici ed antiquari. Concubinato. Divorcio. Adulterio*, 3ª parte, Roma, 2005, p.166, confirma que Justiniano promulga la Novela 117 para resolver definitivamente todas las cuestiones en materia de divorcio: "Inanzitutto restringe il numero delle *iustae causae* in base alle quali fino ad allora il ripudio era consentito senza incorrere in sanzioni e, abrogando tutta la normativa precedente, compresa la propria, elenca *nominatim* 'tassativamente' le cause per cui l'uomo e la donna potevano inviare *rationabiliter* il ripudio"; en p. 167, concluye que Justiniano deroga en el capítulo 12 de la Novela 117 todas las *iustae causae* establecidas por leyes anteriores, y reputa válidas solo las contenidas en los capítulos 8-9, a las cuales añade solo tres de los motivos que hacían lícito el divorcio *bona gratia*, o sea, el divorcio unilateral *sine poena*, que son precisamente la impotencia incurable, preexistente desde el comienzo del matrimonio, la elección de la vida monástica (Novela 123.40), y el cautiverio de guerra, aunque en este último caso, de acuerdo con la Novela 22.7, deben haber transcurrido cinco años desde la última noticia de vida del cautivo.

[492]	Pero no nos llevemos a engaño, puesto que varios de los casos previstos para el repudio, obligan a un comportamiento honorable por parte de las mujeres, perseguidas en su decoro con una abismal diferencia con respecto a sus maridos, como se desprende de Nov. 117.8.4-6 (a imagen y semejanza de lo previsto en la anterior Novela 22.15.2): "4. Si no queriendo el marido, comiera con hombres extraños o se bañara con ellos. 5. Si, no queriendo el marido, se quedara fuera de casa, a no ser quizás en casa de sus propios padres. 6. Si asistiera a los juegos del circo, o a los teatros, o a los anfiteatros como espectadora, ignorándolo o prohibiéndolo el marido".

*accusatio adulterii*, antes de haber conseguido la condena penal[493], requisito legal que demuestra las innovaciones legislativas[494], favorables a la mujer, realizadas por Justiniano en materia de matrimonio, en este caso concreto relativas al adulterio:

> *Si de adulterio maritus putaverit posse suam uxorem convinci, oportet, virum prius inscribere mulierem aut etiam adulterum[495], et si huiusmodi accusatio verax ostenditur, tunc repudio misso habere virum super ante nuptias donationem etiam dotem, et ad haec, si filios non habet, tantum accipere ex alia uxoris substantia quantum dotis tertia pars esse cognoscitur, ut eius proprietati et dos et a nobis definita poena applicetur.*

Si el marido cree que su esposa puede ser convicta de adulterio, es conveniente que el marido acuse antes a la mujer o también al

---

[493]  F. GORIA, *Studi sul matrimonio dell'adultera nel diritto giustinianeo e bizantino*, cit., p. 100, afirma que esta nueva constitución: "Non solo permette, ma addirittura obliga il coniuge ad accusare in costanza di matrimonio. Questo dovrebbe voler dire una modifica abbastanza radicale anche della repressione del lenocinio, o nel senso che resta in piedi solo l'ipotesi di chi ha ricevuto denaro per la propria acquiescenza, oppure per converso nel senso che all'obbligo di ripudio contenuto nei testi classici si sostituisce quello, molto più gravoso, di instaurare e portare a termine un procedimento giudiziale".

[494]  A. ESMEIN, *Le délit d'adultère à Rome et la loi Iulia de adulteriis*, en *RHDF* 2, 1878, p. 164, afirma que el derecho justinianeo de las Novelas es el primero que canceló la regla clásica de la prohibición de plantear la acusación de adulterio 'constante matrimonio'.

[495]  La novela grava notablemente la posición del marido acusador, presuponiendo que deba someterse a la *inscriptio*, prevista en Nov. 117.9.4: *Si vir de adulterio inscripserit uxorem et adulterium non probaverit...* en el sentido de que si el marido acusa de adulterio a la mujer y no puede probar el adulterio, le será lícito a la mujer, enviar el repudio al marido, recobrando su dote y con otras consecuencias económicas favorables a la mujer; con todo, también disciplina el procedimiento *ex suspicione* en Nov. 117.15: *His quoque etiam illud adicimus, ut si quis forsan suspicatur aliquem velle suae uxoris illudere castitati et contestationes ei ex scripto tres destinaverit habentes testimonia virorum fide dignorum...* en el que si un marido sospecha que alguien quiere ofender la castidad de su mujer, y tiene el testimonio de tres varones fidedignos, y después de tres denuncias por escrito, se enterase de que se reúne con su mujer, bien en su propia casa, o en la del adúltero, o en los suburbios, tiene licencia para matarlo con sus propias manos, no teniendo por ello responsabilidad alguna.

adúltero, y si prueba que la acusación es cierta[496], el marido, enviado el repudio, tendrá derecho a la donación antenupcial y a la dote, y además, si no tuviera hijos, reciba de los otros bienes de la mujer la tercera parte de la dote, haciendo de su propiedad tanto la dote como la pena definida por la legislación.

*Si enim filios habuerit ex eodem matrimonio, iubemus et dotem secundum de hoc leges aliamque mulieris substantiam filiis conservari, et ita adulterum legitime convictum una cum uxore puniri.*

Pero si hubiera hijos del matrimonio, se deberá conservar la dote para los hijos, y los demás bienes de la mujer, castigando a la mujer conjuntamente con el adúltero legalmente convicto.

Y por lo que se refiere a la situación matrimonial del adúltero, si tuviera mujer, recibirá su propia dote y la donación por causa de nupcias, y si tuvieran hijos, la mujer tendría el usufructo de la donación, debiendo conservar la propiedad para los hijos, y los otros bienes del marido se donarán como liberalidad a los hijos, y en caso de no haber hijos, la propiedad de la donación antenupcial será para la mujer, pero los demás bienes del marido pasarán al fisco:

> *Et si quidem habeat uxorem adulter, accipere eam et dotem propriam et propter nuptias donationem, ut si filios habent, solo usu mulier fruatur donationis proprietate secundum leges filiis servanda; aliam vero mariti substantiam eius filiis ex nostra largitate donamus. Filiis autem non existentibus antenuptialis quidem donationis proprietatem mulieri competere sancimus, aliam vero mariti omnem substantiam fisco secundum antiquas applicamus leges.*

En relación con esta Novela, podemos exponer el relato de Procopio, sumamente crítico con Teodora y su utilización torticera y vergonzosa de la legislación con respecto al adulterio:

---

[496]　F. GORIA, *Studi sul matrimonio dell'adultera nel diritto giustinianeo e bizantino*, cit., p. 141 y n. 141, declara que de acuerdo con este capítulo 8 si la acusación dirigida contra uno de los adúlteros era demostrada, la condena sería para ambos por cuanto la certeza del ilícito de uno implicaba la consecuente veracidad del ilícito del otro.

"Por aquel entonces era un hecho que casi todas las mujeres tenían unas costumbres depravadas[497], pues pecaban contra sus maridos con completa libertad, sin que esta acción les acarrease peligro o daño alguno, puesto que cuantas eran culpables de adulterio quedaban impunes. Acudían enseguida junto a la emperatriz y, dando la vuelta a la situación, llevaban a juicio a sus maridos incoando un proceso con acusaciones por hechos inexistentes. A los maridos, aunque ningún cargo contra ellos hubiera quedado probado, nos les queda otra opción que la de pagar una suma que doblaba la dote. Luego por lo general se les azotaba y se les conducía a prisión, para que al final contemplaran de nuevo a sus adúlteras esposas halagadas y seducidas por sus galanes con más desvergüenza que antes. Muchos adúlteros alcanzaron incluso honores comportándose de esta manera. Por esta razón desde entonces la mayoría de los maridos aunque sufrían las impudicias de sus mujeres, permanecían en silencio[498], contentos de

---

[497]  Esta referencia de Procopio puede entenderse como una alusión también a Antonina, la esposa de Belisario, de la que comenta en *Historia secreta*, cit., 1.11-13, pp. 146-147: "...mientras que su madre era una de las que se prostituían en el teatro. Esta mujer, que había tenido antes una vida impúdica y un comportamiento disoluto, que había frecuentado a menudo a los hechiceros de su familia y adquirido de ellos los conocimientos que requería, finalmente se convirtió en la legítima esposa de Belisario cuando ya era madre de muchos hijos, de forma que consideró enseguida que debía ser una adúltera desde el principio, aunque se esforzó en ocultar sus actos, no porque estuviera avergonzada por su modo de vida, ni porque sintiera respeto alguno por su marido -pues nunca sintió pudor alguno por ninguno de sus actos, cualquier que éste fuese, y controlaba a su marido por medio de todo tipo de encantamientos-, sino porque se recelaba del castigo de la emperatriz, ya que Teodora se enfurecía con ella y le enseñaba los dientes"; resulta contradictorio este testimonio procopiano con el que acabamos de ver sobre una Teodora permisiva con el adulterio. Si la emperatriz se enfadaba con Antonina por su comportamiento inmoral e ilícito no parece que la fuera a proteger en caso de adulterio, pero ya hemos visto que el libelo de Procopio si bien tiene un hilo conductor denigratorio acerca de Teodora, en ocasiones carece de la suficiente reflexión en algunas partes que provocan las contradicciones con otros testimonios del cronista palestino; con respecto a la posible descendencia anterior de Antonina, el mismo Procopio menciona en *Historia de las Guerras. Libros III-IV. Guerra Vándala*, cit., 4.8.24, a una hija de Antonina, así como a Focio, hijo mencionado en *Historia Secreta*, cit., 1.31, 3.29, y en *Historia de las Guerras, V-VI. Guerra Gótica*, trad. esp. J.A. Flores Rubio, V, 5.5, y 18.8.

[498]  Los que no procedían con la acusación de adulterio de sus mujeres seguramente sería porque no tenían las pruebas suficientes, y ya hemos visto como era imprescindible demostrar el ilícito cometido por la mujer, para dotar de seguridad jurídica las leyes relativas a la condición femenina que ahora se estiman dignas de protección. Como el procedimiento se volvía en contra del acusador

escapar a los latigazos, y les concedían plena libertad haciéndoles creer que no habían sido descubiertas"[499].

## 3.5.5. Novela 128.

Con posterioridad, ya en el año 545, Justiniano promulga la Novela 128, en cuyo capítulo 21, hace recaer de nuevo todo el peso de la ley en el hombre que, entre otros actos ilícitos, rapte a una mujer[500]. Se deduce que la insistencia en condenar la conductas contrarias a derecho una y otra vez conculcadas por un sector masculino de la población bizantina dan cuenta de costumbres inveteradas y aceptadas tácitamente por la sociedad bizantina, aunque la legislación las intente reprimir constantemente bajo la amenaza de graves consecuencias penales:

> Iubemus autem omnes iudices tam militares quam civiles per se requirere eos qui latrocinia aut violentias aut rapinas rerum aut feminarum aut alia quaelibet inlicita in provinciis committunt et supplicia eis legitima inferre, neque pro his causis accipere aliquid consuetudinum nomine, ut omnes undique nostri collatores inlaesi serventur. Non enim permittimus cuilibet maiori aut minori militari iudici aut latronum insecutores aut violentiarum inhibitores aut tribunos pro talibus causis in provinciis ordinare, aut qui debeant aliquos exarmare, ut non per tales occasiones ampliores violentiae inferantur provincialibus.

De este modo, el emperador legislador ordena que todos los jueces, tanto militares como civiles, busquen a los hombres que en las

---

sin fundamento, previsto en Nov. 117.9.4, y según afirma C. FAYER, *La familia romana. Aspetti giuridici ed antiquari. Concubinato. Divorcio. Adulterio*, cit., p. 336: "Se il marito non riusciva a provare l'adulterio della moglie e questa veniva assolta, a lei era riconosciuta dalla legge la facoltà di inviare il ripudio per colpa dell'uomo, ottenendo cospicui vantaggi patrimoniali", Procopio no soportaba la posibilidad de que una acusación de adulterio no probada concediese ventajas patrimoniales a las mujeres denunciadas sin prueba que consiguen su absolución y por lo tanto pueden solicitar el repudio para evitar seguir viviendo con el hombre que las denunció.

[499]  Procopio, *Historia secreta*, cit., 17.24-27, pp. 257-258.
[500]  Vid. con respecto al rapto, F. BOTTA, *Per vim inferre: Studi su stuprum violento e raptus nel diritto romano e bizantino*, Cagliari, 2004, pp. 90 ss.

provincias cometen latrocinios o violencias, o rapiña de cosas o rap-
tos de mujeres, u otras cosas ilícitas, y les impongan los legítimos suplicios, y que por estas causas no reciban cosa alguna a título de costumbre, para mantener ilesos a todos los contribuyentes. Además, no
le permite a los juzgadores públicos el que puedan proceder a nombrar perseguidores de ladrones, o encargados de impedir la violencia,
o tribunos, o a quienes deban desarmar a otros, para no causar a los
provincianos de este modo mayores violencias.

Por último, afirma que la inobservancia de este mandato legal con-
llevará que el juez sea despojado del cíngulo, además de que tendrá
que pagar una pena de diez libras de oro, y después de ser sometido
a tormento y de que se proceda a la confiscación de sus bienes, será
desterrado:

> *Si quis autem iudicum haec non custodierit, cognoscat non solum*
> *commisso sibi cingulo spoliandum, sed decem librarum auri poenam*
> *exsolvere; eo qui praesumpserit talem causam adsumere post tormen-*
> *ta et substantiae confiscationem in exilium dirigendo.*

### 3.5.6. Novela 143.

Otra disposición ejemplarizante y con deseo reformador por parte
del soberano insomne, eternamente preocupado por corregir los defectos de las normas preexistentes, se contiene en la Novela 143[501],

---

[501] Igual en su contenido a la Novela 150; como antecedente en tema de rapto podemos traer a colación las disposiciones dictadas por el emperador Constantino,
contenidas C. Th 9.24, *De raptu virginum vel viduarum*, así como C. Th. 9.25,
*De raptu vel matrimonio sanctimonialium virginum vel viduarum*, recogidas en
un único título en C. 9.13.1: *Imperator Justinianus . Raptores virginum hones-*
*tarum vel ingenuarum, sive iam desponsatae fuerint sive non, vel quarumlibet*
*viduarum feminarum, licet libertinae vel servae alienae sint, pessima criminum*
*peccantes capitis supplicio plectendos decernimus, et maxime si deo fuerint vir-*
*gines vel viduae dedicatae ( quod non solum ad iniuriam hominum, sed ad ipsius*
*omnipotentis dei inreverentiam committitur, maxime cum virginitas vel castitas*
*corrupta restitui non potest): et merito mortis damnantur supplicio, cum nec*
*ab homicidii crimine huiusmodi raptores sint vacui*; ahora la reglamentación
justinianea no diferencia entre el rapto de una mujer consagrada y una que no lo
esté, fusionando el tratamiento jurídico, y estableciendo la condena a muerte del
captor de vírgenes o viudas, así como para los cómplices de tal nefando delito;

promulgada el 12 de las calendas de junio del año 563, relativa a las mujeres raptadas que contraen matrimonio con sus raptores, *de raptis mulieribus et quae raptoribus nubunt*. Bien es cierto que en este caso el objetivo legal difiere de los anteriores en que la condena del ilícito persigue a la mujer, no al hombre que la rapta, o al proxeneta, o al juez que no actúa debidamente, o al encubridor.

Aquí no se aprecia la protección del sujeto vulnerable de forma directa, sino que la persecución como acto ilícito de la consecución del matrimonio entre una mujer raptada[502], y su raptor parece ser motivo de condena femenina, pero sin embargo esconde un ámbito de protección mucho más real de lo que a primera vista se pueda apreciar.

En una pretendida lección moralizante, el emperador legislador recrimina la conducta de la raptada que mancilla su honor mediante la unión matrimonial con su raptor, penalizándola[503], con la imposi-

---

y con respecto al rapto de una mujer casada, R. GONZÁLEZ FERNÁNDEZ, *Las estructuras ideológicas del Código de Justiniano*, cit., p. 255: "El crimen se ve aumentado en el caso de que la raptada estuviese casada, *nuptae mulieres*, pues al crimen del rapto se une el del adulterio. Aunque la pena de muerte es el castigo real y efectivo para los raptores y los que le ayudan a cometer el delito, la segunda parte de la pena que se refiere a la proscripción de los bienes de los raptores varía según la condición de la persona raptada, es decir, si las raptadas son vírgenes consagradas, los bienes del raptor pasan a la iglesia de donde dependiese la raptada, igualmente si fuese ingenua los bienes pasarían a ser de su propiedad, mientras que si son esclavas o libertas los castigados no sufrirían ninguna disminución de sus bienes", añadiendo que los esclavos que ayuden al raptor serán condenados a morir quemados.

[502]  J. BEAUCAMP, *Le statut de la femme à Byzance I. Le droit imperial*, cit., p. 117: "La Novelle ne mentionne ni les patrons ni les maitres. Cela est logique: L'objet principal du texte est le sort des biens du ravisseur, si la femme enlevée l'épouse, et le ravisseur ne perd ses biens que si la femme est ingénue; il s'ensuit que la Novelle n'envisage pas le cas de l'affranchie ou de l'esclave victimes d'un rapt", dejando claro el objetivo de sancionar la conducta de la mujer *ingenua*, nacida libre, que contrae matrimonio con su captor, sin referirse para nada a la condición de esclavas o libertas víctimas de secuestro.

[503]  F. SITZIA, *Aspetti della legislazione criminale nelle novelle di Giustiniano: Il problema della giustificazione della pena*, en *Novella Constitutio. Studies in honour of Nicolaas van der Wal*, Groningen, 1990, pp. 217-218, señala que del texto de esta Novela: "Sembra, infatti, emergere una visione del fenomeno giuridico che assegna alla norma una funzione retributiva dei comportamenti umani attraverso la previsione di un effetto giuridico favorevole in caso di comportamento positivo (diritto premiale), la previsione di una pena in caso di comportamento

bilidad de reivindicar para sí misma los bienes de su captor[504], puesto que no puede premiar la conducta vergonzosa ni el consentimiento sumamente reprobable al contraer nupcias con el hombre que la raptó[505]. Sin embargo, cree factible la reivindicación por parte de los

---

negativo (dirito penale)"; el emperador Justiniano creía que una concepción del castigo destinada a advertir a la comunidad de que no cometa delitos era más funcional para la reorganización de la administración imperial, con el fin de mantener el orden dentro del imperio, como señala R. BONINI, *Alcune considerazioni sulla funzione della pena nelle Novelle giustinianee*, en *Il problema della pena criminale tra filosofia greca e diritto romano. Atti del deuxième colloque de philosophie pénale (Cagliari, 20-22 aprile 1989)*, O. Diliberto (ed.), Nápoles, 1993, pp. 397 ss.

[504]    Esta posibilidad de reivindicar el dominio de los bienes del raptor, prevista como *premium* en C. 9.13.1.1e-1g, sí concreta el estatus de la mujer a la hora de establecer la atribución de bienes ante la grave ofensa recibida, especificando que si eran esclavas o libertas las que sufrieron el rapto, los raptores serían castigados solamente con la susodicha pena, no debiendo sufrir ninguna disminución sus bienes. Pero si se perpetrase el delito en mujer *ingenua*, nacida libre, se deberían transferir los bienes muebles o inmuebles o semovientes de los raptores y de los que le hubieran ayudado, al dominio de las mujeres libres raptadas, si bien en caso de que contrajesen matrimonio, siempre con un hombre diferente del captor, tales bienes irían en la dote: *1e. Et si quidem ancillae vel libertinae sint quae rapinam passae sunt, raptores tantummodo supra dicta poena plectentur, substantiis eorum nullam deminutionem passuris.1f . Sin autem in ingenuam personam tale facinus perpetretur, etiam omnes res mobiles seu immobiles et se moventes tam raptorum quam etiam eorum, qui eis auxilium praebuerint, ad dominium raptarum mulierum liberarum transferantur providentia iudicum et cura parentum earum vel maritorum vel tutorum seu curatorum.1g . Et si non nuptae mulieres alii cuilibet praeter raptorem legitime coniungentur, in dotem liberarum mulierum easdem res vel quantas ex his voluerint procedere, sive maritum nolentes accipere in sua pudicitia remanere voluerint, pleno dominio eis sancimus applicari, nemine iudice vel alia quacumque persona haec audente contemnere.*

[505]    En el contenido de la Novela 143, se aprecia el asombro de Justiniano con respecto a la actitud de algunos que intentan decir, en contra de la prohibición del matrimonio entre una mujer raptada y su captor, que la mujer, voluntariamente o no, que haya contraído matrimonio con su captor contra lo establecido en la constitución, deba tener derecho a los bienes del raptor, o como premio de la ley, o en virtud de testamento, añadiendo el emperador que los que se atrevieron a decir tales cosas no entendieron el alcance de la ley, que en absoluto permite el matrimonio entre una mujer raptada y su captor, y el premio deriva precisamente de la afrenta recibida, que no se corresponde con una unión matrimonial entre ellos: *Praefatio. Legis interpretationem culmini tantum principali competere nemini venit in dubium, cum promulgandae quoque legis auctoritatem fortunae sibi vindicat eminentia. Meminimus itaque pro raptu mulierum, sive*

ascendientes de la mujer raptada, siempre y cuando no se pruebe que

---

*iam desponsatae fuerint vel maritis coniunctae sive non vel etiam si viduae sint, legem ante posuisse, et capitis subiecisse supplicio non tantum raptores, verum comites etiam eorum nec non alios qui eis auxilium tempore invasionis contulisse noscuntur, et non tantum parentibus mulierum, verum consanguineis etiam et tutoribus et curatoribus in huiusmodi dedisse per eandem legem vindictam, et praesertim poenis locum dedisse, si iam nuptae vel desponsatae mulieres rapiantur, cum non solum raptus mulieris, verum adulterium etiam per huiusmodi temeritatem committitur. Et super alias poenas raptoris etiam nec non aliorum qui cum eo fuerint patrimonium raptae mulieri vindicari per eandem legem praecepimus, ut dotis etiam marito dandae legitimo copia per raptoris ei ministraretur substantiam. Illo quoque specialiter adiecto, ut nulla sit mulieri vel virgini raptae licentia raptoris eligere matrimonium, sed cui parentes voluerint excepto raptore legitimo matrimonio copulari, nullo modo nullo tempore licentia mulieri raptas permissa raptoris se coniungere matrimonio: sed parentes etiam, si tali consenserint matrimonio, deportari praecepimus. Sed mirati sumus, quod conati sunt aliqui dicere raptam mulierum sive volentem sive nolentem, etsi raptoris amplexa sit matrimonium contra nostrae constitutionis tenorem, debere tamen raptoris eam habere substantiam vel quasi legis praemium vel ex testamento forte, si hoc etiam factum esse contigerit. Qui enim talia dicere praesumpserunt, praedictae legis seriem intellegere non potuerunt. Qui enim tale stare matrimonium, etsi rapta voluerit, prohibuimus et ob hoc parentes raptae mulieris deportationis subiecimus poenae, si huiusmodi consenserint matrimonio, quomodo raptas mulieres raptorum eligentes conubium praemiis honorassemus raptae datis mulieri? Superfluam igitur eorum dubitationem vel in posterum resecantes priorem legem per praesentem interpretari censuimus.*
*CAPUT I. Sancimus itaque, si rapta mulier, cuiuscumque sit condicionis vel aetatis, raptoris nuptias eligendas esse censuerit, harentibus praesertim non consentientibus, nec ex beneficio legis nec ex testamento raptoris hereditatem accipere vel quocumque modo substantiam vindicare, sed praemium quod per legem nostram raptae mulieri datum est, ut raptoris et eorum qui auxilium ei tempore invasionis praebuerint substantiam vindicet, hoc ad parentes, si ambo vel unus supersit, qui nuptiis specialiter non probantur consensisse, ex tempore raptus ipso iure transferri, et patrimonium raptoris non iam raptam habere mulierem quae coniugio se raptoris inquinare non piguit, Sed in personas transferri quas superius nominavimus eius non consentientes coniugio. Nam nefarios huiusmodi coitus poenis corrigi, non praemiis competit honorari. Quodsi parentes iam decesserunt vel huiusmodi sceleri consenserunt, substantia raptoris nec non aliorum qui facinoris fuerunt participes fisci uiribus vindicetur. Quam interpretationem non in futuris tantummodo casibus, verum in praeteritis etiam valere sancimus, tamquam si nostra lex ab initio cum interpretatione tali promulgata fuisset, Areobinde pater karissime atque amantissime. Epilogus Quae igitur per hanc legem nostra statuit aeternitas, celsitudo tua effectui mancipari observarique praecipiat.*

consintieron las nupcias, puesto que en caso de haber accedido al matrimonio los bienes accederían al fisco, así como los de los cómplices en la comisión de tan nefando delito.

Estamos ya en una etapa de edad avanzada del emperador Justiniano, en la que ya no vive Teodora, pero sin embargo sigue aleccionando en los principios necesarios ligados a la moral cristiana y la necesidad de un comportamiento irreprochable, que tiene siempre en cuenta a la mujer, pero que en caso de una conducta contraria al derecho y a la moral condena sus actos de forma objetiva como salvaguarda de sus derechos[506].

En realidad, la pena impuesta a la mujer raptada, que contrae matrimonio con su captor incide en la nulidad del blanqueamiento de un delito contra la libertad sexual de la mujer, dejando clara su condena y repulsa de la acción cometida, aun cuando la mujer se resigne o acepte de buen grado la unión marital con el autor del ilícito.

Esta pena perpetua e irreversible con respecto a la adquisición de los bienes del raptor, protege al resto del colectivo femenino, que no verá ningún premio posterior a una unión desde el principio inmoral e ilegal, sino una condena irrefutable a su comportamiento inmoral. Justiniano defiende así no solo la moral, sino la seguridad jurídica personal de las mujeres, que se verán protegidas incluso de la posibilidad de que sus propios ascendientes permitan el rapto para obtener pingües beneficios patrimoniales posteriores, puesto que el Basileo condenará sin ambages la anuencia de los ascendientes femeninos para procurar tan execrable unión matrimonial, procediendo con su deportación en caso de consentir tales nefandas nupcias.

Con todo, el paternalismo subyacente en esta norma justinianea bien pudiera no ser en absoluto protectora de la mujer, sino dirigida a la preservación de la moral exigida y de las buenas costumbres femeninas, por lo que suponer un favoritismo legislativo protofeminista

---

[506] J. BEAUCAMP, *Le statut de la femme à Byzance I. Le droit imperial*, cit., p. 120, señala que en realidad, el motivo fundamental es proteger el atentado contra la moral femenina, imprescindible de acuerdo con los estándares de la sociedad bizantina y sobre todo con la moral cristiana imperante en la época de Justiniano. El emperador no tiene un interés predispuesto a favorecer legislativamente a las mujeres, sino que su deseo se concentra en la moralidad exigible, siempre como una espada de Damocles en el sentir femenino.

resulta ciertamente exagerado. Bien es cierto que nuestro propósito se reduce a la exposición de las disposiciones legislativas del emperador Justiniano que parezcan favorecer la posición de las mujeres en una sociedad eminentemente patriarcal, como eco de las sugerencias ofrecidas por Teodora en favor de las mujeres, pero abstraer de la persecución de conductas ilícitas masculinas la protección sin ambages del colectivo de mujeres del imperio bizantino nos parece excesivo. Justiniano era un defensor de la fe, un cristiano ortodoxo convencido, un católico de posiciones férreas e inamovibles en su confesión, por lo que la defensa de ciertos derechos atinentes a las mujeres bien podría ser resultado de una *pietas* religiosa, de una misericordia acorde con su credo, sin que interviniese para nada su unión matrimonial con Teodora.

### 3.5.7. Novela 134.

Por último, nos ha parecido conveniente traer a colación la Novela 134, promulgada el día de las calendas de mayo del año 556, promulgada tiempo después de la muerte de la emperatriz, ya que completa el cuadro de las innovaciones justinianeas, en el capítulo 10 relativas al adulterio, permitiendo al marido acusador el acoger de nuevo a la mujer adúltera, si bien con un plazo legal exigido de dos años entre la condena y la reunión convivencial de ambos cónyuges, y con una connotación sumamente negativa, al condenar a la mujer adúltera al monasterio, pena de la que solo se podrá redimir si la acepta de nuevo el marido. En caso contrario, o si el marido fallece antes de haber transcurrido el plazo exigido, se le cortaba el pelo y recibía el hábito monástico obligatoriamente para toda la vida[507]:

---

[507] F. GORIA, *Studi sul matrimonio dell'adultera nel diritto giustinianeo e bizantino*, cit., p. 41: "Questa particolare norma poteva essere dettata semplicemente dal desiderio di garantire più sicuramente che la donna non sarebbe mai uscita dal monastero; essa ad ogni modo aveva un altro importante effetto in campo matrimoniale. Se anche, infatti, l'adultera fosse riuscita a sfuggire alla clausura e a ritornare nel mondo, l'obbligo di castità asunto al momento della tonsura", añadiendo que el tomar el hábito monacal implicaba en sí mismo la promesa de virginidad, aunque no se hiciera un voto expreso.

*Nov*.134.10.1: *Adulteram vero mulierem competentibus vulneribus subactam in monasterio mitti. Et si quidem intra biennium recipere eam vir suus voluerit, potestatem ei damus hoc facere et copulari ei, nullum periculum ex hoc metuens, nullatenus propter ea quae in medio tempore facta sunt nuptias laedi. Si vero praedictum tempus transient, aut vir prius quam recipiat mulierem moriatur, tondi eam et monachicum habitum accipere, et habitare in ipso monasterio in omni propriae vitae tempore*[508].

Quizás en vida de Teodora no se hubiese producido ese confinamiento vital de la adúltera, pero si recordamos el episodio relatado por Procopio con respecto al confinamiento obligatorio de las prostitutas en un monasterio, bien pudiera ser el remedio legal estatuido por Justiniano editando un símil jurídico en memoria de su esposa ya fallecida.

## 3.5.8. Epílogo.

Una vez realizada la exégesis textual de estas densas prescripciones legales, no podemos afirmar la autoría de Teodora, ni siquiera de forma secundaria o invisibilizada, en la legislación justinianea atinente al universo femenino en exclusión. Su participación no puede ser confirmada de forma categórica de ninguna manera[509], pero tampoco

---

[508]   En *Nov*.134.10.2 se concreta lo relativo a la disposición de los bienes de la adúltera recluida en el monasterio, estimando que si la mujer tuviera descendientes, reciban dos partes de los bienes, divididos de acuerdo con las leyes vigentes, debiendo ser atribuida la tercera parte restante al monasterio en el que esté confinada. Si no tuviera ni ascendientes ni descendientes, o sus ascendientes hubiesen consentido en su ilícito comportamiento, el monasterio recibirá todos los bienes de la mujer.

[509]   Muy ilustrativo al respecto resulta la reseña efectuada por A. GUARINO, *Pagine di Diritto Romano*, 2, Nápoles, 1993, p. 459, sobre una biografía acerca de Teodora realizada por una autora (Huguette de Lancker, Teodora, París, 1968), deseosa de exaltar el feminismo de la emperatriz, hasta el punto de convertir su análisis en una mezcla de personajes masculinos, como Justiniano y Belisario, representados como hombres de escasas habilidades y capacidades, mientras que las protagonistas femeninas, aun siendo pervertidas y perversas, desprenden inteligencia y vivacidad. Con una ironía que despeja cualquier duda sobre Teodora, Guarino afirma: "In più vi è Teodora, è ovvio: una Teodora-dovunque, che il manto della basilissa trasforma da vivace prostituta in austera e lungimirante

subliminalmente, por cuanto el emperador hizo suyos todos los propósitos legisladores relativos a la mujer.

Con todo, no podemos descartar algún tipo de influencia de la emperatriz en Justiniano[510], y podríamos explicar la preterición de la acción jurídica en positivo por parte de Teodora de la siguiente manera: El soberano bizantino, conociendo de primera mano las enormes dificultades que tuvo que sortear para conseguir la rehabilitación del pasado del su esposa, no quiso exponerla de nuevo ante la opinión pública y el recelo social estricto de la corte bizantina y de los compiladores, recordando al publicitar su labor en favor de las mujeres sometidas a la explotación sexual, su propia condición de actriz identificable con las prostitutas, una vez superado ese trance por mor de la legislación permisiva de su antecesor Justino.

Por ello, podría haber convenido con la ahora augusta emperatriz la aceptación de sus sugerencias legislativas protectoras y rehabilitadoras del colectivo de mujeres más desfavorecidas, pero pretiriendo su participación directa para evitar que el recuerdo del pasado de Teodora sirviese a sus enemigos para procurar su descrédito moral.

A mayor abundamiento, no sólo sería escrutado su pasado sino su presente, y su autoridad frente a Justiniano podría deslegitimar la magna obra compiladora, puesto que la sociedad bizantina jamás admitiría el protagonismo legislador femenino, y descreditaría el *corpus* normativo diseñado por el emperador.

Solo de este modo podemos entender la preterición de la real consorte realizada en las leyes directamente relacionadas con la mujer en

---

imperatrice, ispiratrice arcana (manco a dirlo) anche del *Corpus iuris civilis*: (« dobbiamo a lei senza dubbio gli emendamenti apportati a favore del femminismo »: p. 70), ma che (*ivi*) « saggiamente... lascia all'imperatore il beneficio e la gloria di aver concepito il Codice civile» (sic)", dejando clara su opinión acerca de la pretendida influencia de Teodora en la magna obra justinianea, del todo inexistente..

510  L. GARLAND, *Byzantine Empresses: Women and Power in Byzantium AD 527-1204*, cit., p. 15: "It has frequently been supposed that because of her past Theodora must have influenced Justinian's social legislation in its concern with improving the status of women. As a general rule, it should not be automatically assumed that  Justinian's legislation to ameliorate the status of women was undertaken under the influence of Theodora, and it has to be seen in the context of his reforming legislation as a whole".

la codificación justinianea. Sabemos que rozamos el ámbito de la especulación, y precisamente porque nos resistimos a creer en la indiferencia de Teodora frente a las normas relativas a la mujer planteamos estas hipótesis, aun siendo conocedores de que estas probabilidades aducidas no constituyen ninguna prueba fehaciente de la intervención de la emperatriz en la legislación femenina bizantina.

Por otro lado, si observamos las fechas de promulgación de las diferentes disposiciones legislativas en favor de las mujeres como colectivo vulnerable, no las leyes generales dirigidas a matronas respetables de un estatus elevado en la pirámide jerárquica social bizantina, podemos comprobar como la producción legislativa más prolífica se corresponde con la época vital de Teodora, así como un descenso sustancial en la promulgación de nuevas leyes imperiales en cuanto se produce el óbito de la emperatriz, pero seguimos en el entorno de un discurso favorecedor a priori de la influencia de Teodora en la legislación justinianea, por cuanto el luto por el fallecimiento de su esposa pudo sumir a Justiniano en una época de abatimiento, desolación que se tradujese en esa inacción legislativa.

Si el dolor por la pérdida de su real y leal cónyuge hubiese condicionado aflictivamente el ánimo del soberano legislador hasta el punto de abstraerlo durante largo tiempo de su hercúlea labor legal nunca lo sabremos, por falta de fuentes al respecto, pero sí podemos acreditar por las fechas de las diferentes disposiciones legislativas su carestía legislativa a partir del episodio letal de la inolvidable emperatriz[511].

La prueba indiciaria o indirecta, que permite dar por acreditados unos hechos sobre los que no existe una prueba directa, pero que a partir de la comprobación de otros hechos relacionados con los que se pretende probar, cabe deducir razonadamente la certeza de éstos últimos, resulta aplicable en un proceso penal, para evitar la indefensión social y la impunidad, pero en el caso que nos ocupa no podemos

---

[511]  J. E. SPRUIT, *L'influence de Théodora sur la législation de Justinien*, cit., pp. 402-403: "Dans sa législation aussi, Justinien perd, après la mort de Théodora, l'ardeur avec laquelle, pendant la décennie qui a suivi la codification, il a promulgué des dizaines de constitutions réformatrices et novatrices", afirmando que después de la desaparición de Teodora se aprecia claramente un período de sequía legislativa que de acuerdo con las fechas de las diferentes Novelas, concordaría con el luto posterior al fallecimiento de la emperatriz.

tenerlo en consideración por muchas paráfrasis legales que queramos implementar.

Todos los indicios, por muy poderosos que parezcan, no pueden constituir por sí mismos la prueba definitiva que respalde la presencia poderosa e impulsiva de Teodora en la legislación femenina propedéutica promulgada por el emperador, y esa debe ser nuestra postura al respecto. Los augurios pasados no son útiles, y la información de la que disponemos no nos permite deducir más que la presencia enérgica y leal de Teodora al lado de su cónyuge, el perenne legislador, y aventurar las posibles sugerencias de la emperatriz en materia femenina que pudiera acoger Justiniano por considerarlo positivo para sus súbditos, y por ende, para el imperio bizantino.

A mayor abundamiento, Teodora era una mujer bizantina conocedora de las costumbres de su tiempo, reconvertida en ejemplo de superación femenina, que debía mostrar en cada instante su fortaleza inamovible, así como su honorabilidad intachable frente a los súbditos del Imperio. La mujer bizantina, supeditada al hombre a pesar de los avances desde la legislación romana más arcaica en materia femenina[512], no podía aspirar a una equivalencia social ni legal con el hombre, y esa quimera no se la planteó jamás la emperatriz.

Su lealtad hacia la figura de su esposo, su admiración por su legado jurídico, su respeto por el espacio que le otorgaba el Basileo en la corte bizantina, otorgándole una independencia que no era propia de las mujeres del reino, y menos aún de las de peor condición, y su inteligencia y sagacidad, seguro que hicieron de ella una soberana prudente que no debió interferir en los proyectos codificadores del emperador Justiniano, absorto en una tarea compiladora que presumía de resultado memorable.

---

[512] Vid. al respecto, M.J. BRAVO BOSCH, *Mujeres y símbolos en la Roma republicana. Análisis jurídico-histórico de Lucrecia y Cornelia*, Madrid, 2017, *passim*, en donde analizamos, entre otras cuestiones, desde el *consilium domesticum*, tribunal familiar en el que el *paterfamilias* podía juzgar a las mujeres, con las consecuencias letales si su comportamiento había sido deshonroso para su familia, a la tutela femenina, derivada de la *imbecillitas sexus* propia del género femenino por su ligereza de espíritu, o la protección del pudor mediante el *edictum de adtemptata pudicitia* que protegía a las mujeres siempre que su comportamiento pudoroso las hiciera dignas de tal protección pretoria.

Por ello, y a pesar de nuestros desvelos en favor de una Teodora presente en el planteamiento legislativo *ad futurum* relativo a las mujeres, fueran vulnerables o no, libres o esclavas, casadas o viudas, solteras o vírgenes, actrices o matronas, prostitutas o respetables, independientemente de su singular condición, las mujeres no obtuvieron el reconocimiento jurídico innovador justinianeo por mor de la intervención de la emperatriz, sino porque era debido en aquel momento de acuerdo con el proyecto integral de restauración normativa que deseó el insomne legislador.

# 4. SEMBLANZAS.

## 4.1. PROCOPIO.

Resulta necesario, a los efectos de un conocimiento integral de la vida de Teodora, una breve semblanza de los personajes históricos más relacionados, directa o indirectamente, con la emperatriz. Y si queremos un cuadro representativo de las personalidades más relevantes del entorno de nuestra protagonista, no podemos obviar la obligada presencia de Procopio de Cesarea.

Su infame descripción de la inolvidable consorte de Justiniano no nos puede obcecar hasta la pretermisión de su obligada presencia, puesto que su trayectoria como historiador gozó siempre de una renombrada reputación[513], excepción hecha de la *Historia Secreta*. Por ello hubo dudas, entre la doctrina, cuando apareció la obra en la biblioteca Vaticana en 1623[514], con respecto a la autoría de dicho libelo difamatorio, puesto que el prestigio de Procopio como historiador[515],

---

[513] A. CAMERON, *Procopius*, cit., p. ix, declara en la introducción: "Procopius of Caesarea has always enjoyed a lively reputation. He was recognised immediately as a major historian. Rediscovered after the eclipse of letters in the seventh and eighth centuries, he was a main source for Theophanes' Chronicle. In modern times he has been known since the fifteenth century, and he provided the basis for the favourable view of Justinian held by the early modern jurists".

[514] A. KALDELLIS, *Identifying Dissident Circles in Sixth-Century Byzantium: The Friendship of Prokopios and Joannes Lydos*, en *Florilegium* 21, 2004, p. 2: "The Secret History was found in the Vatican Library in 1623", añadiendo que ha estado en el centro de todas las discusiones en torno a Justiniano desde entonces.

[515] Procopio, *Historia de las Guerras, Libros I-II. Guerra persa*, cit., p. 17, en donde F.A. GARCÍA ROMERO, traductor y autor de la introducción y notas, refiere el prestigio del escritor: "Procopio ha sido considerado por sus continuadores, y en particular por los historiadores bizantinos, un modelo de estilo ático. Y, del mismo modo, gracias a su prestigio se convirtió en fuente primordial también para los cronistas y para los historiadores de la Iglesia. En efecto, a Procopio lo citan, a menudo con innegable admiración, Evagrio, Agatías, Teofilacto Simocata, Simeón Metafrastes, Constantino Porfirogeneta, Focio, Suda, Zonaras, Jorge Cedreno o Nicéforo Calisto, entre otros".

fuente principal de las guerras y el reinado de Justiniano, no parecía
corresponderse con el tono denigratorio utilizado a lo largo de la sátira despiadada contra la pareja imperial[516].

Las evidencias de su vida y carrera profesional, así como de su trayectoria como escritor, son limitadas, y proceden en su mayoría de sus
propias obras. Sabemos que era nativo de Cesarea, Palestina[517], una ciudad costera famosa por su Biblioteca, núcleo del apogeo intelectual presente desde el siglo IV, y aunque las evidencias no demuestren el mismo
ambiente erudito en el siglo VI, Procopio debió tener acceso a la sabia
y docta tradición[518], puesto que de sus obras se deduce una profunda
educación retórica en griego, probablemente su lengua natal, presente
en su estilo clasicista como fiel reflejo de sus modelos clásicos[519].

Por su origen se ha llegado a decir que era judío[520], y aunque
en el contexto de la composición social de Cesarea no resulta una

---

[516] J. HAURY, *Zur Beurteilung des Geschichtschreibers Procopius von Caesarea*,
Munich, 1896, fue el que estableció la uniformidad de estilo que se puede apreciar entre la *Historia de las Guerras*, la *Historia Secreta* y *los Edificios*, en una
edición crítica que atribuyó la autoría de la *Historia Secreta* a Procopio; J. B.
BURY, que había negado previamente que Procopio fuese el autor de dicha obra,
a priori tan distinta y distante de la célebre crónica procopiana conocida, cambió de parecer después de la edición crítica de Haury, estimando como cierta la
atribución del libelo sobre Teodora y Justiniano a la pluma de Procopio.

[517] Procopio, *Historia de las Guerras, Libros I-II. Guerra persa*, cit., 1.1.1, p. 33:
"Procopio de Cesarea puso por escrito las guerras que Justiniano, el emperador
de los romanos, llevo a cabo contra los barbaros de Oriente y Occidente"; *Historia Secreta*, cit., 11.25, p. 221: "Cuantos vivían en Cesarea, mi ciudad natal, y
en las demás ciudades...".

[518] J. B. BURY, *The History of the Later Roman Empire. From the Death of Theodosius I to the Death of Justinian*, cit., p. 419: "His writings attest that Procopius
had received an excellent literary education. There is nothing which would lead
us to suppose that he had studied either at Athens or at Alexandria, and it seems
most probable that he owed his attainments to the professors of the university of
Constantinople".

[519] Cfr. J. SIGNES CODOÑER, en la traducción realizada a la obra de Procopio,
*Historia Secreta*, cit., p. 10.

[520] F. DAHN, *Prokopius von Cäsarea*, Berlín, 1865, p. 193; K. ADSHEAD, *Procopius and the Samaritans*, en *The Sixth Century: End or Beginning?*, Allen, Jeffreys (eds.), Brisbane, 1996, pp. 35-41; su teoría fue rebatida claramente por R.
PUMMER, *Early Christian Authors on Samaritans and Samaritanism*, Tubinga,
2002, pp. 291-4; G. GREATREX, *Perceptions of Procopius in Recent Scholarship*, en *Histos* 8, 2014, p. 79, resalta, para rebatir este origen de Procopio, como

sugerencia tan descabellada como pudiese parecer, no podemos confirmar que sea cierto, ya que lo más probable es que procediera de una familia de la élite ciudadana[521], perteneciente a la comunidad cristiana de Cesarea[522], si bien no se desprende de su obra connotación

---

el cronista palestino critica ferozmente a los samaritanos, cuando por ejemplo se refiere al 'repugnante' Arsenio en *Historia secreta*, 26.6, si bien que denoste a un samaritano no creemos que incida en que compartan o no el mismo credo.

[521] A. CAMERON, *Procopius*, cit., p. 6: "The name is common enough, and little can be deduced from it; of Procopius' family we know nothing, but that he came of the landowning provincial upper classes is likely from the political attitudes manifested especially in the *Secret History,* where one of the main themes is that of the exhaustion of this class by the fiscal and other demands of the government"; en p. 7, añade que Procopio no era un historiador filosófico, ya que su crítica iba directamente dirigida contra personalidades concretas y políticas determinadas, no sobre principios generales, escribiendo siempre de acuerdo con los valores de la clase alta a la que él pertenecía: "Indeed the kind of history he wrote—secular, classicising history, concentrating on the military and political events of his own day and of which he often had personal experience, could only be written by one of his class, and it was natural that it should be revived in his generation, during which that class was under fatal pressure from a strong centralised government and after which its end was sealed along with that of the late antique cities which it supported. It is no accident that the histories of Procopius' successors, from Agathias to Theophylact Simocatta under Heraclius, increasingly show the breakdown of the old demarcation lines and the effective end of classicising history for many generations".

[522] La doctrina ha debatido mucho sobre las creencias de Procopio, ya que de acuerdo con sus escritos, su cristianismo sería nominal, distante, propio de un escéptico observador del cristianismo pero racional y librepensador; vid. al respecto, W. TEUFFEL, *Procopius, Studien u. Charakteristiken z. griech.- u. rdm. sowie z. deutschen Literaturgeschichte i*, Leipzig, 1871, pp. 222 ss., en donde declara que como escéptico, era indiferente a la religión positiva. F. DAHN, *Prokopius von Caesarea*, cit., p. 59, reconoce las opiniones religiosas de Procopio como de un "absoluter Skeptizismus"; W. G. HOLMES, *The Age of Justinian and Theodora*, cit., p. 745: "In religion he was a freethinker, believing in a Providence which, however had not become concrete in the form of any personal being in his mind"; G. DOWNEY, *Paganism and Christianity in Procopius*, en *Church History*, 18, 1949, pp. 89 ss., enfatiza los signos del cristianismo ortodoxo en Procopio, y comparando su actitud con respecto a la historia y la disposición de San Agustín, concluye en p. 102 que "Procopius may well have been a Christian of the independent and skeptical sort which seems to have existed, apparently tolerated, or at least not seriously molested, by the orthodox believers"; O. VEH, *Zur Geschichtsschreibung u. Weltauffassung des Prokop von Caesarea, II. Teil, Wiss. Beilage z. Jahresbericht 1951/2 des Gymnasiums Christian-Ernestinum Bayreuth*, 1952, p. 28, afirma que el intelecto crítico de Procopio le impidió

alguna que lo identifique claramente en un credo religioso. Tal vez, para evitar la crítica posterior derivada de su fe concreta, eligió escribir sin adscripción religiosa alguna, para sentirse objetivamente libre a la hora de reflejar la sociedad, la política, el imperio, así como los distintos personajes analizados a lo largo de toda su obra.

A mayor abundamiento, las alusiones realizadas con respecto a Teodora y a Justiniano en la *Historia Secreta*, y su probable fingida apuesta por una convicción religiosa, monofisita en el caso de Teodora y cristianismo ortodoxo en relación con Justiniano, para poder así conciliar, o mejor dicho, atenuar los conflictos persistentes en materia religiosa a lo largo del reinado de Justiniano, debieron incidir en la prudencia de Procopio a la hora de identificarse con una de las doctrinas teológicas vigentes en su época, estrategia sin duda inteligente para procurar la lectura sin ningún sesgo previo que pudiera decidir la primera impresión del futuro lector.

En su itinerario educativo se cuenta que estudió para jurista[523], aunque la falta de concreción impida comprobar su formación jurídica, pero es evidente que el cargo de consejero jurídico[524], *consilia-*

---

abrazar de todo corazón el cristianismo, y B. RUBIN, *Prokopius,* en *PWRE* 23.1,1957, col. 332, afirma que Procopio era un cristiano nominal, un librepensador cuyos herederos directos serían los agnósticos modernos.

[523]   J. HAURY, *Zur Beurteilung des Geschichtschreibers Procopius von Caesarea,* cit., p. 20, afirma que no era en absoluto jurista, pero le contradice J. B. BURY, *The History of the Later Roman Empire. From the Death of Theodosius I to the Death of Justinian,* cit., p. 419: "He was trained to be a jurist"; en la misma dirección, A. CAMERON, *Procopius,* cit., p. 6: "The legal training which Procopius evidently had was a common entry for sons of such families into the administration".

[524]   D. 1.22. *De officio adsessorum,* refiere el cargo de asesor, explicando en D. 1.22.1, *Paulus libro singulari de officio adsessorum,* que dentro de sus atribuciones lo ejercen los estudiosos del derecho, y consiste en lo siguiente: en conocimientos, peticiones, libelos, edictos, decretos y cartas: *Omne officium adsessoris, quo iuris studiosi partibus suis funguntur, in his fere causis constat: in cognitionibus postulationibus libellis edictis decretis epistulis;* en D. 1.22.2 se aclara que los libertos pueden asesorar, pero sin embargo los infames, aunque por las leyes no se les prohíba asesorar, Marciano opina que no deberían poder desempeñar el cargo de asesor; en D. 1.22.5, Paulo, *libro I Sententiarum,* utiliza la palabra *Consiliario,* declarando que no se le permite, durante el tiempo que asesora, abogar ante su propia audiencia, aunque no se le prohíbe ante la de otro; C. 1.51.14. *Imperator Justinianus . Nemo ex his, qui advocati causarum constituti sunt vel fuerint et in*

*rius*[525], al que accedió en el año 527, al servicio del general Belisario[526], implica una cierta formación en el *ius*[527], sin la cual no hubiese tenido las opciones de acceder a un nombramiento de tanta responsabilidad. Tampoco se conoce a ciencia cierta si el propio Belisario solicitó sus servicios, aunque lo más probable es que se limitase a confirmar el nombramiento de Procopio, puesto que los que accedían a los puestos de *consiliarii* eran miembros de la administración imperial, y por lo tanto su nombramiento le correspondía al emperador.

Con motivo de su carrera Procopio estará algunos años en Oriente, en la guerra contra los persas que dirigía el inolvidable genio militar

---

*hac regia urbe in quocumque iudicio deputati et in aliis omnibus provinciis nostro subiectis imperio, audeat in uno eodemque tempore tam advocatione uti quam consiliarii cuiuscumque magistratus, quibus res publica gerenda committitur, curam adripere, cum sat abundeque sufficit vel per advocationem causis perfectissime patrocinari vel adsessoris officio fungi, ne, cum in utrumque festinet, neutrum bene peragat: sed sive advocatus esse maluerit, hoc cum debita sollertia implere possit , vel si adsessionem elegerit, in ea videlicet permaneat, ita tamen, ut post consiliarii sollicitudinem depositam liceat ei ad munus advocationis reverti.*

[525]    A. BERGER, *Encyclopedic Dictionary of Roman Law*, 43, 2, Filadelfia, 1953, re-impr. 1991, s.v. *Adsessores*: "Legal advisers who assisted magistrates and judges in judicial activity. They belonged to the *consilium*, hence their name *consiliarii*. In the later classical period their activity was very extensive... Under the later Empire each oficial had at least one *adsessor*. The *adsessores* were appointed by the government with a salary"; Procopio, *Historia de las Guerras, Libros I-II. Guerra persa*, cit., 1.1.3: "Además el autor sabía bien que estaba más capacitado que nadie para escribir sobre esto, y no por ninguna otra razón sino porque, al haber sido nombrado consejero del general Belisario, le tocó estar presente en casi todos los hechos"; y en la misma obra, 12.24: "Por esta razón, el emperador destituyó de su cargo a Libelario y puso a Belisario al mando de los reclutas con destino en Daras. Fue también entonces cuando se nombró consejero suyo a Procopio, el que escribió esta historia".

[526]    G. GREATREX, *Perceptions of Procopius in Recent Scholarship*, cit., p. 77: "No new information has come to light that alters the standard account of the historian's life: born at Caesarea, Palestine, ca. 500, educated in the traditional literary fashion and then trained in law, he became the assessor or legal adviser of Belisarius probably in the mid-520s".

[527]    *The Oxford Handbook of Roman Law and Society*, P. J. du Plessis. C. Ando, K. Tuori (eds.), Oxford, 2016, p. 170, plantea el hecho de que un asesor legal no tenía por qué ser equivalente a un jurista tal y como reconocemos dicha profesión en la actualidad, ya que aunque tendrían seguramente algún tipo de formación legal, en realidad ayudaban a sus superiores en la preparación de juicios, o de negocios jurídicos diversos, sin que ello suponga la condición específica de jurista.

Belisario[528], comenzando su obra narrativa sobre los conflictos bélicos de aquellos tiempos, con prolijidad y certeza que da cuenta de su
presencia como espectador, obligado por su cargo, a presenciar los
sucesos de la guerra Persa.

En el año 531 regresa a Constantinopla, y en la revuelta de Niká del
532 parece que se encontraba entre los miembros de la corte recluidos
en el palacio imperial, en aquellos momentos de gran incertidumbre
y desasosiego ante la sedición de los ciudadanos de Constantinopla
miembros del partido de los Verdes y los Azules que intentaron el
derrocamiento de Justiniano, ante los cuales Teodora pronunció un
discurso memorable en el que con su magnífico temple convenció a
Justiniano de la necesidad de mantenerse firmes, seguir en el trono, y
conservar la púrpura imperial, a decir de ella misma, la mejor y única
mortaja posible.

En la *Historia de las Guerras*[529] que relata la campaña del año 533
contra los vándalos africanos, Procopio forma parte de la expedición

---

[528]   El general Belisario fue un militar bizantino ejemplar, el más renombrado de
        la historia del imperio bizantino, con un inusitado código de honor y lealtad
        al emperador Justiniano, y protagonista de la expansión del imperio en el me-
        diterráneo occidental, que con su programa militar '*recuperatio imperii*' logró
        reconquistar una buena parte del imperio romano de Occidente, desaparecido
        en el año 476; vid. al respecto: P. STANHOPE, *The Life of Belisarius*, Londres,
        1848; P. S. GRANT, *The search of Belisarius. A Byzantine legend*, Nueva York,
        1907; G. DOWNEY, *Belisarius: Young general of Byzantium*, Nueva York, 1960;
        A. BRIDGE, *Theodora. Portrait in a Byzantine Landscape*, cit., pp. 47-48: "Be-
        lisarius, an even more talented soldier than Sittas, played a much greater part
        in Theodora's affairs as the years went by. He was astonishingly young at this
        time, being not much older tan Theodora herself, but despite his youth he had
        gratly distinguished himself on active service against the Persians, the fact that
        Justinian had already picked him out for preferment is a proof of the older man's
        shrewdness and judgment. Belisarius had been born in a village near the city of
        Adrianople, and thus like his friend Sittas he too was a native of Thrace...As a
        young man he had all the atributes of a popular idol; he was tall, handsome, and
        dashing, 'the very epitome of a cavalry officer', as someone has said, and he was
        lucky enough to be endowed by nature an almost unerring instinct for making
        the right military move at the right moment"; R. BOSS, *Justinian's Wars: Beli-
        sarius, Narses and the Reconquest of the West*, Montvert, 1993; FI. HUGHES,
        *Belisarius. The Last Roman General*, Barnsley, 2014;
[529]   Procopio, *Historia de las Guerras. Libros III-IV. Guerra Vándala*, cit., 3.12.3-5,
        pp. 138-139, después de comentar que se hicieron a la mar el general Belisario
        y su esposa Antonina, comenta su propia presencia en la campaña bélica: "De

comandada por Belisario, confirmando su posición como asesor al decir que formó parte de la campaña como *páredros* de Belisario, término griego equivalente al de *adsessor*[530], o consejero jurídico que asesoraba en materias propias del derecho. De este modo, Procopio, como *adsessor*, *consiliarius*, era el responsable del asesoramiento legal que brindaba a sus superiores, en este caso el general Belisario, quién, por regla general, actuaría en consecuencia.

Seguramente, además, Belisario delegaría en Procopio gran parte de su trabajo, por lo menos el relativo a sus deberes legales, administrativos y judiciales, ya que es sabido que estos cargos se volvieron bastante independientes, actuando a menudo por encima de su competencia, lo que condujo a numerosos episodios de corrupción y deshonestidad que causaron un descontento generalizado, resuelto por Justiniano al advertir que la práctica común de estos asesores de presentar sus decisiones solo para la firma de sus superiores, sin explicar convenientemente el contenido de las mismas, debería transformarse

---

esta forma, pues, se hicieron a la mar el general Belisario y su esposa Antonina. Los acompañaba también Procopio, el autor de esta obra, que anteriormente había estado muy atemorizado ante el peligro, pero que, más tarde, tuvo una visión en sueños que le hizo tomar confianza para decidirse a participar en la expedición. En el sueño, efectivamente, le había parecido que se encontraba en la casa de Belisario y que uno de los sirvientes de éste había entrado para anunciar que llegaban unos hombres portando regalos; Belisario le ordenó que averiguase qué clase de regalos eran ésos y el criado, tras salir al patio, vio a unos hombres que llevaban sobre sus espaldas tierra cubierta de flores. Seguidamente, Belisario le mandó que hiciese entrar en la casa a los hombres esos y que depositasen la tierra que llevaban en el pórtico, lugar a donde entonces llegó Belisario junto con los oficiales de su guardia personal y posteriormente se reclinó sobre la tierra aquella y se comió las flores, ordenando a los demás hacer exactamente lo mismo; a estos últimos, mientras estaban recostados comiendo igual que sobre un lecho, la comida les pareció extraordinariamente agradable. Tal fue, pues, la visión que Procopio tuvo en sueños".

[530] A-H. CHROUST, *Legal Profession in Ancient Imperial Rome*, en *Notre Dame Law Review*, 30, 4, 1955, p. 595, explica que del mismo modo que los jurisconsultos ofrecían una asistencia técnica al *iudex* republicano, el oficial judicial imperial también necesitaba apoyo legal, "but by now this assistance was supplied by a regular staff of salaried legal experts called *adsessores*, *consiliarii* or *comites*. "Assessors" could already be found during the Principate, but during the Dominate their number became considerably larger and their functions became vastly more significant. Originally, like the jurisconsult of old, the *adsessor* was simply an advisory (and often a voluntary) member of the magistrate's staff or *consilium*".

en resoluciones firmadas por ellos mismos y con el sello de su propia autoridad, a fin de asumir su propia responsabilidad personal.

Después de permanecer otra temporada en Italia, entre los años 536 y 540, Procopio regresa a Constantinopla sin duda alguna en el año 542, puesto que como testigo directo de la peste justinianea refiere las terrible consecuencias de esta plaga[531], que llegó a padecer el propio emperador Justiniano[532].

La caída en desgracia de Belisario ese mismo año es detallada en la *Historia Secreta*[533], en donde además de dirigir una invectiva vitrióli-

---

[531]   Procopio, *Historia de las Guerras, Libros I-II. Guerra persa*, cit., 2.22.9-10, p. 261: "Al segundo año, a mediados de la primavera, llegó a Bizancio, donde casualmente estaba yo residiendo en aquel entonces. Y ocurrió de la siguiente manera. Muchos vieron unas apariciones fantasmales con forma de seres humanos de diverso aspecto y todos los que se las encontraban creían que eran golpeados por ese hombre que les salía al paso en cualquier punto de su cuerpo. Y, nada más haber visto la aparición, al momento eran atacados por la enfermedad"; y en 2.22.15-18, p. 262: "Les acometía de la siguiente manera. Repentinamente les daba fiebre, a unos cuando acababan de despertarse, a otros mientras estaban paseando y a otros en medio de cualquier otra actividad. Y el cuerpo ni cambiaba de color ni estaba caliente, como cuando ataca la fiebre, ni tampoco se producía ninguna inflamación, sino que la fiebre era tan tenue desde que comenzaba hasta el atardecer que ni a los propios enfermos ni al médico al tocarlos le daba a impresión de que hubiera ningún peligro. Y, en efecto, ninguno de los que habían contraído el mal creyó que fuera a morir de eso. Pero a unos en el mismo día, a otros al siguiente y a otros no mucho después le salía un tumor inguinal35, no sólo en esa parte del cuerpo que está bajo el abdomen y que se llama ingle, sino también en la axila; y a algunos incluso junto a la oreja y en diversos puntos del muslo"

[532]   *Ibid. id.,* 2. 23.20, p. 269: En resumen, era totalmente imposible ver a nadie en Bizancio vestido de clámide, en especial cuando vino ya a enfermar el emperador (pues también a él le salió un tumor en la ingle), y en la ciudad que tenía el poder sobre todo el imperio romano, todos permanecían tranquilamente en casa cubiertos con mantos en calidad de simples particulares"; vid. un estudio detallado en M. J. BRAVO BOSCH, *La peste en Constantinopla,* cit., pp. 518-549, señalando en p. 538 que Justiniano: "Tenía 59 años cuando la peste asoló su reino y sufrió el letal contagio".

[533]   Procopio, *Historia secreta,* cit., 4.1-13, pp. 167-169: "Ocurrió que el propio emperador Justiniano enfermó gravemente, de forma que se decía incluso que había muerto. La fama, difundiendo este rumor, lo llevó hasta el campamento de los romanos. Allí algunos de los comandantes decían que si los romanos les imponían como emperador en Bizancio a otra persona como Justiniano, que nunca regresarían. Poco después, como el emperador se hallase convaleciente,

ca contra la emperatriz Teodora, según Procopio culpable de la deposición del insigne general mediante mentiras convincentes aceptadas por su marido el emperador, que conduce al descrédito y la destitución fulminante de quién había conseguido los mayores triunfos bélicos

---

sucedió que los comandantes del ejército romano empezaron a calumniarse unos a otros. Pedro el general y Juan, al que daban el sobrenombre de «El Tragón», aseguraron que habían oído a Belisario y a Buzes decir justamente lo que acabo de reseñar. La emperatriz Teodora, llena de ira, los acusó de haber dicho estas cosas contra ella. Convocando pues enseguida a todos a Bizancio, después de hacer unas pesquisas sobre este rumor, hizo de repente traer a Buzes al gineceo, como si fuese a comunicarle un asunto de gran transcendencia. Había unas cámaras subterráneas en Palacio, muy resguardadas y laberínticas, semejantes al Tártaro, en donde en muchas ocasiones mantenía encerrados a los que la habían agraviado. Así pues Buzes fue conducido a este báratro, donde el, que era un hombre de ascendencia consular, permaneció sin saber en ningún momento en que hora se hallaba, pues sentado en la oscuridad no le era posible distinguir si era de noche o de día, ni podía tratar con ninguna otra persona, ya que el hombre que precisamente le arrojaba cada día la comida le trataba como una fiera a otra fiera, como un mudo a otro mudo. Todos empezaron enseguida a creer que había muerto, pero nadie se atrevía a mencionarlo o recordarlo. Dos años y cuatro meses después Teodora sintió compasión de él y lo dejó libre. Todos lo miraron como si hubiese resucitado. Este hombre tuvo siempre desde entonces una vista débil y un cuerpo enfermizo. A este punto llegaron pues las cosas en lo que se refiere a Buzes. Respecto a Belisario, aunque no se le pudo probar ninguna de las acusaciones, el emperador le quitó el mando que tenía a instancias de la emperatriz y designo en su lugar a Martino como general de Oriente"; Belisario, después de ser depuesto por el emperador a instancias de Teodora, fue repuesto posteriormente, en 4.40-41, como comandante y enviado a Italia por segunda vez, comprometiéndose a costear los preparativos de la guerra con sus propios recursos. Todos pensaban que era una estratagema para, tan pronto pudiese salir de Bizancio, tomar las armas y alzarse contra Justiniano, pero no sucedió nada de lo previsto, lo que parece desilusionó gravemente a sus seguidores y al propio Procopio; al respecto, J. SIGNES CODOÑER, en la traducción realizada a la obra de Procopio, *Historia Secreta*, cit., p. 34, señala que aunque se ha pensado que la admiración profesada hacia Belisario "se debía a su esperanza de que el general con sus victorias resultase una alternativa sólida a Jusitniano", cree que fueron motivaciones de tipo personal las que pudieron influir más notablemente en el ánimo de Procopio, como refleja en la *Historia Secreta*: " Se describe a Belisario como una especie de pelele sometido en todo a la voluntad de su mujer e incapaz de hacer frente al emperador. No menor papel en el alejamiento respecto a Belisario pudo desempeñar la propia ambición personal de Procopio que vio como su antaño protecto era relegado de sus cargos en el año 542 por Teodora cuando se creía que Justiniano, enfermo de la peste, estaba próximo a morir, y se temía una conspiración del general".

para mayor gloria de Justiniano, describe en un tono sumamente crítico la actitud derrotada y sumisa del general al que antes profesaba una admiración sin igual, pero que, ante su rendición personal ante el ruin soberano bizantino, le suscita sentimientos de desapego, distanciamiento y profunda decepción.

Queremos dejar constancia de nuestro profunda admiración por las campañas militares llevadas a cabo por el magnífico general bizantino, cuya descripción en la obra procopiana no se corresponde con una vida de entrega y sacrificios personales para el restablecimiento del imperio romano en su totalidad con las operaciones castrenses de reconquista de territorios antaño pertenecientes a la *pars occidentalis*, por lo que, al margen de otras consideraciones, debemos transmitir la idea de que fue el mejor militar conocido de la historia del mundo bizantino[534].

---

[534] P. STANHOPE, *The Life of Belisarius*, cit., p. 20, afirma que Justiniano solo pudo brillar en sus campañas militares gracias al talento prestado de Belisario, no por el suyo propio, añadiendo en p. 24: "The character of Theodora formed a singular contrast to that of Justinian; and it will be seen, in the sequel, how severely Belisarius suffered from the stern passions of the one and yielding weakness of the other", en referencia al sufrimiento padecido por Belisario como consecuencia de las severas pasiones de Teodora y la debilidad del emperador; A. BROGNA, *The Generalship of Belisarius*, tesis presentada en la Facultad de las *U.S. Army Command and General Staff College*, para poder optar al título de *Master of Military Art and Science*, presentada en Fort Leavenworth, Kansas, 1995, p. 91, expresa su admiración por el genio militar del célebre Belisario, planteando sus estrategias como relevantes para la guerra moderna: "The purpose of this paper has been to discover the 'modus operandi' or common threads that ran through all of Belisarius' victories and the relevance to modern warfare. In the preface of this paper, a framework was outlined that would guide the analysis of Belisarius' modus operandi. Included in that framework is the evaluation of genius, the employment of resources, and techniques applied on the battlefield. Clausewitz defines military genius as the balance of intelligence and character, tempered by self control. Belisarius' exemplary character has been clearly demonstrated. First, his personal courage in the face danger verges on the superhuman. His personal charge into the Goths as they approached Rome, done in an effort to save a handful of his soldiers, clearly shows a disregard for his own life for the greater good of his army"; en la misma dirección discurre la obra de R. GRAVES, *El conde Belisario*, trad. esp., Barcelona, reimpr. 2006, quién ya en la introducción a su novela, en la que reconoce haber utilizado en todo momento equivalencias históricas, y muy poca ficción, destaca de Belisario en p. 11: "He aquí un general romano cuyas victorias no son menos romanas, ni

# Alrededor del año 550[535], Procopio compone su libelo devastador

sus principios estratégicos menos clásicos, que los de Julio César. Sin embargo, el ejército ha cambiado hasta volverse casi irreconocible, pues la vieja legión de infantería ha desaparecido al fin, y Belisario (uno de los últimos romanos a quienes se dignó con la dignidad de cónsul y el último a quién se honró con un triunfo) es un comandante cristiano de caballeros con cota de malla, casi todos de origen bárbaro, cuyas proezas individuales rivalizan con las de los héroes del rey Arturo".

[535] La datación posible aceptada mayoritariamente por la doctrina estriba entre los años 550 y 551 d.C.; vid. al respecto, J. HAURY, *Procopiana*, Augsburg, 1891; B. RUBIN, *Prokopios von Kaisareia*, Stuttgart, 1954, (= *Prokopius*, en *PWRE* 23. I., cit., col. 300); A. CAMERON, *Procopius and the sixth century*, cit., p. 53, en donde da cuenta de que las referencias de datación que parecen apuntar al año 550 d.C., no implican que toda la obra hubiera sido escrita en aquel momento, ya que lo más normal sería suponer que a medida que la actitud de Procopio cambiaba al escribir la parte final de la *Historia de las Guerras*, especialmente la VII, su obra *Historia Secreta* iría tomando forma con los sucesivos apuntes críticos que evidentemente no eran publicables por el momento, e incluso más: "But even if the Theodora section was written in 550 too it would have been composed while the memory of the empress was still very strong, and perhaps to counter the eulogies which must have been pouring out. Impossible to think that Procopius or others would still be interested in this sort of thing as late as 560"; G. GREATREX, *The dates of Procopius' Works*, en *BMGS* 18, 1994, pp. 101-114; J.A.S. EVANS, *The dates of Procopius' works: a recapitulation of the evidence*, en *GRBS* 37, 1996, pp. 301-313; J. SIGNES CODOÑER, *Prokops Anecdota und Justinians Nachfolge*, en *JÖB* 53, 2003, pp. 47-82; A. KALDELLIS, *The date and structure of Prokopios' Secret History and his projected work on Church History*, en *GRBS* 49, 2009, pp. 585-616; B. CROKE, *Procopius' Secret History: rethinking the date*, en *GRBS* 45, 2005, p. 405 hace un resumen sobre las opciones de datación posible planteadas por la doctrina: "This polarity of opinion is driven by a simple dichotomy of interpretation. When Procopius says Justinian has already been emperor for 32 years at the time of writing the Secret History (24.29), from what point is the count reckoned? From the accession of his uncle Justin I in 518, as argued by the proponents of the 550/1 date, or from his own elevation as Augustus in 527 as argued by the proponents of the 558/9 date?"; es decir, que como Procopio cuenta que Justiniano ya ha sido emperador durante 32 años hasta que él escribe la *Historia Secreta*, la disyuntiva doctrinal se centra en saber la fecha desde la que debemos contar el reinado, si desde la accesión al trono de Justino I en el 518, que daría la fecha del 550/551, o la del propio Justiniano en el 527, que otorgaría certeza a la fecha del 558/559, como postula el propio Croke. En defensa de su tesis, trae a colación como "The first serious students of Procopius tended to date the Secret History to 558/9" a F. DAHN, *Prokopius von Cäsarea*, cit., 485, J. A. S. EVANS, *The Dates of the Anecdota and the De Aedificiis of Procopius*, en *CP* 64, 1969, pp. 29-30, y *The Secret History and the Art of Procopius*, en *Prudentia* 7, 1975, pp. 105-109,

conocido como *Historia Secreta*, pocos años después de la muerte de Teodora, aprovechando que su memoria estaba todavía reciente y con la intención de contrarrestar los halagos orales y escritos que comenzaban a transmitirse insistentemente, moldeando el concepto acerca de la emperatriz, y con la intención de depurar la información concerniente al reino de su insigne cónyuge, el emperador Justiniano, con un impacto directo en la moderna recepción de la biografía dúplice a partir del descubrimiento del manuscrito demoledor.

El retrato misógino que realiza Procopio sobre Teodora, tiene que tener una motivación concreta, porque no resulta creíble que el relato depravado de la emperatriz, tanto física, como síquica e incluso espiritualmente, pueda estar originado única y exclusivamente en la consideración misérrima de la condición primigenia de Teodora en el imaginario del autor palestino. Si bien es cierto que la dudosa reputación de la primera juventud de la soberana bizantina pudo servir a Procopio de introducción demoledora de la imagen femenina imperial, por resultarle repulsivo su comportamiento, como cristiano de clase acomodada en una sociedad patriarcal, no es suficiente para sostener la invectiva continua, denigrante, e injuriosa que dirige el cronista a la emperatriz.

Parte de la doctrina se ha mostrado a favor del carácter conspiratorio de la *Historia Secreta*, convirtiéndola en la herramienta propagandística que alentaba a una rebelión contra Justiniano[536]. Con todo, es difícil sostener esta tesis confabuladora si pensamos en la propia declaración de Procopio en el proemio[537], a favor de la publicación de

---

concluyendo que Procopio no nombra para nada a Justino y sí refiere claramente los años de reinado de Justiniano, al margen de que algunos episodios de la *Historia secreta* se pueden datar con posterioridad a los años 550/551 que dan como fecha probable varios autores.

[536] B. RUBIN, *Prokopios von Kaisareia*, cit., col. 352-353, refiere que el escrito de Procopio induce claramente a actuar, pudiendo observarse en esta obra el apoyo intelectual a una oposición reducida pero ofensiva, cuyo objetivo final era eliminar a Justiniano como revolucionario peligroso, y regresar a la política anterior conservadora de Anastasio.

[537] Procopio, *Historia Secreta*, cit., proemio, 2-5, pp. 143-145: "La razón de ello es que no era sin duda posible consignar esos sucesos del modo en que debe hacerse cuando todavía estaban vivos sus actores. No era en efecto posible, ni pasar inadvertido al gran número de espías, ni ser descubierto sin padecer una muerte miserable, pues ni siquiera podía confiarme a los familiares más próximos, antes

su obra en cuanto se produjese el deceso del emperador, conocedor de las consecuencias de una conjura contra el titular del trono imperial, como sucedió con los protagonistas de la rebelión de Niká.

Nosotros creemos, sin embargo, en virtud de la relación entablada por Procopio con Belisario, y el conocimiento como asesor del mismo de los requerimientos continuos de Justiniano con respecto a las campañas de conquista, en ocasiones poniendo al general y a sus tropas en situaciones de extrema peligrosidad y carestía, que el fundamento del odio procopiano a la memoria de Teodora procede de la única intención verdadera de su libelo, que no era otra que desacreditar al emperador Justiniano[538], utilizando para ello la figura de su fallecida regia consorte.

---

bien me vi obligado a ocultar las causas de muchos de los acontecimientos mencionados en los libros precedentes. Será por lo tanto preciso que en este punto de mi obra revele lo que hasta el momento se había silenciado así como las causas de lo que he expuesto previamente. Pero ahora que me encamino a otra empresa, en cierto modo ardua y terriblemente difícil de superar, la de las vidas de Justiniano y Teodora, resulta que me encuentro temblando y me echo atrás en buena medida cuando considero que esto que habré de escribir en este momento pueda parecer increíble o inverosímil a las futuras generaciones; especialmente, cuando el tiempo, en su largo flujo, haya avejentado mi relato, temo cosechar la reputación de un mitógrafo y ser incluido entre los poetas trágicos. No voy a acobardarme ante las dimensiones de mi tarea, pues confío sin duda en que mi libro no va a carecer del apoyo de testigos. Pues los hombres de hoy, al ser los más capacitados testigos de los sucesos, transmitirán fidedignamente a los tiempos venideros la credibilidad que éstos les merecen".

[538] L. BRUBAKER, *The Age of Justinian, Gender and Society*, en *The Cambridge Companion to the Age of Justinian*, cit., p. 442, afirma que el autor bizantino utiliza el ataque a Teodora como vía para desprestigiar y vilipendiar a su marido, el emperador Justiniano; de la misma opinión, I. LASALA NAVARRO, *Imagen pública y política de la emperatriz Teodora. Un estudio a partir de la obra de Procopio de Cesarea*, en *Gerión* 31, 2013, p. 365, reitera la utilización de Teodora por parte de Procopio para denigrar al emperador: "De este modo, la exposición pública de las acciones reprobables de Teodora –incluyendo el relato de los supuestos escándalos sexuales protagonizados en su juventud– no tendría tanto el objetivo de mostrar a las generaciones futuras lo que no debería hacerse, como el de desprestigiar al emperador gobernante. En este caso, la utilización de Teodora para injuriar a su marido implicaría que ésta habría ocupado una cierta posición de relevancia en la corte y en el Imperio. Y es que de haber sido una mera emperatriz consorte sin un papel activo en la política del Imperio, sin duda Procopio no la habría utilizado para denigrar a Justiniano y a la casa imperial. De lo anterior se desprende…la importancia de lo femenino en la creación de

En realidad, el aprovechamiento indirecto de la imagen de Teodora, ya desaparecida, para el desdoro del *Basileus* insigne y supérstite, permitía al cronista la escritura de su manifiesto, en apariencia ácido e incisivo hasta resultar humillante y vejatorio hacia una mujer, con la anuencia de una sociedad permisiva en los insultos femeninos, más cuando el pudor requerido había sido sistemáticamente preterido en su primer itinerario vital, y aprovechando la coyuntura dirigía en realidad su aversión manifiesta hacia el emperador Justiniano[539], quien al deponer a Belisario habría truncado la carrera administrativa, seguramente en claro ascenso, del resentido Procopio[540].

Su hostilidad manifiesta e incontenida hacia la emperatriz[541], no se corresponde con la descripción anterior de Procopio sobre la emperatriz en el episodio de la revuelta de Niká[542], cuando la considera la

---

la imagen de la casa imperial durante el reinado de Justiniano. Una imagen que podía ser difamada tanto por la acción del elemento masculino, el emperador, como por el elemento femenino, su esposa, en caso de tener ésta importancia en la vida pública. Por supuesto, la emperatriz ocuparía una posición más o menos relevante según el carácter personal de aquella que co-ostentase la púrpura en cada momento pero, en el caso de Teodora, la utilización de sus actuaciones como definitorias de la vileza del emperador y de lo que éste representaba, implica que habría ostentado una importante imagen pública".

[539] J. E. SPRUIT, *L'influence de Théodora sur la législation de Justinien*, cit., p. 393: "Le basileus nous est présenté comme un intrigant sans scrupules en qui s'incarnent tous les vices du genre humain, comme un menteur effronté qui, dans une vie vouée au meurtre et à la rapine... Quant à Théodora, ce n'est qu'une parvenue, tirée du ruisseau, pervertie dès ses jeunes années, une hérétique qui a réussi à surpasser son conjoint par sa cupidité et son comportement tyrannique".

[540] A. BRIDGE, *Theodora. Portrait in a Byzantine Landscape*, cit., p. 20, dice de Procopio que era "sick and unbalanced".

[541] A. CAMERON, *Procopius and the sixth century*, cit., p. 70: "The empress appears as a vindictive monster...", p. 81: "Deeply suspicious of women, especially if they have acquired power, Procopius was hostile to Theodora from the beginning"; p. 82. "Even in his physical description of Theodora, Procopius is hostile".

[542] R. BONINI, *Introduzione allo studio dell'età giustinianea*, Bolonia, 1978, p. 11: "Di solito si richiama, a favore dell'influenza di Teodora, la grande fermezza mostrata dall'imperatrice durante i momenti più drammatici della rivolta *Nika* del 532: di fronte alla decisione dello stesso Giustiniano e dei suoi maggiori collaboratori di abbandonare il palazzo imperiale e Costantinopoli, Teodora si sarebbe infatti appassionatamente pronunciata per una resistenza ad oltranza, affermando che per un imperatore nessun sepolcro è più degno del suo trono".

artífice de la salvación del reino para Justiniano, cuando Teodora lo convence de la necesidad de sofocar la rebelión, y en caso de perder la contienda, tener la púrpura imperial como la mejor mortaja posible, discurso considerado como el que efectivamente influyó en la decisión de repeler la rebelión por parte del emperador. Dicha contradicción demuestra una biografía inconsistente, deleznable, execrable e injuriosa en lo que respecta a Teodora, que a lo largo de nuestro estudio hemos procurado evidenciar en los distintos episodios que denigran la memoria de la inolvidable emperatriz.

Seguramente, la posición de poder que ocupaba Teodora haya hecho sentirse incómodo a Procopio, preocupado por la usurpación femenina de los roles masculinos tradicionales presentes en la pirámide social bizantina. Para un hombre formado en una jerarquía administrativa masculina, con las vivencias combinadas de su presencia privilegiada en los conflictos bélicos, en los que no participaba como combatiente pero sin duda era un espectador admirado de las hazañas de las tropas al mando de Belisario, el modelo de matrona respetable, pudorosa, sumisa y misericordiosa, de pasado intachable si se trataba de la real consorte del emperador[543], se resquebrajaba ante la poderosa e independiente presencia de Teodora, que se convirtió así en la víctima propicia de la insidiosa dicción de Procopio, como prototipo femenino ambicioso e inmoral[544], con un deseo incontrolable de subvertir los roles femeninos tradicionales bizantinos.

No tenemos duda alguna con respecto a la altura intelectual de Procopio, pero su libelo oscuro, denigrante, lamentable y mezquino, a mayor abundamiento utilizando a la consorte imperial como excusa

---

[543]   F. SALVADOR VENTURA, *Teodora*, en *Grecia y Roma III: mujeres reales y ficticias*, Andrés Pociña Pérez, Jesús María García González (eds.), Granada, 2009, p. 499: "En la actitud difamatoria sobre la persona de la emperatriz el historiador bizantino dirige su mirada hacia el pasado, donde encuentra un amplio filón para profundizar en aspectos poco recomendables en el que debería ser el patrón canónico de una soberana, marcado por un cúmulo de virtudes y, cuando menos, por la belleza y la virginidad".

[544]   B. RUBIN, *Das Zeitalter Justinians*, cit., p. 103, incide en la diferente concepción de la moralidad entre dos generaciones y clases sociales diferentes, que sin duda contribuiría al severo juicio de Procopio sobre Teodora: "Vielleicht hat der moralische Niveauunterschied zweier Zeitalter und zweier Gesellschaftsschichten zu den strengen Urteilen Prokops beigetragen".

para su desahogo personal contra Justiniano, seguramente como consecuencia de sus frustraciones profesionales, eviscerando la imagen de Teodora como icono de la cultura femenina bizantina, nos proyectan una figura del cronista palestino capitisdisminuida, que se alimenta en el rencor y la animadversión[545], cuya falta de objetividad hace de su *Historia Secreta* un panfleto devaluado, inconsistente y mendaz.

## 4.2. ANTONINA.

Es uno de los personajes más sorprendentes del entorno de la emperatriz Teodora. De orígenes humildes, como descendiente de aurigas de Bizancio e hija de una actriz de teatro, contrajo legítimo matrimonio con Belisario, consiguiendo un ascenso social impensable, hecho excepcional que, unido a su amistad de juventud con Teodora[546], la convirtió en objeto de desprecio explicitado en la *Historia Secreta* de Procopio.

Su amistad e interdependencia con la emperatriz[547], pronto se hizo famosa, pero más por los supuestos desvaríos cometidos en

---

[545] A. BRIDGE, *Theodora. Portrait in a Byzantine Landscape*, cit., p. 19, afirma que Procopio odiaba a Teodora de forma neurótica y obsesiva, en relación con sus problemas sicológicos: "Every line of his narrative reveals the hatred with which he wrote it as well as the fact that he himself was very obviously not without his psychological problems".

[546] L. GARLAND, *Byzantine Empresses: Women and Power in Byzantium AD 527-1204*, cit., p. 12, al hablar de Teodora, refiere su antigua amistad con Antonina: " In her early career, she was the friend of Antonina, whose background matched her own. This friendship continued during their later lives".

[547] A. BRIDGE, *Theodora. Portrait in a Byzantine Landscape*, cit., p. 100, destaca el complejo carácter de Teodora, así como su feminismo, siempre en difícil equilibrio con sus principios y su forma de hacer política, prevaleciendo uno u otro dependiendo de la ocasión, aunque en su relación con Antonina pareciese combinar todos los aspectos de su difícil personalidad, quizás compadecida por su historia similar: "Since their relationship was destined to be of great moment in Theodora's life, it is important to understand why these two women became so close and dependent upon one another. Antonina, like Theodora herself, had been born in the Hippodrome, had endure the same sort of poverty during her childhood as the daughtes of Acacius the bear-keeper, and like them had led an early life of easy and uncertain virtue".

complaciente y abrumadora complicidad[548], además de por sus costumbres y planes depravados, que por lo que hubiera sido mayormente aceptado socialmente, un comportamiento intachable como ejemplo de conversión ejemplar renegando de su vida anterior.

De este modo, de acuerdo con Procopio[549], Antonina continuó con
sus intrigas y maquinaciones perversas, propias de la condición femenina[550], aún después de su matrimonio con el irremplazable militar
Belisario, mientras que la emperatriz estaba confinada en la restringi-
da vida ceremonial de Palacio.

Es cierto que Teodora no es objeto de reproche alguno después
de su matrimonio con Justiniano en cuestiones de indecencia o

---

[548] Vid. al respecto, J. A. S. EVANS, *The Power Game in Byzantium: Antonina and the Empress Theodora*, Londres, 2011, *passim*.

[549] De nuevo contradictorio en sus afirmaciones, por cuanto la descripción de Antonina contenida en la *Historia de las Guerras*, es favorable por lo general, en
contraste con la extrema presentación negativa que hace de ella en la *Historia
Secreta*, como por ejemplo se aprecia en su obra *Historia de las Guerras. Libros
III-IV. Guerra Vándala*, cit., 3. 13.23-24, pp. 145-146: "Y al haberse demorado
ellos, como se ha dicho, en el transcurso de esta travesía, sucedió que se les echó
a perder el agua, excepto la que el propio Belisario y sus compañeros de mesa
tenían todavía para beber. Ésta fue la única que se salvó, gracias a la esposa de
Belisario, y he aquí cómo lo consiguió. Tras llenar de agua unas ánforas de cristal
y construir una pequeña habitación con tablas de madera en la bodega de la nave
donde era imposible que penetrara el sol, enterró allí en arena las ánforas y de esta forma el agua permaneció intacta. Tal fue, en definitiva, el desarrollo de estos
acontecimientos"; *Historia de las Guerras, V-VI. Guerra Gótica*, cit., 5.18.43, p.
158, en el papel de amante esposa: "Por fin, cuando era ya una hora avanzada de
la noche, a Belisario, que estaba todavía en ayunas, lo obligaron con dificultad su
mujer y cuantos de sus amigos estaban presentes a que probara apenas un trozo
muy pequeño de pan"; *Historia de las Guerras, V-VI. Guerra Gótica*, cit., 6.19-
20, p. 243: "Por lo que respecta a Procopio, cuando hubo llegado a Campania,
reunió allí a un número no inferior a quinientos soldados y, tras cargar los barcos
con una considerable cantidad de grano, los mantuvo preparados. No mucho
tiempo después se reunió con él Antonina, que inmediatamente colaboró con él
en los preparativos de la flota", una alusión favorable además con la presencia
de Procopio en dicho acto.

[550] A. CAMERON, *Procopius*, cit., p. 71: "The techniques which Antonina and
Theodora use are the techniques of women: intrigue, sex, manipulation. But of
the two, it is Antonina who is actually the most active according to Procopius.
Her life allowed her even to go on campaign with her husband, and there exercise male functions, even the control of troops...".

inmoralidad, mientras que el comportamiento adúltero de Antonina es destacado como escandaloso en la crónica procopiana:

"Había en la casa de Belisario un joven de Tracia de nombre Teodosio, cuyos padres eran de la fe de los llamados eunomianos. A éste lo salvó Belisario en la pila divina cuando se disponía a zarpar, y alzándole de ella con sus propias manos lo hizo su hijo adoptivo junto con su mujer, tal como es ley entre los cristianos para las adopciones. Desde entonces Antonina amaba a Teodosio, como es lógico, como hijo suyo que era por obra de la palabra sagrada y se preocupaba de él más que de nada, manteniéndolo siempre a su lado. Poco después durante esta travesía se sintió dominada por un violento amor hacia él, de forma que al verse desbordada por su pasión se liberó de todo pudor y respeto por las leyes divinas y humanas para unirse a él, al principio en lugares apartados, para luego acabar haciéndolo en presencia de sus esclavos y doncellas, pues al estar arrebatada por el amor que sentía, no se fijaba ya en nada que le impidiese cometer tal acción. Una vez incluso, Belisario, después de haberlos sorprendido a ambos en Cartago en flagrante delito, se dejó engañar de grado por su mujer"[551].

---

[551] Procopio, *Historia Secreta*, cit., 1.15-18, pp. 149-150. La concupiscencia de Antonina es continuamente puesta en evidencia por el cronista palestino, que en este caso concreto añade a su indecencia el engaño del que hace objeto a su propio marido, Belisario, puesto que cuando los sorprende en flagrante adulterio, recurre a la argucia de que están ocultando el botín obtenido del tesoro de los reyes vándalos, que había obtenido el general en Cartago en el 533, para ocultarlo a los ojos de la avaricia de Justiniano; vid. con respecto a este episodio, H. EVERT-KAPPESOWA, *Antonine et Belisaire*, en *Byzantinische Beitrage*, Berlín, 1964, J. Irmscher (ed.), pp. 63 ss. en donde plantea la posibilidad de que Teodosio fuera el cómplice de Belisario en la consecución de dicho botín, trayendo a colación *Historia Secreta*, cit., 2.14, p. 156 en donde Belisario conviene con el hijo de Antonina fruto de un matrimonio anterior, Focio, que vaya a Éfeso cuando se marche Teodosio, a fin de apoderarse del dinero sin mayor complicación; a mayor abundamiento, la conducta licenciosa de Antonina llega a una puntillosa descripción, en el afán de reducir a cenizas el decoro de Antonina, reduciéndola a una vil meretriz que debe ser totalmente rechazada y postergada, en *Historia Secreta*, cit., 1.20-22, pp. 150-151: "Antonina, pues, dijo estas palabras como excusa, mientras que Belisario, aparentando darle crédito, se retiró, aunque había visto como Teodosio había aflojado el cinturón que le ceñía las calzas en torno a sus vergüenzas. Forzado por el amor que sentía hacia su mujer, pretendió que le había engañado por completo lo que habían visto sus propios ojos. Entonces,

La abyecta e ignominiosa vida de la íntima amiga de Teodora fue seguramente destacada por Procopio con la intención de incidir en el ánimo de los lectores, que no podrían aceptar una conducta tan escandalosa y al margen del orden tradicionalmente establecido, cuya condena moral impuesta a Antonina equivaldría a la misma reprobación con respecto a la infame emperatriz, que permitía a mujeres tan despreciables gozar de su regia protección y amistad[552].

A mayor abundamiento, Procopio añadirá en su imaginaria y elucubrante descripción otras acciones propias de una asesina sin remordimientos[553], con la intención de provocar el rechazo inmediato de la vida licenciosa de Antonina[554], con una vida tan desordenada que incluso llevaría a su propio hijo Focio a denunciar las inmoralidades

---

mientras la impudicia de Antonina no dejaba de crecer cada día hasta llegar a excesos inenarrables y los demás se mantenían callados al observar sus acciones, una esclava de nombre Macedonia, apremiando con solemnes juramentos a su señor Belisario en Siracusa, cuando éste gobernaba en Sicilia, para que no la abandonase nunca a merced de su dueña, le reveló toda la historia, presentando como testigos a dos jóvenes esclavos a los que se confiaba el servicio del dormitorio".

[552]  Sin embargo, D. POTTER, *Theodora: Actress, Empress, Saint,* cit., p. 202, reivindica la extraordinaria figura de Teodora por cuanto tuvo que luchar desde su más tierna infancia para abrirse camino, rehabilitar su vida con una conversión física y espiritual, y cuando adquirió el poder imperial, no se olvidó de su familia y amigas, a las que protegió durante toda su vida, destacando la actitud maravillosa de Teodora, cuyo ejemplo de máxima protección y consejo sería precisamente Antonina ante sus excesos.

[553]  Procopio, *Historia Secreta,* cit., 1.27, p. 152, desvela que Antonina convenció a su marido de que las acusaciones de Macedonia y los otros esclavos con respecto a su adulterio eran falsas, consiguiendo que le entregase a los delatores. A continuación, "Ella después de cortarle a todos la lengua, según cuentan, los hizo despedazar en pequeños trozos y, metiéndolos en sacos, los arrojó al mar sin la menor vacilación".

[554]  R. BROWNING, *Justinian and Theodora,* cit., p. 44, después de explicar como curiosidad que Antonina era considerablemente mayor en edad que Belisario, aunque no existan fuentes que permitan precisar cual era exactamente la diferencia de edad entre ellos, afirma: "She was a close friend of Theodora's, and like the empress she had been an actress; Whether she had been legally married before is unknown, but she had several children, of whom al least one, a boy called Photius, was in her custody. Procopius, who knew Antonina well, hated and feared her; and in his Secret History he makes her out to be a magician, an adulteress and a murderess. That she was not as faithful a wife as Theodora seems beyond doubt. And she evidently had few scruples about how she used her great power".

de su madre[555], siendo castigado severamente por Teodora, siempre dispuesta a proteger a su fiel escudera y leal amiga, supeditada voluntariamente a los deseos de la voraz y atrozmente cruel emperatriz:

"Después de someter a tortura a los cuerpos de algunos hombres de confianza de Belisario y Focio acusándolos sólo de esto, de que sentían simpatía hacia estos dos hombres, dispuso de ellos de tal manera que, todavía no sabemos qué suerte les pudo estar reservada al final. A otros los castigó con el exilio presentando esta misma acusación. Por su parte a uno de los hombres que habían seguido a Focio hasta Éfeso, de nombre Teodosio, aunque había alcanzado la dignidad del Senado, le quitó todos sus bienes encerrándolo en una cámara subterránea y en completa penumbra, atándole del cuello encima de una especie de pesebre con un dogal tan corto, que siempre estaba tenso y no le era posible aflojarlo"[556], enloqueciendo y muriendo poco después de ser liberado.

No satisfecha con esta acción, obligó a Belisario a reconciliarse con su esposa a pesar de su expreso rechazo, y con respecto a Focio, lo sometió a tormentos y vejaciones para conminarlo a confesar el lugar en el que se encontraba el amado de su amiga, aunque se mantuvo

---

[555] En el Capítulo 2 de la *Historia Secreta,* Procopio detalla la intención de Antonina de reunirse de nuevo con Teodosio, que se había recluido en un convento alegando una vocación monástica inquebrantable de la que Procopio refiere que es un montaje para poder 'juntarse secretamente con Antonina', y evitar cualquier persecución. Para poder estar a solas, procuró quitarse de en medio a su hijo Focio, convenciendo a algunos asistentes de Belisario para que se burlaran de él y lo humillaran, además de difamarlo la propia madre continuamente. Focio, recurrió entonces a la calumnia contra su madre, y condujo a alguien que decía que Teodosio mantenía relaciones con Antonina, ante el general Belisario. Éste, impotente con la situación, ruega a Focio que lo vengue por tanto ultraje, afirmando en 2.10, p. 155: "Ten presente que los errores de las mujeres no recaen solo sobre sus maridos, sino que sobre todo afectan a sus hijos, a los que a menudo les ocurre que arrastran consigo una determinada reputación por el hecho de que su carácter se asemeja por naturaleza al de aquellas que los engendraron"; el capítulo 3 comienza con al reclusión forzosa de Antonina llevada a cabo por Belisario, quién parece que se ablanda y no acaba con ella, 'vencido por un amor ardiente', y por las acusaciones que hace Procopio de que utiliza artes mágicas para cautivarlo. Focio consigue mediante dinero la entrega de Teodosio en Éfeso, pero Teodora se dispone a ayudar a su amiga correspondiendo a su entrega absoluta en la traición del Capadocio, enemigo de la emperatriz.

[556] Procopio, *Historia Secreta,* cit., 3.8-12, pp. 163-164.

firme y no reveló ningún secreto. Al final, por otros medios, Teodora consigue encontrar a Teodosio, y lo lleva ante Antonina, quién agradecida declara que Teodora es "su salvadora y benefactora, su verdadera dueña"[557].

Por si todo esto fuera poco, Procopio publicitará negativamente su indemostrado activismo[558], en la destitución del papa Silverio[559], du-

---

[557]  *Ibid. id.*, 3.18, p. 165; el ánimo devastador de la reputación de Teodora induce a Procopio a exagerar hasta límites insospechados la crueldad de la emperatriz de la que llega a decir que tiene estancias ocultas y recónditas, oscuras y totalmente aisladas en las que es imposible distinguir el día de la noche, en las que recluyó a Focio durante una año, y aunque consiguió escapar y refugiarse en un lugar sagrado considerado inviolable, Teodora lo apresó de nuevo, recriminando entonces el cronista la violación sistemática de la emperatriz de normas incluso sagradas. Después de nada menos que tres años Focio logró escapar a Jerusalén, y tomar el hábito como monje, conclusión que aprovecha Procopio para que quede clara por un lado la madre desnaturalizada (Antonina) que abandona a su suerte a su hijo, o peor aún, procura su desdicha, y por el otro, reafirma su tesis de que Teodora es una depravada y malvada poderosa que hace y deshace a su antojo por encima de la ley.

[558]  *Liber Pontificalis*, L. ROPES LOOMIS, cit., p.151, refiere como Antonina habría interrogado personalmente a Silverio mientras permanecía reclinada en su lecho, con Belisario a sus pies, actitud simbólica que indica el inmenso poder delegado del que disponía, por mediación de su amiga la emperatriz: "And Silverius went alone with Vigilius into the mausoleum and Antonina, the patrician, was lying upon a couch and Vilisarius, the patrician, was sitting at her feet".

[559]  El papa Silverio, elegido gracias al apoyo del rey ostrogodo Teodato, parece ser que no gozaba del apoyo de Justiniano, ya que influenciado por su esposa Teodora, prefería como papa a Vigilio, de convicción monofisita, al margen de diferencias anteriores epistolares con el nuevo pontífice. El candidato de la emperatriz, que se encontraba en Constantinopla, sin saber de la elección ya confirmada de Silverio, fue enviado a Roma con cartas para Belisario, ordenando su apoyo para su elección como sumo pontífice. Al mismo tiempo, Belisario entró en Roma sin resistencia (año 536), puesto que la ciudad, después de expulsar a los godos, temían un saqueo. Pero el rey Vitiges, sucesor de Teodato, sitió a la ciudad con Belisario dentro, pero sin asaltarla en ningún momento, hecho que provocó la acusación de Silverio como participante en un complot conjunto con Vitiges, al que parece que facilitaría la rendición a cambio de su permanencia en la sede papal. A Teodora le ayudaría la duda sobre la lealtad imperial de Silverio en su intención de deponerlo para elegir a Vigilio, monofisita y mucho más respetuoso con respecto a su figura, logrando su objetivo después del arresto de Silverio en el 537 y la condena al exilio en la actual Turquía. Poco después volvió a Roma para un nuevo proceso abierto con motivo de su deposición, Belisario entregó a Silverio a Vigilio para que lo juzgase, pero este lo recluyó en una de las islas

rante el asedio de Roma dirigido por Vitiges, proyectando la imagen de una pervertida sin alma y falta de escrúpulos, propósito de nuevo calumniador porque no está basado en certezas, pero ciertamente útil en el empeño de Procopio de desacreditar *in aeternum* a Teodora, incluso mediante personas interpuestas, consideradas como imprescindibles para Teodora en su premeditado plan de aniquilación de sus peores enemigos[560].

Pontinas hasta que renunció a sus derechos el 11 de noviembre del 537, falleciendo de hambre el 2 de diciembre de ese mismo año; Procopio, *Historia de las Guerras, V-VI. Guerra Gótica*, cit., 5.25.13, p. 191: "Sin embargo, surgió la sospecha contra Silverio, el sumo pontífice de la ciudad, de que entonces cometía alta traición a favor de los godos, por lo que Belisario lo envió de inmediato a Grecia y, poco después, nombró a otro sumo pontífice, cuyo nombre era Vigilio"; C. E. MALLET, *The Empress Theodora*, en *The English Historical Review*, 2, 5, 1887, pp. 6-7: "In the account of Silverius' deposition, which appears in the narrative of the Gothic war, we are led to believe that the pope was guilty of intriguing with the Goths, and was deposed on that account. Subsequently, Liberatus tells us he was sent under arrest to Constantinople; but returning later on to Rome, was transported into banishment by the order of Vigilius. As to the details of the story told by Liberatus, there may well be room for doubt; but all authorities are agreed on the main point, that Silverius died in exile. Nevertheless, Procopius does not hesitate to charge Antonina obscurely with Silverius' murder, and a little later on to refer incidentally to one of her servants as the one who had been guilty of the pontiff's death", tildando las referencias de Procopio como muy inconsistentes si se realiza una labor comparativa entre sus obras.

[560] D. POTTER, *Theodora: Actress, Empress, Saint*, cit., p. 188: "Initially, Antonina's unfaithfulness to Belisarius had angered Theodora. But Antonina was able to 'make her manageable' by serving her in important matters: the first concerning Pope Silverius; the next, the affair of John of Capadocia"; si bien Antonina ayudó en numerosas ocasiones a su venerada emperatriz, no es menos cierto que Teodora sabía arreglar sus asuntos de forma personal. De ello da cuenta el episodio de una presunta 'víctima' (a decir de Procopio), Amalasunta, reina de los ostrogodos, supuesta enemiga acérrima de Teodora, cuyo relato en la pluma de Procopio debemos tomarlo con la precaución necesaria, en *Historia Secreta*, cit., 16.1, pp. 248-249: "Cuando Amalasunta, que ya no deseaba permanecer más tiempo entre los godos, se decidió a cambiar de vida y pensaba incluso ya en tomar el camino de Bizancio... Teodora, considerando que esta mujer era una reina de noble cuna cuya extrema belleza era más que evidente y que no carecía de resolución a la hora de pensar lo que quería, empezó a recelar de su apariencia distinguida y sobre todo de su porte viril y, puesto que a la vez temía la debilidad de carácter de su marido, no manifestó sus celo con pequeñas mezquindades, sino que tomó la decisión de acosar a aquella mujer hasta matarla". No hemos considerado este relato como digno de estar presente más que en una

De esta forma, el papel indefinido como agente al servicio de la emperatriz para resolver de forma expeditiva todas las exigentes peticiones de Teodora[561], como veremos a continuación al tratar la semblanza de Juan de Capadocia[562], la convertirá en objeto de envidia, ira, burla, desprecio y crítica furibunda sin contrastar la veracidad de sus actos, dando por ciertas las murmuraciones y deslegitimaciones por parte de la ciudadanía bizantina y las tropas al servicio de su leal esposo Belisario.

No deja de sorprendernos la actitud hostil de Procopio con respecto a Antonina, puesto que en este caso la conocía bien personalmente, ya que había tratado con ella en numerosas ocasiones como esposa que era de su superior Belisario, y habían compartido algunas de las campañas bélicas en las que Antonina acompañaba al legendario militar, y no se desprende de esas crónicas ninguna reseña desfavorable a su memoria. Esto es lo que nos hace preguntarnos sobre la dual percepción del cronista palestino, extraña y curiosa a la par si pensamos que los actos supuestamente execrables de Antonina de los que nos da precisa cuenta no habrían sido presenciados por Procopio, como sí lo fueron las acciones exaltadas favorablemente de las que él había sido testigo directo y privilegiado.

Esa mezcla de temor y odio que incluso supera las crueles referencias a Teodora emperatriz, reflejan de nuevo la intención de Procopio de equiparar ambas figuras femeninas en sus viles acciones, en su cruzada personal contra la soberana bizantina y el emperador Justiniano, utilizando para ello en su libelo transgresor la pecaminosa existencia

---

nota, puesto que la misoginia que destila con respecto al típico recelo entre mujeres y el aspecto físico que puede encandilar al hombre y las disputas o rencillas extremas que esa atracción supone nos parece más un exceso verbal de Procopio que una intriga cosificada por parte de Teodora, entregada a otros menesteres relacionados con el poder imperial. Si bien Amalasunta podía suponer un problema o una ayuda por mor de su cargo real, esa es una cuestión diferente a la aquí reseñada; vid. sobre la reina ostrogoda: V. A. SIRAGO, *Amalasunta, la regina (ca 495-535)*, Milán, 1999, *passim.*

[561]   J. A. EVANS, *The Empress Theodora. Partner of Justinian*, cit., p. 91, en donde confirma que para Teodora: "Her instrument was Antonina, the wife of Belisarius, and Antonina acted with the same vigor and lack of scruple that she was to show a few years later...".

[562]   Procopio, *Historia de las Guerras, I-II*, cit., 1.25, pp. 151-156.

de la leal confidente como arma arrojadiza en su equivalente vida con Teodora.

## 4.3. JUAN DE CAPADOCIA.

Fue uno de los personajes más importantes en la administración bizantina durante el reinado de Justiniano[563], y una de las personas de mayor confianza del emperador. De origen humilde, consiguió ascender en la oficina del *magister militum* gracias al apoyo prestado por Justiniano[564], llegando a ser nombrado por el Basileo primer presidente de la comisión legislativa encargada de la elaboración del *Codex*[565].

Desempeñó el cargo de prefecto del pretorio desde febrero del año 531 hasta mayo del 541, excepto el periodo transcurrido durante algunos meses del año 532, cuando se produjo la revuelta de Niká[566],

---

[563]  G. RAVEGNANI, *Teodora. La cortigiana che regnò sul trono di Bisanzio*, cit., p. 97: "Per far fronte al proprio regime di spesa Giustiniano necessitava di un sistema impositivo che funzionasse con regolarità e che, in particolare, fosse in grado di assicurare annualmente le risorse necessarie, un'impresa non facile in un mondo in cui la tradizionale corruzione e lo sperpero di risorse pubbliche erano la regola e non certo l'eccezione. Ma aveva la indubbia capacità di saper scegliere i collaboratori adatti per attuare i suoi scopi e il piú capace di questi in campo civile fu il prefetto del pretorio dell'Oriente Giovanni di Capadocia".

[564]  R. BROWNING, *Justinian and Theodora*, cit., p. 50: "John began his career as a Clerk in the office of the local military commander, and must have attracted the emperor's attention in some way. At any rate he was transferred to Constantinople and given accelerated promotion, and in 531 appointed Praetorian Prefect. This officer was responsible for the provisions and the maintenance of the army, and raised taxes to do so; and he also had direct control over provincial governors... John at once began a long series of reforms, which it may be presumed had the general approval of Justinian".

[565]  *DE NOVO CODICE COMPONENDO, (Februarius, 13, AD 528), Imperator Iustinianus Augustus ad Senatum. 1. Ideoque ad hoc maximum et ad ipsius rei publicae sustentationem respiciens opus efficiendum elegimus tanto fastigio laborum tantaeque sollicitudini sufficientes Iohannem virum excellentissimum ex quaestore sacri nostri palatii consularem atque patricium...*

[566]  Vid. al respecto, el capítulo en el que describimos minuciosamente lo sucedido en la rebelión popular de Niká.

y su cese como propuesta aplacadora al pueblo[567], aunque no obtuvo los efectos deseados, además de tratarse de una destitución temporal estratégica, ya que sería nombrado de nuevo poco después para el mismo puesto.

Siguiendo órdenes de Justiniano[568], y para poder sufragar las guerras de conquista, impuso varias reformas administrativas y fiscales consideradas necesarias que provocaron el recelo del pueblo, que veía el inmenso poder acumulado por el capadocio mientras ellos se ahogaban económicamente por culpa de las continuas exacciones fiscales, lo que le granjeó no pocas enemistades[569], aunque ninguna tan impor-

---

[567] Procopio, *Historia de las Guerras, Libros I-II. Guerra persa*, cit., 1.25.1-4, p. 151: "Triboniano y Juan fueron, entonces, destituidos de sus cargos, pero, algún tiempo después, se les restableció a ambos en sus mismos puestos. Y Triboniano vivió muchos años ejerciendo el cargo y murió de enfermedad, sin sufrir ningún agravio por parte de nadie. Y es que era un hombre adulador y, por lo demás, agradable y estaba más que capacitado para encubrir con su excelente educación aquella avaricia suya enfermiza. Juan, por el contrario, con todos era igual de duro y cruel, dirigía sus golpes contra quienes se cruzaban en su camino y, de una sola vez, los despojaba de todo su dinero sin ninguna consideración. Y cuando se cumplía el décimo año desde que ocupó el cargo, pagó su pena, como era de derecho y de justicia, por su comportamiento ilegal; y fue del siguiente modo".

[568] J. E. SPRUIT, *L'influence de Théodora sur la législation de Justinien*, cit. p. 395: "Justinien avait pourtant l'art de s'attacher les hommes susceptibles de réaliser ses projets Jean de Cappadoce parvint en qualité de ministre des finances (*comes sacrarum largitionum*) à financer des guerres coûteuses en serrant la vis aux contribuables", insiste en que Justiniano se rodeaba de los hombres que probablemente llevarían a cabo sus proyectos, así como del ingrato papel de Juan de Capadocia como ministro de Finanzas (*comes sacrarum largitionum*) que debió financiar guerras muy gravosas a costa de sangrar económicamente a los contribuyentes.

[569] Procopio, *Historia de las Guerras, Libros I-II. Guerra persa*, cit., 1.25.8-11, p. 152: "Pero por la mañana, olvidándose de todo temor de lo divino y de lo humano, de nuevo, en público y en privado, se convertía en un azote para todos los romanos. Y frecuentaba a los adivinos, prestando constantemente oídos a profecías sacrílegas que le vaticinaban el mando imperial, con lo que era evidente que hacía castillos en el aire y que se dejaba llevar hasta las alturas por sus esperanzas de ocupar el trono. Sin embargo, en su maldad y en su comportamiento ilegal no se daba descanso ni conocía límites. Y Dios no le inspiraba ningún respeto en absoluto; es más, incluso cuando iba a un templo para pasar allí la noche rezando, no obraba según las costumbres cristianas, sino que se ponía el capotillo propio de un sacerdote de esa antigua creencia que hoy suelen llamar «helénica», y durante toda aquella noche no salía de su boca otra cosa que unas palabras impías

tante como la rivalidad que mantenía con la emperatriz, cuya tensión política motivó principalmente su caída y perdición[570].

Teodora, conocedora de la influencia del Capadocio en su marido el soberano legislador, y siempre de acuerdo con la tóxica crónica de Procopio, habría procurado su remoción a través de su amiga Antonina, instrumento útil para provocar la desgracia en el intachable currículum profesional de Juan de Capadocia, única forma de alejarlo del cortejo personal de Justiniano[571].

Veamos en primer lugar la alta consideración en la que Justiniano tenía al Capadocio, antes de referir su caída en desgracia mediante el plan urdido por Antonina y bendecido por Teodora para desprestigiarlo y hundirlo para siempre, con una férrea animosidad dirigida a alejarlo taxativamente del círculo imperial[572], mediante la información que nos suministra Procopio:

---

que había memorizado, prescritas para que la mente del emperador quedara aún más sujeta a su poder y para que él mismo no sufriera daño alguno a manos de ningún hombre.

[570]    B. RUBIN, *Das Zeitalter Justinians*, cit., p. 115, explica cómo, con la destitución de Juan de Capadocia, Teodora pudo afirmar las posiciones claves del Estado con personas de su confianza, nombrando a Pedro Barsimes como nuevo prefecto del pretorio,  aunque el impulso reformador se paralizó. Aún así, la política de exacción fiscal continuó siendo excesiva, señalando a Teodora como responsable del endurecimiento en la presión fiscal: "Zug um Zug durchsetzte Theodora die Schlüsselstellungen des Staates mit Männern ihres Vertrauens. Nach der raffinierten Ausschaltung Johannes des Kappadokers kam der Syrer Petros Barsymes als praefectus praetorio an die Macht. Es lässt sich nicht leugnen, dass von diesem Augenblick ab die Reichsverwaltung den reformatorischen Schwung verlor. Der Kappadoker hatte trotz seiner unleugbaren Schwächen einen Zug ins Grosse besessen, der dem ehemaligen Geldwechsler aus Syrien abging. Nur die Finanzpolitik verlor nichts von ihrem Schrecken für die Untertanen. Die Kaiserin scheint an dem scharfen Anziehen der Steuerschraube unter Iustinian nicht unbeteiligt gewesen zu sein".

[571]    Procopio, *Historia Secreta*, cit., 17.38-45, pp. 260-262, cuenta como Teodora ya había intentado acabar con Juan de Capadocia en el pasado acusándolo de asesinato a través del testimonio de dos partidarios de la facción de los Verdes convenientemente aleccionados y amenazados. Aún así, uno de ellos se negó a tal calumnia, y Teodora no pudo deshacerse de su enemigo con ese subterfugio. De ahí que la ayuda prestada por su amiga Antonia resulte el mejor de los regalos para la emperatriz, deseosa de librarse de uno de sus peores enemigos.

[572]    Este vívido rencor era también originado por la formación de Juan de Capadocia, magnífico administrador pero carente de la formación necesaria para respetar

"Sin embargo, nadie se atrevió a decirle nada al emperador para impedir la expedición excepto Juan de Capadocia, el prefecto del pretorio, que era el más audaz y hábil de todos los hombres de su tiempo"[573].

Además de esta breve referencia laudatoria, tenemos un testimonio procopiano más relevante que detalla la habilidad de Juan para convencer al emperador, si bien en esta ocasión la religión pesó mucho más en el ánimo del soberano que el magnífico discurso de su asesor legal y personal:

"En efecto, Juan, mientras los demás lamentaban en silencio las desdichas del momento, llegó a presencia del emperador y le habló en los siguientes términos: 'La confianza, ¡oh, emperador!, que muestras en el trato con tus súbditos, nos abre la posibilidad de decir con franqueza qué es lo que debe convenir a tu gobierno, aun cuando aquello que se pueda decir o hacer no resulte de tu agrado, pues tu inteligencia funde de tal modo en tu persona la autoridad con el sentido de la justicia que no consideras que sea favorable a tu causa aquel que te obedezca ciegamente en todo, ni tampoco te muestras disgustado con el que te contradice, sino que, sopesándolo todo con el razonamiento puro solamente, demostraste muchas veces que no significa ningún riesgo para nosotros el oponernos a tus decisiones. Llevado por estas consideraciones, emperador, me he presentado ante ti para ofrecerte este consejo, ofendiéndote quizá en un primer momento, si es que así ocurre, pero dejando patente más tarde mi lealtad y tomándote a ti como testigo de ella. Y es que si, desoyendo mis consejos, emprendes la guerra contra los vándalos, sucederá que, si la lucha se prolongara para ti, mis recomendaciones serían estimadas. Si, en efecto, tienes confianza en que vas a vencer a los enemigos, no es en modo alguno inconveniente que tu sacrifiques vidas humanas, gastes gran cantidad de dinero[574], y soportes las penalidades de la contienda bélica; pues

---

las tradiciones de la corte y administración bizantina, así como un rumoreado paganismo, que trae a colación J. A. EVANS, *The Empress Theodora. Partner of Justinian*, cit. p. 54: "Theodora's most rancorous animosity was directed against John the Capadocian. Johan was an uncultured man with no respect for the traditions of the praetorian prefect's office, and he was rumored to be a secret pagan, but that was probably hostile gossip, for a charge of paganism, if proved, would have ended his career".

[573] Procopio, *Historia de las Guerras. Libros III-IV. Guerra Vándala*, cit., 3.10.7-8, p. 126.

[574] J. A. EVANS, *The Empress Theodora. Partner of Justinian*, cit. p. 54: "Yet he was an efficient tax collector, and Justinian valued his services", por lo que sus

la victoria que se produce después cubre todos los sufrimientos de la guerra. Pero si, en realidad, estas cosas están en manos de Dios y si, valiéndonos de los ejemplos del pasado, es obligatorio que nosotros le tengamos miedo al desenlace de la guerra, como no va a ser mejor preferir la paz a los peligros de los combates? Tú tienes el propósito de lanzar una expedición contra Cartago, pero, por tierra firme, el trayecto hasta allí es de ciento cuarenta días de ruta y si se viaja en barco, es obligado cruzar la totalidad del mar abierto y llegar hasta sus mismos limites, de tal forma que el mensajero que vaya a darte cuenta de cuanto suceda en el campamento necesitará un año para llegar hasta ti. Y se podría añadir también que, si sales victorioso frente a los enemigos, no te sería posible tomar posesión de Libia, al estar Sicilia e Italia en poder de otros; si, por el contrario, sufres una derrota, emperador, habiendo sido roto ya por ti el tratado, pondrás en peligro nuestro territorio; resumiendo, una victoria no te aportará ningún beneficio y un revés de la fortuna arruinará lo que ahora está bien establecido. Y, antes de actuar, resulta provechoso planear bien las cosas, pues para los que han fracasado el arrepentimiento es inútil, pero, antes de que ocurra una catástrofe, cambiar los planes no implica ningún riesgo. En consecuencia, lo más conveniente de todo será hacer un uso oportuno de las coyunturas favorables. Tales fueron las consideraciones que expuso Juan. Y el emperador, haciéndole caso[575], cesó en su propensión a emprender la guerra. Sin embargo, uno de los ministros sagrados a los que llaman obispos, que había llegado de la parte oriental, expresó su deseo de tener unas palabras con el emperador. Y en el transcurso de la entrevista que mantuvo con él, le indicó que Dios le había encomendado en sueños dirigirse al emperador para censurarle porque, habiéndose encargado de proteger de los tiranos a los cristianos de Libia, posteriormente se había atemorizado sin ninguna razón: 'Y sin embargo', prosiguió diciendo Dios, 'yo seguiré siendo aliado del emperador mientras esté haciendo la guerra y lo convertiré en el dueño de Libia'". Cuando Justiniano hubo escuchado estas palabras, no pudo ya reprimir sus deseos, sino que empezó a reunir el ejército y los barcos, preparaba las armas y los víveres y

---

consejos crematísticos eran bien recibidos por parte del emperador, quien antes de emprender una nueva campaña bélica debía comentar con Juan de Capadocia el límite dinerario que podría utilizar.

[575] G. RAVEGNANI, *Teodora. La cortigiana che regnò sul trono di Bisanzio*, cit., p. 100. "Procopio, l'autore di questo racconto nella sua Guerra Vandalica, sembra ironizzare tra le righe sulla credulità un po'ingenua di Giustiniano e sull'instabilità del suo carattere...".

ordenó a Belisario que estuviese dispuesto para actuar como general en Libia en muy breve plazo"[576].

Todas estas consideraciones públicas por parte del emperador a Juan de Capadocia, parece ser que incidían en el ánimo de Teodora de una forma muy negativa, deseando acabar con su carrera administrativo-política lo antes posible. Sabía que era imposible el cese fulminante de su adversario si se lo demandaba a su cónyuge, por la influencia de Juan en el emperador, contrastada por los años. Por ello, aprovechó el plan trazado por su amiga Antonina, que traería la desgracia personal y profesional del capadocio hasta el óbito de la emperatriz.

Procopio, quién tampoco siente ninguna simpatía por el eficaz administrador imperial, describe la caída de Juan de Capadocia de la siguiente forma:

> "La emperatriz Teodora lo odiaba más que nadie. Y Juan, que había chocado con esta mujer por causa de las faltas que él cometía, pensó que en absoluto tenía por qué ir tras ella con lisonjas y favores, y ya a las claras empezó a maquinar calumniándola ante el emperador, sin ruborizarse ante la alta condición de Teodora ni recatarse ante el cariño que el emperador le profesaba, un cariño que era desmedido. La emperatriz, al darse cuenta de lo que estaba pasando, se propuso matarlo, pero no pudo de ninguna manera, porque el emperador Justiniano lo tenía en mucha estima. Juan, por su parte, al enterarse de la intención de la emperatriz con respecto a él, sintió un gran temor. Cuando se iba a su alcoba para echarse a dormir, desconfiaba todas las noches de que algún bárbaro cayera sobre él para matarlo y, sin parar de asomarse desde su habitación ni perder de vista las entradas, se quedaba en vela, a pesar de que contaba con una guardia de muchos miles de lanceros y escuderos, lo que nunca antes había tenido ningún prefecto"[577].

Aún así, la emperatriz Teodora no encuentra la situación propicia que le ayude en su ferviente deseo de apartar de la esfera del poder bizantino al prefecto del pretorio, hasta que se presenta una

---

[576] Procopio, *Historia de las Guerras. Libros III-IV. Guerra Vándala*, cit., 3.10.8-21, pp. 126-128.

[577] *Historia de las Guerras, Libros I-II. Guerra persa*, cit., 1.25.4-8, pp. 151-152.

oportunidad única, en forma de complot fingido ideado por Antonina[578], que además vendrá acompañada por el éxito perseguido, la
destitución fulminante del detestado capadocio:

> "En aquel tiempo Belisario, tras haber sometido Italia, fue hecho venir
> por el emperador a Bizancio junto con su mujer Antonina, con la idea
> de que movilizara el ejército contra los persas. De todos los demás
> merecía el aprecio y una gran consideración; Juan, sin embargo, era el
> único que se llevaba mal con él y le hacía el blanco de sus continuas
> intrigas, y no por nada, sino porque él se atraía el odio de todos y se
> daba el caso, en cambio, de que Belisario gozaba entre todos de una
> inmejorable reputación. Estando, en fin, puestas en él las esperanzas
> de los romanos, marchó de nuevo contra los persas después de dejar a
> su esposa en Bizancio. Y Antonina, la mujer de Belisario (que estaba,
> por cierto, más capacitada que nadie para maquinar lo nunca maqui-
> nado), decidida a congraciarse con la emperatriz, concibió el siguien-
> te plan. Tenía Juan una hija, Eufemia, con mucha fama de discreción,
> pero muy joven y por eso mismo bastante fácil de engatusar; y su
> padre la amaba con delirio, porque además era hija única. A fuerza
> de mimarla continuamente, Antonina pudo granjearse su más firme
> amistad y, así, aquélla no veía inconveniente en hacerla partícipe de
> sus secretos. Y un día en que estaba a solas con ella en su cuarto, Anto-
> nina se puso a fingir que lamentaba su mala suerte, quejándose de que
> Belisario, a pesar de haber ensanchado el imperio romano en mayor
> medida de lo que nunca antes lo había sido y haber traído a Bizancio
> a dos reyes como prisioneros de guerra aparte de tanta cantidad de
> riquezas, a pesar de eso no había recibido sino la ingratitud de Justi-
> niano; y, por lo demás, acusaba en general de injusticia al régimen. Se
> alegró muchísimo Eufemia con estas palabras (pues debido al temor
> que le infundía la emperatriz también ella estaba resentida contra el
> gobierno vigente) y le contestó: «La verdad, querida, es que de esto
> sois vosotros los culpables porque, teniendo como tenéis la posibi-

---

[578] R. BROWNING, *Justinian and Theodora*, cit., p. 50: "During a tour of inspection of the eastern provinces in 540-1 a plot was mounted against him by Antonina the wife of Belisarius, who insinuated herself into the friendship of John's
daughter Euphemia and through her persuaded John on his return to attend a secret meeting at which the replacement of Justinian by Belisarius was discussed…
Justinian not take the matter seriously, but in 541, yielding to the insistence of
Theodora, he dismissed John and confiscated the cast wealth which he had accu-
mulated", trayendo a colación incluso el episodio del obispo de Cícico, cuando
al ser encontrado muerto, Teodora, que 'had a long memory, and a long arm',
consiguió la acusación del capadocio, quien no pudo regresar a Constantinopla
hasta la muerte de la emperatriz.

lidad, no queréis hacer uso de vuestro poder.» Y replicó Antonina: «Mira, hija, es que no nos vemos con capacidad de emprender ninguna acción revolucionaria en el campamento, si en la operación no nos secunda nadie de los de aquí dentro. Ahora bien, si tu padre estuviera dispuesto[579], nos arreglaríamos muy fácilmente para esta empresa y conseguiríamos todo lo que Dios quisiera"[580].

Engañada por el prometedor futuro que se le presentaba a ella y a su padre, Eufemia aceptó el encargo y refirió el plan de Antonina al prefecto ambicioso. Juan de Capadocia, aspirante decidido al trono, creyó ver una oportunidad para su futuro real anhelado[581], por lo que pidió a Eufemia una entrevista personal con Antonina para concretar los detalles del plan e intercambiar garantías, fijando un día para la operación.

Con respecto al conocimiento de la emperatriz Teodora de las conversaciones llevadas a cabo entre las partes, Procopio afirma: "La emperatriz, por su parte, al enterarse de toda la trama por Antonina, aprobó lo planeado y con sus ánimos la motivó mucho más aún a su determinación"[582], lo que da cuenta de la anuencia personal de la egregia soberana y la participación cuasi directa en su realización.

Sin embargo, parece que Justiniano no deseaba ver el resultado de la conjura, y pretendió evitar la destitución de su fiel asesor avisándole con antelación de la necesidad de eludir la reunión prevista con la

---

[579] J. A. EVANS, *The Empress Theodora. Partner of Justinian*, cit. p. 55, explica la poderosa posición de Juan de Capadocia ya desde el 540, lo que le permitiría dirigir un complot bien organizado para derrocar a Justiniano, así como la percepción de peligro por parte de Teodora que le hace decidir su remoción total: "By 540 John's power was at its height. He had a huge bodyguard and lived in a luxurious new palace where he entertained lavishly and wallowed in debauchery. In the bowels of his oficial residence he built a dungeon where he had people tortured and even killed to part them from their money. Theodora sensed the danger and was determined to bring him down".

[580] *Historia de las Guerras, Libros I-II. Guerra persa*, cit., 1.25.11-18, pp. 152-154

[581] Como dice J. A. EVANS, *The Empress Theodora. Partner of Justinian*, cit. p. 55, no está claro como alguien de la categoría de Juan de Capadocia mordió el anzuelo y selló su fin, con lo que detestaba a Belisario. Bien podría ser porque deseaba involucrar al genial militar en el complot, para luego desacreditarlo, o porque sencillamente su propia ambición lo cegó y no supo ver el señuelo marcado.

[582] *Historia de las Guerras, Libros I-II. Guerra persa*, cit., 1.25.22, p. 154.

esposa de Belisario, además de servirle para comprobar la lealtad del hasta ahora fiel prefecto del emperador[583]:

"Cuentan que el emperador, al enterarse de los hechos, mandó a uno de los propios amigos de Juan con el encargo de prohibirle terminantemente que se encontrara con Antonina a escondidas. Pero Juan (pues estaba escrito que le salieran mal las cosas), desatendiendo la advertencia del emperador, se reunió a media noche con Antonina muy cerca de un muro a cuya espalda coincidía que aquélla había apostado a los que iban con Narsés y Marcelo, para que pudieran escuchar lo que se dijese. Y en el momento en que Juan, ya con la lengua suelta, se comprometía al golpe de mano y lo corroboraba con los más tremendos juramentos, Narsés y Marcelo de improviso se echaron sobre él. Pero se produjo, como es natural, un tumulto y la escolta de Juan (que estaba por allí muy cerca) de inmediato se puso junto a él. Y uno de aquellos guardias hirió a Marcelo, sin saber quién era, con su espada; de esta forma, Juan pudo huir protegido por éstos y llegó rápidamente a la ciudad. Y si se hubiera atrevido a ir derecho a presencia del emperador, no habría sufrido ninguna represalia de su parte; pero la realidad fue que, al refugiarse en el templo, le dio pie a la emperatriz para que se valiera a sus anchas de sus intrigas contra él. Pues bien, fue entonces cuando, de prefecto que era, Juan pasó a ser un simple ciudadano"[584].

Fue uno de los mayores triunfos políticos de la emperatriz, conseguir demostrar el delito de alta traición cometido por Juan de Capadocia con respecto al emperador, cuyo rencor obstinado y tenacidad

---

[583] E. STEIN, *Histoire du Bas- Empire. Tome II: de la disparition de l'empire d'Occident à la mort de Justinien (476-565)*, cit., p. 482: "Justinien envoya à Jean un message lui conseillant de manquer au rendez-vous avec Antonine; en ce cas, l'inefficacité de l'avertissement serait la meilleure preuve de la loyauté du préfet envers l'empereur. Lui aussi s'était pourvu de témoins, en se faissant accompagner de quelquesuns de ses bucellaires. Dès que dans son entretien avec Antonine il se fut déclaré d'accord pour commettre le crime de haute trahison qu'on lui proposait, Narsés et Marcellus surgirent pour l'arréter".

[584] *Historia de las Guerras, Libros I-II. Guerra persa*, cit., 1.25.25-31, p. 155, en donde cuenta como fue trasladado de un templo a otro, para despúes tomar el hábito de presbítero, y si bien sus propiedades fueron registradas y confiscadas, Justiniano le permitió quedar con gran parte de ellas, de lo que se deduce que en su ánimo estaba el perdonarlo. Con todo, no será hasta la muerte de Teodora que Juan consiga en parte su redención ante el emperador.

resuelta habían conseguido vencer a su adversario[585], si bien hemos visto como la pretendida influencia de Teodora en Justiniano ni siquiera en este caso parece tan fundamental como se ha pretendido en ocasiones exaltar. Al margen de la hostilidad siempre presente en el cronista palestino, la resistencia de Justiniano a cesar a su cercano colaborador se deduce ya en el pasado en su restitución del cargo de prefecto con posterioridad a la sedición popular, y del largo periodo como administrador del imperio al servicio del soberano bizantino, cuya eficiencia no ha sido puesta en duda jamás.

Este rencor extremo de Teodora, publicitado por Procopio, vuelve a transmitirnos un episodio con varias contradicciones, incertezas, falta de fundamentación de los motivos que inducen a actuar a unos personajes ciertamente teatralizados con la intención de implicar emocionalmente al lector en favor de unos, y en contra, como es habitual, de la pareja imperial, de modo especial en la emperatriz Teodora, que parece dotada de todos los defectos, vicios e imperfecciones que puedan existir, en un exagerado relatorio falto de credibilidad.

---

[585] C. DIEHL, *Théodora, impératrice de Byzance*, cit., p.108: " Elle avait la rancune tenace; jamais elle ne pardonna au préfet Jean de Cappadoce d'avoir un moment balancé son pouvoir. Pour garder l'autorité suprême, elle brisa tous les obstacles qui se dressèrent sur sa route, écarta toutes les ambitions qui tentèrent de ruiner son crédit. Pour perdre un adversaire, tous les artifices lui furent bons, la perfidie comme la violence, le mensonge comme la corruption. Rusée, brutale, cruelle même, quand ses intérêts étaient en jeu, elle n'eut pas plus de scrupules sur le choix des moyens que sur celui des instruments qui servaient ses desseins. Mais, de l'aveu même de Procope, cette femme implacable et passionnée était capable de pitié pour ses ennemis, et c'est un fait que ses plus dangereux adversaires ne payèrent que de l'exil leurs insultes ou leurs complots. Il est également certain que cette vindicative souveraine accorda toute sa faveur à des gens qu'elle avait d'abord détestés et que, si elle eut l'âme despotique et dure, en revanche, elle demeura, nous le ver- rons, obstinément attachée à ceux qui l'aimaient ou qui la servaient bien".

# 5. CONCLUSIONES

La cuestión de Teodora, en palabras de Bury[586], no resulta tarea fácil. Someter a un pormenorizado escrutinio exegético las fuentes relativas a la figura de la emperatriz no supone obtener un resultado meridianamente claro en lo que respecta a las luces y sombras de la vida y obra de Teodora. De hecho, la realidad subyacente en la historia jurídica de la regia protagonista resulta inestable por momentos y desconcertante en los debates doctrinales, deseosos de apurar el desasosiego e inclinarse claramente por una opción en el caso de Teodora.

El problema es que la elección implica un debate contrastado con las fuentes, un análisis preciso de los desdenes calculados en las crónicas de aquel tiempo, así como de la adulación incontenida en algunas tesis de la historiografía actual, y solo la exégesis objetiva y serena permite un resultado adecuado al propósito investigador centrado en la regia figura bizantina.

Nosotros hemos decidido desde el principio exponer nuestras consideraciones y conclusiones en cada capítulo, y dentro de cada tema objeto de debate doctrinal, con las fuentes en las que nos apoyamos y las construcciones jurídicas que consideramos relacionadas con nuestra posición.

Aún así, estimamos conveniente traer a colación un breve resumen de las conclusiones más relevantes con respecto a Teodora, constituyendo, entre todas ellas, la consideración principal, nuestra negativa a considerar a la inolvidable soberana como la legisladora encubierta de la obra justinianea.

1. No existió paridad jurídica ni social de la emperatriz Teodora con respecto a su cónyuge el emperador Justiniano, ni se corresponde en absoluto con la realidad, y si bien gozó de cuotas estimables de

---

[586] J. B. BURY, *The History of the Later Roman Empire. From the Death of Theodosius I to the Death of Justinian*, cit., en el prefacio, p. IX: "I have endeavoured to supply the material which will enable him to form his own judgment on Justinian, and to have an opinion on the " question " of Theodora, of whom perhaps the utmost that we can safely say is that she was, in the words used by Swinburne of Mary Stuart, " something better than innocent".

poder imperial, nunca tuvo la capacidad jurídica de Justiniano, por mucho que románticamente se intente monumentalizar la posición de la emperatriz Teodora en la corte justinianea.

2. Procopio escribió un libelo demoledor sobre la pareja imperial bizantina, dedicando los más abyectos calificativos a Teodora, con la intención de denigrar su memoria en una infame descripción de la insigne soberana en la *Historia Secreta*. Sus misóginas invectivas, y la infame difamación femenina seguramente aceptada por una sociedad eminentemente patriarcal en Bizancio, tendrían un objetivo mayor, desacreditar al emperador Justiniano, al que odiaba y despreciaba por las acciones imperiales que habían redundado en los fracasos profesionales y personales procopianos, utilizando para ello la figura de la fallecida regia consorte.

3. La unión matrimonial entre Teodora y Justiniano, tanto tiempo deseada, no supuso el comienzo de la influencia decisiva de la emperatriz en la obra jurídica más relevante de la historia, el *Corpus Iuris Civilis*, ni siquiera en la legislación femenina, puesto que aceptar sin ambages dicho planteamiento resulta poco riguroso y exento de confirmación en las fuentes a nuestra disposición. Bien es cierto que se trata de un acto jurídicamente imposible en cuanto al reconocimiento de una mujer como parte de una obra compilatoria, por la secular situación jurídica de sometimiento de las mujeres atribuida por el derecho romano, pero no es menos veraz colegir que evidentemente Justiniano, reconocido estudioso, trabajador infatigable, austero y casi asceta, debió esperar a ser el titular del poder imperial para poder llevar a cabo su proyecto legislativo. De este modo, el matrimonio con Teodora no tendría mayor efecto que el hecho de que se produjera poco antes del ascenso al trono del insomne emperador legislador, sin que implique aportaciones significativas por parte de la emperatriz al diseño de la imperecedera obra legal.

4. La resiliencia innata de Teodora en la revuelta de Nikà, acostumbrada a superar circunstancias traumáticas a la largo de su vida, en absoluto dispuesta a abandonar su soberanía bizantina y en ningún momento abrumada por la incertidumbre del caos reinante, demostrando una serenidad y fortaleza incólume a las circunstancias de desestabilización monárquica que se estaban produciendo, supuso la salvación del trono del emperador Justiniano, lo que la convierte en la estratega definitiva de la recuperación del reino bizantino.

*5.* La soberana, devota monofisita, mostrará una clara preocupación con respecto a la necesaria promoción de la doctrina monofisita y la protección de sus partidarios, perseguidos por las leyes del emperador, convirtiéndose en una defensora comprometida con la lucha religiosa, pero dirigida de forma discreta, sin estridencias, en una suerte de resistencia pasiva que alimentará las almas de las multitudes cercanas al monofisismo, que sentían el apoyo sutil de la emperatriz. El patrocinio de Teodora será importante en relación con la indulgencia del emperador Justiniano, ya que aunque el soberano profesaba un cristianismo ortodoxo estricto, será condescendiente con el credo monofisita de su ilustre consorte.

6. No podemos afirmar la autoría de Teodora, ni siquiera de forma secundaria o invisibilizada, en la legislación justinianea atinente al universo femenino en exclusión. Su participación no puede ser confirmada ni siquiera subliminalmente, por cuanto el emperador hizo suyos todos los propósitos legisladores relativos a la mujer. Con todo, no podemos descartar algún tipo de influencia de la emperatriz en Justiniano, y podríamos explicar la preterición de la acción jurídica en positivo por parte de Teodora de la siguiente manera: El soberano bizantino, conociendo de primera mano las enormes dificultades que tuvo que sortear para conseguir la rehabilitación del pasado del su esposa, no quiso exponerla de nuevo ante la opinión pública y el recelo social estricto de la corte bizantina y de los compiladores, recordando al publicitar su labor en favor de las mujeres sometidas a la explotación sexual, su propia condición de actriz identificable con las prostitutas, una vez superado ese trance por mor de la legislación permisiva de su antecesor Justino. Por ello, podría haber convenido con la ahora augusta emperatriz la aceptación de sus sugerencias legislativas protectoras y rehabilitadoras del colectivo de mujeres más desfavorecidas, pero pretiriendo su participación directa para evitar que el recuerdo del pasado de Teodora sirviese a sus enemigos para procurar su descrédito moral.

Solo de este modo podemos entender la preterición de la real consorte realizada en las leyes directamente relacionadas con la mujer en la codificación justinianea. Sabemos que rozamos el ámbito de la especulación, y precisamente porque nos resistimos a creer en la indiferencia de Teodora frente a las normas relativas a la mujer planteamos estas hipótesis, aun sabiendo que estas probabilidades aducidas no constituyen ninguna prueba fehaciente de la intervención de la emperatriz en la legislación femenina bizantina.

Por otro lado, si observamos las fechas de promulgación de las diferentes disposiciones legislativas en favor de las mujeres como colectivo vulnerable, no las leyes generales dirigidas a matronas respetables de un estatus elevado en la pirámide jerárquica social bizantina, podemos comprobar como la producción legislativa más prolífica se corresponde con la época vital de Teodora, así como un descenso sustancial en la promulgación de nuevas leyes imperiales en cuanto se produce el óbito de la emperatriz, pero seguimos en el entorno de un discurso favorecedor a priori de la influencia de Teodora en la legislación justinianea, por cuanto el luto por el fallecimiento de su esposa pudo sumir a Justiniano en una época de abatimiento, desolación que se tradujese en esa inacción legislativa.

Todos los indicios, por muy poderosos que parezcan, no pueden constituir por sí mismos la prueba definitiva que respalde la presencia poderosa e impulsiva de Teodora en la legislación femenina propedéutica promulgada por el emperador, y esa debe ser nuestra postura al respecto. Los augurios pasados no son útiles, y la información de la que disponemos no nos permite deducir más que la presencia enérgica y leal de Teodora al lado de su cónyuge, el perenne legislador, y aventurar las posibles sugerencias de la emperatriz en materia femenina que pudiera acoger Justiniano por considerarlo positivo para el imperio bizantino.

7. El enigma de Teodora resulta sumamente atractivo, y el análisis de su itinerario vital nos traslada las cualidades de una mujer única, irrepetible, admirable, protagonista indiscutible de su propia vida, con una personalidad enigmática, llena de secretos y pasiones, de miserias, grandezas, y unas vivencias difíciles de gestionar, pero que supo transformarse en la pareja perfecta del emperador, acompañándole en gran parte de sus éxitos, militares, civiles, jurídicos, religiosos, y vitales. Nuestra sororidad con Teodora viene dada concretamente por su misteriosa personalidad, por su primigenia debilidad social y su resiliencia vital, por su resolución victoriosa en momentos delicados, y su determinación femenina para ayudar a la causa de las mujeres en situación de extrema vulnerabilidad, quizás alentada por su protofeminismo inconsciente en una época de patriarcado total.

# BIBLIOGRAFÍA

K. ADSHEAD, *Procopius and the Samaritans*, en *The Sixth Century: End or Beginning?*, Allen, Jeffreys (eds.), Brisbane, 1996.

B. ALBANESE, *Le persone nel diritto privato romano*, Palermo, 1979.

H. S. ALIVISATOS, *Die kirchliche gesetzgebung des kaisers Justinian I*, en *Neue Studien zur Geschichte der Theologie und der Kirche*, Berlín, 1913.

M. AMELOTTI, *Giustiniano Basileus*, en *Studi in Onore di Arnaldo Biscardi*, 2, 1982.

M. AMELOTTI, *Teodora moglie o imperatrice?* en *Annali della Facoltà di Giusrisprudenza di Genova*, 20, 1984-85.

M. AMELOTTI, *Giustiniano tra teologia e diritto*, en *L'imperatore Giustiniano, Storia e Mito,* Milán, 1978.

M. ANASTOS, *The Immutability of Christ and Justinian's Condemnation of Theodore of Mopsuestia*, en *Dumbarton Oaks Papers*, 6, 1951.

P. ANGIOLINI MARTINELLI, *La Basilica di San Vitale a Ravenna*, Módena, 1997.

L. ARU, *Le donazioni fra coniugi in diritto romano*, Padua, 1938.

R. ASTOLFI, *Studi sul matrimonio nel diritto romano postclassico e giustinianeo*, Nápoles, 2012.

A. ASTON LUCE, *Monophysitism Past and Present: A Study in Christology*, Londres, 1882.

N. J. AUSTIN, *Autobiography and history: some later Roman their veracity*, en *History and historians in late antiquity*, B. Croke, A.M. Emmet (eds.), Sidney, 1983

B. BALDWIN, *A Note on the Religious Sympathies of the Circus Factions*, en *Byzantion* 48, 1978.

B. BALDWIN, *Three obol girls in Procopius*, en *Hermes* 120, 1992.

A. BANDURI, *Imperium Orientale*, Venecia, 1729.

A. BARBERO DE AGUILERA, *El conflicto de los Tres Capítulos y las iglesias hispánicas en los siglos VI y VII*, en *Studia historica. Historia medieval*, 5, 1987.

E. BARKER, *Social and political thought in Byzantium. From Justinian I to the last Palaeologus*, Oxford, reimpr. 1961.

N. H. BAYNES, *Alexandria and Constantinople: A Study in Ecclesiastical Diplomacy*, en *J.E.A.*, 12, 1926.

M. BEARD, *El triunfo romano. Una historia de Roma a través de la celebración de sus victorias*, trad. esp., Barcelona, 2012.

J. BEAUCAMP, *Le statut de la femme à Byzance I. Le droit imperial*, París, 1990.

J. BEAUCAMP, *Le Statut de la Femme à Byzance (4e-7e siècle). II. Les pratiques sociales*, París, 1992.

H-G. BECK, *Lo storico e la sua vittima. Teodora e Procopio*, trad. it. N. Antonacci, Bari, 1988.

H. G. BECK, *Senat und Volk von Konstantinopel. Probleme der byzantinischen Verfassungsgeschichte*, en *Bayerische Akademie der Wissenschaften*, 6, 1996.

A. BERGER, *La concezione di eretico nelle fonti giustinianee*, en *Atti dell'Accademia Nazionale dei Lincei*, 8, vol. 10, 1955.

A. BERGER, *Encyclopedic Dictionary of Roman Law*, 43, 2, Filadelfia, 1953, reimpr. 1991.

L. BERNAD SEGARRA, *La restitución dotal en Derecho justinianeo*, en *Glossae* 14, 2017.

B. BIONDI, *Giustiniano primo, príncipe e legislatore cattolico*, Milán, 1936.

B. BIONDI, *Il diritto romano cristiano: Orientamento religioso della legislazione*, Milán, 1952.

B. BIONDI, *Il diritto romano cristiano*, III, Milán, 1954.

P. BONFANTE, *Nota sulla riforma giustinianea del concubinato*, en *Studi S. Perozzi*, Palermo 1925 = *Scritti giuridici* IV, Turín, 1925.

R. BONINI, *Introduzione allo studio dell'età giustinianea*, Bolonia, 1978.

R. BONINI, *Ricerche sulla legislazione giustinianea*, Bolonia, 3ª ed., 1989.

R. BONINI, *Note sulla legislazione giustinianea*, en AA.VV., *L'imperatore Giustiniano. Storia e mito: giornate di studio a Ravenna, 14-16 ottobre 1976*, G. G. Archi (ed.), Milán, 1978.

R. BONINI, *Alcune considerazioni sulla funzione della pena nelle Novelle giustinianee*, en *Il problema della pena criminale tra filosofia greca e diritto romano. Atti del deuxième colloque de philosophie pénale (Cagliari, 20-22 aprile 1989)*, O. Diliberto (ed.), Nápoles, 1993.

G. BOVINI, *San Vital de Ravenna*, Milán, 1957.

F. BORNMANN, *Su alcuni passi di Procopio*, en *Studi Italiani di Filologia Classica*, 20, 1978.

R. BOSS, *Justinian's Wars: Belisarius, Narses and the Reconquest of the West*, Montvert, 1993.

F. BOTTA, *Per vim inferre: Studi su stuprum violento e raptus nel diritto romano e bizantino*, Cagliari, 2004.

G. BRADSHAW, *Teodora. Emperatriz de Bizancio*, trad. esp. Barcelona, 1996.

W. BRANDES, *Orthodoxy and Heresy in the Seventh Century: Prosopographical Observations on Monotheletism*, Averil Cameron (ed.), *Fifty Years of Prosopography. The Later Roman Empire, Byzantium and Beyond*, Oxford, 2003.

M. J. BRAVO BOSCH, *Algunas consideraciones sobre el Edictum de adtemptata pudicitia*, en *Dereito: Revista xuridica da Universidade de Santiago de Compostela*, 5, 2, 1996.

M. J. BRAVO BOSCH, *El mito de Lucrecia y la familia romana*, en *Mulier. Algunas historias e instituciones de derecho* romano, R. Rodríguez López, M. J. Bravo Bosch, (eds.), Madrid, 2013.

M. J. BRAVO BOSCH, *Mujeres y símbolos en la Roma republicana. Análisis jurídico-histórico de Lucrecia y Cornelia*, Madrid, 2017.

M. J. BRAVO BOSCH, *Levitas animi*, en *Glossae*, 14, 2017.

M. J. BRAVO BOSCH, *La peste en Constantinopla*, en *GLOSSAE. European Journal of Legal History* 17, 2020.

L. BRÉHIER, *Le monde byzantin. I. vie et mort de Byzance. II. Les institutions de l'empire byzantin. III. La civilisation byzantine*, París, 1947, 1949, 1950.

L. BRÉHIER, *La civilisation byzantine*, París, 1950.

L. BRÉHIER, *Les institutions de l'empire byzantin*, París, 1970.

A. BRIDGE, *Theodora. Portrait in a Byzantine Landscape*, Chicago, 1993.

S. BROCK, *A monothelete florilegium in Syriac*, en *After Chalcedon. Studies in Theology and Church History, offered to Professor Albert Van Roey for his seventieth birthday*, C. Laga, J.A. Munitiz, L. van Rompay, eds., Lovaina, 1985.

E. W. BROOKS; *John of Ephesus, Lives of the Eastern Saints, Patrologia Orientalis* 17-19, París, 1923-5.

P. BROWN, *El mundo de la Antigüedad Tardía*, trad. esp. Madrid, 2012.

R. BROWNING, *Justinian and Theodora*, Londres, 1971.

L. BRUBAKER, *The Age of Justinian, Gender and Society*, en *The Cambridge Companion to the Age of Justinian to the Age of Justinian*, Nueva York, 2005.

E. G. BULWER LYTTON, *The Encyclopaedia Britannica*, Vol. 17, 11ed., Cambridge, 1911.

J. B. BURY, *A History of the Later Roman Empire. From Arcadius to Irene (395 A.D. to 800 A.D.)*, vol. II, Londres, 1889.

J. B. BURY, *The Nika Riot*, en *The Journal of Hellenic Studies*, 17, 1897.

J. B. BURY, *The Ceremonial Book of Constantine Porphyrogennetos*, en *The English Historical Review*, 86, 1907.

J. B. BURY, *The Constitution of the Later Roman Empire*, Cambridge, 1910.

J. B. BURY, *The History of the Later Roman Empire. From the Death of Theodosius I to the Death of Justinian*, vol. 2, Londres, 1923.

J. B. BURY, *The History of the Later Roman Empire. From the Death of Theodosius I to the Death of Justinian*, vol. 1, reimp. Londres, 1958.

G. BUSTACCHINI, *Ravenna capitale del mosaico*, Rávena, 1988.

C. CAGLIATTI, *Teodora. Emperatriz de Bizancio*, Madrid, 1957.

R. M. CALVET LORA, *Las traducciones al castellano de Victorien Sardou*, en *Teatro y Traducción*, Francisco Lafarga Maduell, Roberto Dengler Gassin (coord.),1995.

ALAN CAMERON, *Circus Factions: Blues and Greens at Rome and Byzantium*, Oxford, 1976.

ALAN CAMERON, *Consular Diptychs in their Social Context: New Eastern Evidence*, en *JRA* 11, 1998.

Av. CAMERON, *Images of Authority: Elites and Icons in Late Sixth-Century Byzantium*, en *Past & Present*, 84, 1979.

Av. CAMERON, *Sports fans of Rome and Byzantium*, en *LCM* 9, 4, 1984.

Av. CAMERON, *Procopius. And the sixth century*, Berkeley-Los Ángeles, 1985.

Av. CAMERON, *Chapter III: Justin I and Justinian*, en *The Cambridge Ancient History, 14: Late Antiquity: Empire and Successors*, 2008.

Av. CAMERON, *The Violence of Orthodoxy*, en *Heresy and Identity in Late Antiquity*, E. Iricinschi, H. M. Zellentin, (eds.), Tubinga, 2008.

Av. CAMERON, *Old and New Rome: Roman Studies in Sixth-Century Constantinople*, en *Transformations of Late Antiquity. Essays for Peter Brown*, P. Rousseau, M. Papoutsakis (eds.), Surrey-Burlington, 2009.

A. CALORE, *Iuro per Deum Omnipotentem...: Il giuramento dei funzionari imperiali all'epoca di Giustiniano*, en *Seminari di storia e di diritto*, II, , A. Calore (ed.), Milán, 1998.

Th. CAMELOT, *De Nestorius à Eutyches, l'opposition de deux christologies*, en *Das Konzil von Chalkedon*, A. Grillmeier, H. Bacht, (eds.), Würzburg, 1951.

C. A. CANNATA, s.v. *Dote, Enciclopedia del diritto*, 14, 1965.

C. CANTÙ, *Per l'amore di Teodora*, Rávena, 2018.

C. CAPIZZI, *Sul Cesaropapismo di Giustiniano*, en *Studi Salentini* 69, 1992.

C. CAPIZZI, *Giustiniano I: tra politica e religione*, Messina, 1994.

A. CARILE, *Consenso e dissenso fra propaganda e fronda nelle fonti narrative dell'età giustinianea*, en *L'Imperatore Giustiniano, Storia e Mito: giornate di studio a Ravenna, 14-16 ottobre 1976*, G. G. Archi (ed.), Milán, 1978.

F. CARLÀ, *"Eunuch und Kaiser: Dürrenmatt, Giustiniano, Teodora, Bisanzio e lo Stato totale"*, en *Anabases* 13, 2011.

F. CARLÀ, *Prostitute, Saint, Pin-Up, Revolutionary: The Reception of Theodora in Twentieth-Century Italy*, en *Seduction and Power. Antiquity in the visual and performing Art*, (S. Knippschild, M. García Morillo eds.), Londres-Nueva York, 2013.

A. CASTRESANA, *Catálogo de virtudes femeninas. De la debilidad histórica de ser mujer versus la dignidad de ser esposa y madre*, Madrid, 1993.

P. CESARETTI, *Teodora. Ascesa di una imperatrice*, Milán, 2001.

P. CESARETTI, *Teodora. Emperatriz de Bizancio*, trad. esp., Barcelona, 2008.

J. B. CHABOT, edición y traducción, *Chronique de Michel le Syrien*, 4 Vols., París, 1899-1905, reimpr., Bruselas, 1963.

H. CHADWICK, *The Early Church*, Londres, 1993.

J.D. CHAPMAN, *Monophysites and Monophysitism*, en *The Catholic Encyclopedia*, X, Nueva York, 1912.

C. CHAZELLE, C. CUBITT (eds), *The Crisis of the Oikoumene: The Three Chapters and the Failed Quest for Unity in the Sixth-Century Mediterranean*, Turnhout, 2007.

R. C. CHESNUT, *Three Monophysite Christologies: Severus of Antioch, Philoxenus of Mabbug, and Jacob of Sarug*, Oxford, 1976.

A-H. CHROUST, *Legal Profession in Ancient Imperial Rome*, en *Notre Dame Law Review*, 30, 4, 1955.

O. CLEMENT, *Byzance et le Christianisme*, París, 1964, *passim*.

M. CORTÉS ARRESE, *Vidas de cine: Bizancio ante la cámara*, Madrid, 2019.

V. COTTAS, *Le théâtre à Byzance*, 1931.

B. CROKE, *Procopius' Secret History: rethinking the date*, en *GRBS* 45, 2005.

B. CROKE, *Justinian, Theodora, and the Church of Saints Sergius and Bacchus*, en *Dumbarton Oaks Papers*, 60, 2006.

G. CRONT, *La repression de l'Heresie au Bas-Empire pendant le regne de Justinien Ier (527-565)*, en *Byzantiaka* 20.

G. DAGRON, *Naissance d'une capitale. Constantinople et ses institutions de 330 à 451 (Bibliothèque byzantine)*, París, 1974.

G. DAGRON, *L'hippodrome de Constantinople: jeux, peuple et politique*, París, 2011.

F. DAHN, *Prokopius von Cäsarea*, Berlín, 1865.

R. DANIELI, *Studi sul concubinato in diritto giustinianeo*, en *Studi V. Arangio-Ruiz*, Nápoles, 1953.

J. DANIÉLOU, H. I. MARROU, *Nueva Historia de la Iglesia. Desde los orígenes a San Gregorio Magno*, 1, trad. esp. Madrid, 1982.

D. DAUBE, *Greek and Roman Reflections on Impossible Laws*, en *Natural Law Forum*, 125, 1965.

D. DAUBE, *The marriage of Justinian and Theodora*, en *Catholic University Law Review*, 16, 4, 1967.

C. DAUPHIN, *Brothels, Baths and Babes Prostitution in the Byzantine Holy Land*, en *Classics Ireland*, 3, 1996.

L. A. DE CUENCA, *El héroe y sus máscaras*, Barcelona, 1991.

L. DE GIOVANNI: *Chiesa e Stato nel Codice Teodosiano, Saggio sul libro XVI*, Nápoles 1980.

H. DE RIEDMATEN, *La christologie d'Apollinaire de Laodicée*, en *Studia Patristica* 2, Berlín, 1957.

A. M. DEMICHELI, *La política religiosa di Giustiniano in Egitto. Riflessi sulla chiesa egiziana della legislazione ecclesiastica giustinianea*, en *Aegyptus* 63, 1, 1983.

O. DEMUS, *Byzantine mosaic decoration*, Londres, 1948.

A. DEBIDOUR, *L'impératrice Théodora. Etude critique*, París, 1885.

C. DIEHL, *Théodora, impératrice de Byzance*, París, 1900.

C. DIEHL, *Byzantine Portraits*, trad. ingl., Nueva York, 1927.

C. DIEHL, *Justinien et la civilisation byzantine au VIe siècle*, París 1901, 2 vol.; *Grandeza y servidumbre de Bizancio*, trad. esp., Madrid, 1963.

O. DILIBERTO, *La macchina della teologia politica e il posto del pensiero*, en *SDHI* 81, 2015.

O. DILIBERTO, *Fra Storia e Diritto*, en *Nel mondo del Diritto Romano, Convegno ARISTEC Roma 10-11 ottobre 2014*, Letizia Vacca (ed.), Nápoles, 2017.

P. DIXON, *The Glittering Horn: Secret Memoirs of the Court of Justinian*, Londres, 1958.

G. DOWNEY, *Paganism and Christianity in Procopius*, en *Church History*, 18, 1949.

G. DOWNEY, *Nikolaos Mesarites: Description of the Church of the Holy Apostles at Constantinople*, en *Transactions of the American Philosophical Society* , 47, 6, 1957.

G. DOWNEY, *Belisarius: Young general of Byzantium*, Nueva York, 1960.

L. DUCHESNE, *Autonomies ecclésiastiques. Églises séparées*, París, 1896.

L. DUCHESNE, *Les protégés de Théodora*, en *Mélanges d'archéologie et d'histoire* 35, 1914.

L. DUCHESNE, *La réaction chalcédonienne sous l'empereur Justin*, in *L'Église au VIe siècle*, París, 1925.

S. DUFFY, *Theodora: Actress, Empress, Whore*, Londres, 2010.

J. DURLIAT, *De la ville Antique à la ville byzantine. Le problème des subsistances*, Roma, 1990.

A. ESMEIN, *Le délit d'adultère à Rome et la loi Iulia de adulteriis*, en *RHDF* 2, 1878.

J. A. S. EVANS, *The Secret History and the Art of Procopius*, en *Prudentia* 7, 1975.

J. A. S. EVANS, *The Dates of the Anecdota and the De Aedificiis of Procopius*, en *CP* 64, 1969.

J. A. S. EVANS, *Justinian and the Historian Procopius*, en *Greece & Rome*, 17, 2, 1970.

J. A. S. EVANS, *The Age of Justinian. The Circumstances of Imperial Power*, Londres-Nueva York, 1996.

J. A. S. EVANS, *The dates of Procopius' works: a recapitulation of the evidence*, en *GRBS* 37, 1996.

J. A. EVANS, *The Empress Theodora. Partner of Justinian*, Texas, 2002.

J. A. S. EVANS, *The Power Game in Byzantium: Antonina and the Empress Theodora*, Londres, 2011.

L. EVANS, *Byzantine empresses: women and power in Byzantium, AD 527-1204*, Londres, 1999.

J. EVANS GRUBBS, *Illegitimacy and Inheritance disputes in the late Roman Empire*, en *Inheritance, Law and Religions in the Ancient and Mediaeval Worlds*, B. Caseau, S. Huebner (eds.), París, 2014.

H. EVERT-KAPPESOWA, *Antonine et Belisaire*, en *Byzantinische Beitrage*, Berlín, 1964.

C. FAYER, *La familia romana. Aspetti giuridici ed antiquari. Sponsalia. Matrimonio. Dote*, 2ª parte, Roma, 2005.

C. FAYER, *La familia romana. Aspetti giuridici ed antiquari. Concubinato. Divorcio. Adulterio*, 3ª parte, Roma, 2005.

D. FEISSEL, *Aspects de l'immigration à Constantinople d'après les épitaphes protobyzantines,*en *Constantinople and its Hinterland*, C. Mango, G. Dagron (eds.), Oxford, 1993.

F. FÈVRE, *Teodora. Emperatriz de Bizancio*, trad. esp., Madrid, 1989.

J. FITTON, *The Death of Theodora*, en *Byzantion* 46, 1976.

R. FLEMMING, *Quae Corpore Quaestum Facit: The Sexual Economy of Female Prostitution in the Roman Empire*, en *JRS* 89, 1999.

E. FRANCIOSI, *Riforme istituzionali e funzioni giurisdizionali nelle Novelle di Giustiniano: studi su nov. 13 e nov. 80*, Milán, 1998.

C. M. FRANZERO, *Teodora*, trad. esp. Barcelona, 1963.

R. FREDA, *Divoratori di celluloide*, Milano,1981.

W.H.C. FREND, *The Rise of the Monophysite Movement. Chapters in the History of the Church in fifth and sixth centuries*, Cambridge, 1972.

S. FREUD, *Epistolari. Lettere alla fidanzata e ad altri corrispondenti, 1873-1939*, trad. it., Milán, 1990.

T. FURSTENBERG, *Teodora de Bizancio*, trad. esp., Madrid, 1959.

M. A. GALATEA VAGLIO, *Teodora. La figlia del circo,* Venecia, 2018.

P. GARBARINO, *Contributo allo studio del senato in età giustinia-nea*, Nápoles, 1992.

M. GARCÍA GARRIDO, *Ius Uxorium*, Madrid, 1958.

J. F. GARDNER, *Women in Roman Law and Society*, Bloomington, 1986.

L. GARLAND, *Byzantine Empresses: Women and Power in Byzantium AD 527-1204*, Londres-Nueva York, 1999.

G. GAUTHIER, *Justinien. Le rêve impérial*, París, 1998.

G. GAVRIEL KAY, *The Sarantine Mosaic*, Nueva York, 1998, 2000.

H. GELZER, *Ungedruckte und wenig bekannte Bistümerverzeichnis-se der orientalischen Kirche*, en *Byzantinische Zeitschrif*, 2, 1893.

E. GIBBON, *The decline and Fall of the Roman Empire*, Londres-Nueva York, 1910.

E. GIBBON, *Historia de la decadencia y ruina del imperio romano*, Madrid, 1984, 8 vol.

E. GIBBON, *Historia de la decadencia y caída del Imperio romano*, ed. abrev., trad. esp., 3ª ed., Barcelona, 2001.

V. GIROD, *Théodora: Prostituée et impératrice de Byzance*, París, 2018.

C. GIZEWSKI, *Zur Normativität und Struktur der Verfassungsver-hältnisse in der späteren römischen Kaiserzeit*, en *Münchener Beitrage zur Papyrus-forschung und antiken Rechtsgeschichte* 81, Munich, 1988.

F. GÓMEZ DEL VAL, *Justiniano contra Verdes y Azules*, en *Historia y Vida*, 289, 1992.

J. M. GONZÁLEZ CREMONA, *Teodora de Bizancio. El poder del sexo*, Barcelona, 1993.

J. L. GONZÁLEZ, *Historia del cristianismo*,1, Miami, 1994.

R. GONZÁLEZ FERNÁNDEZ, *Las estructuras ideológicas del Có-digo de Justiniano*, Murcia, 1997.

F. GORIA, *Studi sul matrimonio dell'adultera nel diritto giustinianeo e bizantino*, Turín, 1975.

F. GORIA, *Azioni reali per la restituzione della dote in età giustinia-nea: profili processuali e sostanziali, Diritto e processo nella espe-rienza romana*, Nápoles, 1984.

A. GRABAR, *La peinture byzantine*, Ginebra, 1979.

P. S. GRANT, *The search of Belisarius. A Byzantine legend*, Nueva York, 1907.

S. GRAU, O. FEBRER, *Procopius on Theodora*, en *Byzantinische Zeitschrift*, 113, 3, 2020, p. 775.

R. GRAVES, *El conde Belisario*, trad. esp., Barcelona, reimpr. 2006.

P. T. R. GRAY, *The Defense of Chalcedon in the East (451-553)*, Lei-den, 1979.

G. GREATREX, *The dates of Procopius' Works*, en *BMGS* 18, 1994.

G. GREATREX, *The Nika Riot: A Reappraisal*, en *Journal of Hellenic Studies* 117, 1997.

G. GREATREX, *Perceptions of Procopius in Recent Scholarship*, en *Histos* 8, 2014.

A. H. J. GREENIDGE, *Infamia. Its place in Roman Public and Priva-te Law*, Londres, 1894.

A. GRILLMEIER, *Christ in Christian Tradition: From the Apostolic Age to Chalcedon (451)*, trad. ingl., Atlanta, 1975.

A. GUARINO, *Pagine di Diritto Romano*, 2, Nápoles, 1993.

R. GUILLAND, *Les eunuques dans l'empire byzantin. Etude de titu-lature et de prosopographie byzantines*, en *Études byzantines*, 1, 1943.

R. GUILLAND, *Le Palais d'Hormisdas*, en *Byzantinoslavica*, 12, 1951.

R. GUILLAND, *Études sur le Grand Palais de Constantinople: les limites du Grand Palais à l'ouest*, en *Revue des Études Grecques*, Vol. 80, 379/383, 1967.

R. GUILLAND, *Etudes sur l'Hippodrome de Byzance. Les spectacles de l'Hippodrome. VII. Le couronnement des empereurs*, en *Byzan-tinoslavica* 28, 1967.

R. GUILLAND, *Etudes sur l'Hippodrome de Byzance. Les spectacles de l'Hippodrome. VIII. Les Factions à l'Hippodrome*, en *Byzanti-noslavica* 29, 1968.

R. GUILLAND, *Les Hippodromes de Byzance. L'Hippodrome de Severe et l'Hippodrome de Constantin le Grand*, en Byzantinoslavica 31, 1970.

A. GUILLOU, *La civilisation byzantine*, París, 1975.

D. M. GWYNN, *The Council of Chalcedon and the Definition of Christian Tradition*, en Chalcedon in Context: Church Councils 400–700, R. Price, M. Whitby, (eds.), Liverpool, 2009.

R. HAACKE, *Die kaiserliche Politik in der Auseinandersetzungen um Chalkedon (451-553)*, en Das Konzil von Chalkedon, A. Grillmeier, H. Bacht, (eds.), Würzburg, 1951.

S. A. HARVEY, *Asceticism and Society in Crisis: John of Ephesus and 'The Lives of the Eastern Saints'*, Berkeley, 1990.

S. A. HARVEY, *Teodora the Believing Queen: a Study in Syriac Historiographical Tradition*, en Journal of Syriac Studies, 4.2, 2001.

E. R. HARDY, *The Patriarchate of Alexandria: A Study in National Christianity*, en Church History, 15, 1946.

E. R. HARDY, *Christian Egypt: Church and People*, New York, 1952.

E. R. HARDY, *The Egyptian policy of Justinian*, en Dumbarton Oak Papers 22, 1969.

P. HATLIE, *Monks and Circus Factions in Early Byzantine Political Life*, en Monastères, images, pouvoirs et société à Byzance, M. Kaplan (dir.), París, 2006.

J. HAURY, *Procopiana*, Augsburg, 1891.

J. HAURY, *Zur Beurteilung des Geschichtschreibers Procopius von Caesarea*, Munich, 1896.

P. HEATHER, *Rome Resurgent. War and Empire in the Age of Justinian*, Oxford, 2018.

J. G. HEINECKE, *Historia del Derecho Romano*, trad. esp., Madrid, 1845.

A. HEISENBERG, *Grabeskirche und Apostelkirche, Zwei Basiliken Konstantins V.2. Die Apostelkirche in Konstantinopel*, Leipzig, 1908.

M. HENDY, *Studies in the Byzantine Monetary Economy, c.300-1450*, Cambridge, 1985.

J. HERRIN, *In Search of Byzantine Women: Three Avenues of Approach*, en *Images of Women in Antiquity*, (Av. Cameron and A. Kuhrt, eds.), Londres & Canberra, 1984.

J. HERRIN, *Byzance: le palais et la ville*, en *Byzantion* 61, 1, 1991.

J. HERRIN, *Byzantium: The Surprising Life of a Medieval Empire*, Princeton-Londres, 2009.

J. HERRIN, *Bizancio. El imperio que hizo posible la Europa moderna*, trad. esp. F. J. Ramos Mena, Barcelona, 2009.

J. HERRIN, *Ravenna: Capital of Empire, Crucible of Europe*, Princeton, 2020.

Cl. HEUCKE, *Circus und Hippodrom als politischer Raum. Untersuchungen zum grossen Hippodrom von Konstantinopel und zu entsprechenden Anlagen in spätantiken Kaiserresidenzen*, Hildesheim-Zurich-Nueva York, 1994.

T. HODGKIN, *Italy and her invaders*, Oxford, 1895, vol. 3, reimp., Nueva York, 2009.

W. G. HOLMES, *The Age of Justinian and Theodora*, 2, Londres, 1907.

W. G. HOLMES, *The Age of Justinian and Theodora*, 1, 2ª ed., Londres, 1912.

E. HONIGMANN, *Anthimus of Tribizond, Patriarch of CP*, en *Patristic Studies*, 173, 1953.

A. M. HONORÉ, *Some Constitutions Composed by Justinian*, en *The Journal of Roman Studies*, 65, 1975.

A. M. HONORÉ, *Tribonian*, Londres, 1978.

FI. HUGHES, *Belisarius. The Last Roman General*, Barnsley, 2014.

C. HUMFRESS, *Law and Legal Practice in the Age of Justinian*, en *The Cambridge Companion to the Age of Justinian*, Nueva York, 2005.

D. JACOBY, *La population de Byzance à l'époque byzantine: un problème de démographie urbaine*, en *Byzantium* 31, 1961.

R. JANIN, *Constantinople byzantine. Développement urbain et répertoire topographique*, París, 1964.

J. A. JIMÉNEZ SÁNCHEZ, *Símbolos del poder en el hipódromo de Constantinopla*, en POLIS. *Revista de ideas y formas políticas de la Antigüedad Clásica* 16, 2004.

A. H. M. JONES, *The later Roman Empire, 284-602: a social economic and administrative survey*, reimpr. Baltimore, 1986.

A. de JORIO, *La mimica degli antichi investigata nel gestire napoletano*, Nápoles, 1832.

W. E. KAEGI, *Byzantium and the Decline of Rome*, Princeton, 1968.

A. KALDELLIS, *Identifying Dissident Circles in Sixth-Century Byzantium: The Friendship of Prokopios and Joannes Lydos*, en *Florilegium* 21, 2004.

A. KALDELLIS, *The date and structure of Prokopios' Secret History and his projected work on Church History*, en GRBS 49, 2009.

E. KORNEMANN, *Doppelprinzipat und Reichsteilung im Imperium Romanum*, Leipzig- Berlín, 1930.

N.E. KORTE, *Procopius' Portrayal of Theodora in the Secret History: "Her charity was universal"*, en *Hirundo: The McGill Journal of Classical Studies*, 3, 2005, pp. 109-130.

A. E. LAIOU, *The economic history of Byzantium*, Washington, 2002.

H. LAMB, *Teodora y el Emperador. El drama de Justiniano*, trad. esp. 2° ed., México, 1959.

G. LANATA, *Legislazione e natura nelle Novelle giustinianee*, Nápoles, 1984.

G. LANATA, *I figli della passione: Appunti sulla Novella 74 di Giustiniano*, en AARC 7, 1988.

M. L. LANGENSCHWARZ, *Der gesetzgebende Schurke Justinian*, Leipzig, 1848.

A. LANIADO, *Recherches sur les notables municipaux dans l'Empire protobyzantin*, en *Travaux et Mémoires du Centre de Recherche d'histoire et Civilisation de Byzance, Collège de France*, 13, 2002.

I. LASALA NAVARRO, *Imagen pública y política de la emperatriz Teodora. Un estudio a partir de la obra de Procopio de Cesarea*, en *Gerión* 31, 2013.

J. LEBON, *Le Monophysisme Severien. Étude Historique, Litteraire et Theologique sur la resistance monophysite au Concile de*

*Chalcedoine jusqu'a la constitution de l'Église Jacobite*, Lovaina, 1909.

Ch. LÉCRIVAIN, *Le sénat romain depuis Dioclétien à Rome et à Constantinople*, París, 1888.

D. LEE, *From Rome to Byzantium AD 363 to 565. The Transformation of ancient Rome*, Edinburgo, 2013.

S. LEONTSINI, *Die Prostitution im frühen Byzanz*. Dissertationen der Universität Wien 194, Viena, 1989.

J.H.W.G. LIEBESCHUETZ, *The Decline and Fall of the Roman City*, Oxford, 2001.

O. LICANDRO, N. PALAZZOLO, *Roma e le sue istituzioni dalle origini a Giustiniano*, Turín, 2019.

H. LIETZMANN, *Apollinaris von Laodicea und seine Schule, Texte und Untersuchungen*, Tubinga, 1904.

F. LILLO REDONET, *Enseñar la civilización bizantina a través del cine*, en *Methodos. Revista de didàctica dels estudis clássics*, 0, 2011.

J. LINDBLOM, *Women and public space Social codes and female presence in the Byzantine urban society of the 6th to the 8th centuries*, Helsinki, 2019.

F. LOOFS, *Nestorius and his Place in the History of Christian Doctrine*, Cambridge, 1914.

M. MAAS, *Innovation and restoration in Justinianic Constantinopla*, Berkeley, 1982.

M. MAAS, *Roman questions, Byzantine Answers. Contours of the Age of Justinian*, en *The Cambridge Companion to the Age of Justinian*, Nueva York, 2005.

J. MACARTHUR, *Teología sistemática. Un estudio profundo de la doctrina bíblica*, trad. esp. Michigan, 2018.

B. MALAVÉ, C. ORTÍN, *Pretium pudicitiae y donación nupcial*, en *Revista de estudios histórico-jurídicos*, 26, 2004.

C. E. MALLET, *The Empress Theodora*, en *The English Historical Review*, 2, 5, 1887.

G. MANOJLOVIC, H. GRÉGOIRE, *Le peuple de Constantinople*, en *Byzantion* 11, 2, 1936.

R.C MCCAIL, *The Erotic and Ascetic Poetry of Agathias Scholasti-cus'*, en *Byzantion* 41, 1971.

P. MARCINIAK, *And the Oscar goes to... the Emperor! Byzantium in the cinema*, en *Wanted: Byzantium. The Desire for a Lost Empire*, I. Nilsson, P. Stephenson (eds.), en *Studia Byzantina Upsaliensia* 15, 2014.

A. MARICQ, *Factions du cirque et partis populaires*, BAB 36, 1950.

M. MARINELLI, *La società degli attori sotto Giustiniano: Coricio di Gaza e l' Apologia dei mimi*, en  *DIONISO. Rivista di Studi sul Teatro Antico*, 6, 2016.

J. MARTINDALE, *Public disorders in the late Roman empire*, Oxford, 1960.

J. MASPERO, *Histoire des Patriarches ⊠ Alexandrie depuis la mort de l'empereur Anastase jusqu'à la réconciliation des églises Jacobites (518-616)*, París, 1923.

D. MATTIANGELI, *The Legal Aspects of the Personality of the Leno*, en *Teoria e Storia del Diritto Privato*, 4, 2011.

M. MAYER, *Byzantion. Konstantinopolis, Istanbul. Eine genetische Stadtgeographie*, Viena, 1943.

A. MCCLANAN, *Representations of Early Byzantine Empresses. Image and Empire,* Nueva York, 2002.

M. McCORMICK, *Eternal Victory. Triumphal Rulership in Late Antiquity, Byzantium and the Early Medieval West*, París, Cambridge, 1986.

T. J. MCGINN, *Prostitution and Julio-Claudian legislation in early imperial Rome*, Ann Arbor, 1986.

T. J. MCGINN, *Legal definition of Prostitute in Late Antiquity*, en *Memoirs of the American Academy in Rome*, 42, 1997.

M. MEIER, *Die Inszenierung einer Katastrophe: Justinian und der Nika-Aufstand*, en *Zeitschrift für Papyrologie und Epigraphik*, 142, 2003.

M. MEIER, *Justinian. Herrschaft, Reich und Religion*, Munich, 2004.

R. MENTXACA ELEXPE, *Nota mínima sobre algunos modelos familiares en los tres primeros siglos del Imperio Romano*, en *Iura Vasconiae*, 10, 2013.

J. MEYENDORFF, *Justinian, the Empire and the Church*, en *Dumbarton Oaks Papers*, 22, 1968.

J. MEYENDORFF, *Imperial Unity and Christian Divisions: The Church, 450-680 AD*, Nueva York, 1989.

E. MOLE, *Teodora legislatrice*, Roma, 1949.

TH. MOMMSEN (ed.), *Victoris Tonnensis episcopi, Chronica a. CCCCXLIV-DLXVII*, en *Monumenta Germaniae Historica, Auct. Ant.* 11.2, Berlín, 1894.

A. D. MORDTMANN, *Esquisse topographique de Constantinople*, Lille, 1892.

E. MOTOS GUIRAO, *La ciudad y el comercio en Bizancio*, en *Cuadernos del CEMYR*, 9, 2001.

M. MUSUMECI, *Un film è un film. Teoria e pratica del restauro. Il caso di Teodora*, en *Cabiria e il suo tempo* P. Bertetto - G. Rondolino (eds.), Milán, 1998.

P. NEVILLE URE, *Justiniano y su época*, trad. esp. Madrid, 1963.

M. P. NOAILLES, *L'inaliénabilité dotale et la Novelle 61*, en *Annales de l'Université de Grenoble*, 30, 1, 1918.

R. ODETALLAH KHOUR, *Heresies in the early Byzantine Empire: Imperial policies and the Arab conquest of the Near East*, en *Collectanea Christiana Orientalia* 4, 2007.

R. ORESTANO, *La struttura giuridica del matrimonio romano dal diritto classico al diritto giustinianeo*, en *BIDR* 55-56, 1952.

G. OSTROGORSKY, *Histoire de l'État byzantin*, Paris, 1956.

G. OSTROGORSKY, *History of the Byzantine State*, Oxford, 1980.

G. OSTROGORSKY, *Historia del Estado Bizantino*, trad. esp., Madrid, 1984.

B. PAYNE SMITH, *The third part of the Ecclesiastical history of John Bishop of Ephesus*, traducción y comentarios, Oxford, 1860.

S. PASI, *Ravenna, San Vitale. Il corteo di Giustiniano e Teodora*, Módena, 2006.

E. PATLAGEAN, *Pauvreté économique et pauvreté sociale à Byzance, 4e-7e siècles*, París, 1977.

C. PAZDERNIK, *Our Most Pious Consort Given Us by God: Dissident Reactions to the Partnership of Justinian and Theodora, A.D. 525-548*, en *Classical Antiquity*, 13, 2, 1994.

C. PAZDERNIK, *Justinianic Ideology and the Power of the Past*, en *The Cambridge Companion to the Age of Justinian*, Nueva York, 2005.

C. PENNACCHIO, *Normazione imperiale e patrimoni femminili*, en *Legal Roots*, 3, 2014.

G. PINI, *Ravenna Mosaic*, Nueva York, 1956.

R. J. PLANTINGA, T. R. THOMPSON, M. D. LUNDBERG, *An Introduction to Christian Theology*, Cambridge, 2010.

D. POTTER, *Theodora: Actress, Empress, Saint*, Oxford, 2015.

T. PRATSCH, *Theodora von Bysanz. Kurtisane und Kaiserin*, Stuttgart, 2011.

R. PRICE, M. GADDIS, *The Acts of the Council of Chalcedon*, 3 vols., trad. ingl., Liverpool, 2005.

R. M. PRICE, *The Acts of Constantinople 553, with Related Texts from the Three Chapters Controversy*, trad. ingl., Liverpool, 2009.

PROCOPIO, *Historia Secreta*, trad. J. Signes Codoñer, Madrid, 2000.

PROCOPIO, *Historia de las Guerras, Libros I-II. Guerra persa*, introducción, traducción y notas de F. A. García Romero, Madrid, 2000.

PROCOPIO, *Historia de las Guerras. Libros III-IV. Guerra Vándala*, introducción, traducción y notas de J. A. Flores Rubio, reimpr., Madrid, 2006.

PROCOPIO, *Historia de las Guerras, V-VI. Guerra Gótica*, trad. esp. J.A. Flores Rubio.

PROCOPIO, *Historia de las Guerras. Libros VII-VIII. Guerra Gótica*, introducción, traducción y notas de F. A. García Romero, Madrid, 2007.

PROCOPIO, *Los edificios*, trad. M. Periago Lorente, Murcia, 2003.

S. PULIATTI, *Ricerche sulla legislazione 'regionale' di Giustiniano*, Milán, 1980.

S. PULIATTI, *Incesti crimina. Regime giuridico da Augusto a Giustiniano*, Milán, 2001.

S. PULIATTI, *Malum immensum importune auctum. La disciplina del prossenetismo nelle fonti giuridiche postclassiche*, en *Iuris vincula, Studi in onore di Mario Talamanca*, 6, Nápoles, 2001.

S. PULIATTI, *Quae ludibrio corporis sui quaestum faciunt. Condizione femminile, prostituzione e lenocinio nelle fonti giuridiche dal periodo classico all'età giustinianea*, en U. Criscuolo (ed.), *Da Costantino a Teodosio il Grande. Cultura, Società, Diritto, Atti del Convegno Internazionale, Napoli 26-28 aprile 2001*, Nápoles, 2003.

S. PULIATTI, *Condizione femminile, prostituzione e lenocinio nella Roma tardoimperiale*, en *Prostituzione e diritto penale*, A. Cadoppi (ed.), Roma, 2014.

R. PUMMER, *Early Christian Authors on Samaritans and Samaritanism*, Tubinga, 2002.

A. N. RAMBAUD, *De bizantino hippodromo et circensibus factionibus,* París, 1870.

A. RANDI, *Il tempio di San Vitale*, Rávena, 1949.

MELISSA RANK, MICHAEL RANK, *Las mujeres más poderosas de la Edad Media: reinas, santas y asesinas. De Teodora a Isabel Tudor*, trad. esp., ed. digital, 2016.

G. RAVEGNANI, *Soldati di Bisanzio in età Giustinianea*, Roma, 1988.

G. RAVEGNANI, *Teodora. La cortigiana che regnò sul trono di Bisanzio*, Roma, 2017.

L. P. RAYBAUD, *Essai sur le Sénat de Constantinople: des origines au règne de Léon VI le Sage*, París, 1963.

C. RICCI, *Monumenti tavole storiche dei mosaici di Ravenna*, Roma, 1930.

M. RICHARD, *Les florileges diphysites du Ve et VIe siècles*, en *Das Konzil von Chalkedon*, A. Grillmeier, H. Bacht, (eds.), Würzburg, 1951.

A. M. RIGGSBY, *Lenocinium: Scope and Consequences*, en *Zeitschrift der Savigny-Stiftung für Rechtsgeschichte: Romanistische Abteilung*, 112, 1, 2013.

R. RODRÍGUEZ LÓPEZ, *Trata de blancas y redes de prostitución forzosa*, en *No tan lejano. Una visión de la mujer romana a través de temas de actualidad*, M. J. Bravo Bosch, A. Valmaña Ochaíta, R. Rodríguez López (eds.), Valencia, 2018.

S. RONCHEY, *Teodora femme fatale*, en *La decadenza*, Palermo, 2002.

B. RUBIN, *Der Fürst der Dämonen*, en *Byzantinische Zeitschrift* 44, 1951.

B. RUBIN, *Prokopios von Kaisareia*, Stuttgart, 1954 =*Prokopius*, en *PWRE* 23.1,1957.

B. RUBIN, *Das Zeitalter Justinians*, 1, Berlín, 1960.

S. RUNCIMAN, *Bizancio estilo y civilización*, Bilbao, 1988.

T. SABO, *From Monophysitism to Nestorianism. AD 431-681*, Cambridge, 2018.

F. SALVADOR VENTURA, *Teodora*, en *Grecia y Roma III: mujeres reales y ficticias*, Andrés Pociña Pérez, Jesús María García González (eds.), Granada, 2009.

A. SÁNCHEZ DE LA TORRE, *Un elemento arcaico del derecho de familia: la cognatio*, en *RIDROM*, 2018.

L. SANDIROCCO, *Giustiniano e le mulieres scaenicae. Una rilettura della Novella 14 del 535*, en *Studia et Documenta Historiae et Iuris*, 83, 2017.

M. V. SANNA, *Dalla paelex della lex di Numa alle convivenze attuali*, en *No tan lejano. Una visión de la mujer romana a través de temas de actualidad*, M. J. Bravo Bosch, A. Valmaña Ochaíta, R. Rodríguez López, (eds.), Valencia, 2018.

M. J. SANZ, *El ornamento en los mosaicos de Justiniano y Teodora en San Vital de Rávena*, en *Erytheia* 11-12, 1990-91.

P. SARRIS, *Economy and Society in the Age of Justinian*, Cambridge, 2006.

A. S. SCARCELLA, *La legislazione di Leone I*, Milán, 1997.

G. SCHERILLO, *Studi sulla donazione nuziale*, en *Rivista di Storia del Diritto Italiano* 2, 1929.

W. A. SCHMIDT, *Der Aufstand in Constantinopel unter Kaiser Justinian*, Zurich, 1854.

E. SCHWARTZ, *Sitzungsberichte der Bayerischen Akademie der Wissenschaften*, en *Philosophisch-historische Abteilung*, 1940.

L. I. SCIPIONI, *Nestorio e il concilio di Efeso*, Milán, 1974.

W. SCHUBART, *Justinian und Theodora*, Munich, 1943.

R. V. SELLERS, *The Council of Chalcedon*, London, 1953.

J. SIGNES CODOÑER, *Prokops Anecdota und Justinians Nachfolge*, en *JÖB* 53, 2003.

V. A. SIRAGO, *Amalasunta, la regina (ca 495-535)*, Milán, 1999.

F. SITZIA, *Aspetti della legislazione criminale nelle novelle di Giustiniano: Il problema della giustificazione della pena*, en *Novella Constitutio. Studies in honour of Nicolaas van der Wal*, Groningen, 1990.

F. SITZIA, *Riflessioni in tema di arbitrato in diritto giustinianeo e bizantino*, en *AUPA* 57, 2014.

J. SOLOMON, *The Ancient World in the Cinema*, New Haven-Londres, 2001.

J. E. SPRUIT, *L'influence de Théodora sur la législation de Justinien*, en *RIDA* 24, 1977.

P. STANHOPE, *The Life of Belisarius*, Londres, 1848.

E. STEIN, *Histoire du Bas- Empire. Tome II: de la disparition de l'empire d'Occident à la mort de Justinien (476-565)*, París, 1949.

J. STEINER, *Theodora*, Lausana, 1970.

A. K. STRONG, *Prostitutes and Matrons in the Roman World*, Cambridge, 2016.

G. TATE, *Giustiniano. Il tentativo di rifondazione dell'impero*, trad. it. Cristiano Felice, Roma, 2006.

J. L. TEALL, *The Barbarians in Justinian's Armies*, en *Speculum*, 40, 2, 1965.

R. TEJA: *La 'tragedia'de Éfeso (431): Herejía y poder en la Antigüedad Tardía*, Santander, 1995.

W. TEUFFEL, *Procopius, Studien u. Charakteristiken z. griech.- u. rdm. sowie z. deutschen Literaturgeschichte i*, Leipzig, 1871.

K. TOEPFER, *Pantomime: The History and Metamorphosis of a Theatrical*, San Francisco, 2019.

P. TOESCA, *San Vital de Ravenna. Les mosaiques*, París, 1952.

R. TREBBI DEL TREVIGIANO, *Julianus Argentarius en el panorama artístico del siglo VI en Ravenna*, en *Bizantion Nea Hellás*, 3-4, 1972.

S. TROIANOS, *El divorcio en el derecho bizantino y posbizantino*, en *Ius Fugit* 20, 2017.

U. UNTERWEGER, *The Image of the Empress Theodora as a Patron*, en *Female Founders in Byzantium and Beyond*, Viena-Colonia-Weimar, 2011.

A. VALLVEY ARÉVALO, *Amantes poderosas de la Historia*, Madrid, 2016.

A. VALVERDE GARCÍA, *Bizancio en la pantalla*, en *Fortvnatae*, 31, 1, 2020.

J. W. VANDERCOOK, *Empress of the dusk. A life of Theodora of Byzantium*, Nueva York, 1940.

N. VAN DER WAL, *Edictum und lex edictalis. Form und Inhalt der Kaisergesetze im spätrömischen Reich*, en *RIDA* 28, 1981.

J. VAN GINKEL, *John of Ephesus on emperors; the perception of the byzantine empire by a monophysite*, en *Orientalia Christiana Analecta*, 247, 1994.

A. A. VASILIEV, *Justin the First. An Introduction to the Epoch of Justinian the Great*, Cambridge, 1950.

O. VEH, *Zur Geschichtsschreibung u. Weltauffassung des Prokop von Caesarea*, II. *Teil, Wiss. Beilage z. Jahresbericht 1951/2 des Gymnasiums Christian-Ernestinum Bayreuth*, 1952.

A. VOGT, *L'Hippodrome de Constantinople*, en *Byzantion* 10, 1935.

E. VOLTERRA, s.v. *Concubinato* (dir. romano), en *NNDI* III, Turín, 1957.

R. WEBB, *Demons and dancers: performance in late antiquity*, Cambridge, 2008.

A. WEISSMANN, *Essays upon heredity and Kindred Biological Problems*, Oxford, 1889.

P. WELLMAN, *The Female*, Nueva York, 1953.

F. WILKEN, *Über die Partheyen der Rennbahn, vornehmlich im Byzantinischen Kaiserthum*, Berlín, 1829.

N. G. WILSON, *An Anthology of Byzantine Prose*, Berlín- Nueva York, 1971.

S. WINKLER, *Die Samariter in den Jahren 529-30*, en *Klio*, 43/45, 1965.

J. L. ZAMORA MANZANO, *La industria del sexo en la época romana: Categorización social de la prostituta, medidas fiscales y control de la administración*, Madrid, 2019.

# ÍNDICE DE FUENTES

*Ioannis    Malalae    Chronographia,Corpus    Fontium    Historiae Byzantinae*

18.71                                              p. 108, 109, 184

**PROCOPIO**

*Arcana Historia*

| | |
|---|---|
| Pr. 2-5 | p. 262 |
| 1.11.13 | p. 238 |
| 1.15-18 | p. 268 |
| 1.20-22 | p. 268 |
| 1.27 | p. 269 |
| 3.8-12 | p. 270 |
| 3.18 | p. 271 |
| 4.1-13 | p. 258 |
| 6.18-28 | p. 79 |
| 7.1-2 | p. 101 |
| 7.15-42 | p. 106 |
| 9.6-7 | p. 53 |
| 9.10-12 | p. 56 |
| 9.16-18 | p. 63 |
| 9.18-20 | p. 62 |
| 9.21-23 | p. 65 |
| 9.28 | p. 72 |
| 9.30-32 | p. 73 |
| 9.47-50 | p. 77 |
| 9.51 | p. 91 |
| 10.11 | p. 74 |
| 10.15 | p. 154 |
| 11.14-16 | p. 150 |
| 11.21-24 | p. 150 |
| 12.18-22 | p. 71 |
| 12.28-30 | p. 71 |
| 12.31-32 | p. 72 |

*De Bellis*

**SENECA**

*De Clementia*

**ZACHARIAS**

*Historia Ecclesiastica*

**ZONARAS**

*Epitome Historiarum*